明道國學論叢之一

來自糖的故鄉

陳維德主編

文史哲出版社印行

國家圖書館出版品預行編目資料

來自糖的故鄉 / 陳維德主編. -- 初版. -- 臺北
市：文史哲，民96.12
頁： 公分. （明道國學論叢；1）
含參考書目
ISBN 978-957-549-755-2 (平裝)

1. 中國文學－論文,講詞等 2. 經學－論
文,講詞等
030.8

明 道 國 學 論 叢　 1

來 自 糖 的 故 鄉

主 編 者：陳　　　維　　　德
出 版 者：文 史 哲 出 版 社
http://www.lapen.com.tw
登記證字號：行政院新聞局版臺業字五三三七號
發 行 人：彭　　　正　　　雄
發 行 所：文 史 哲 出 版 社
印 刷 者：文 史 哲 出 版 社
臺北市羅斯福路一段七十二巷四號
郵政劃撥帳號：一六一八○一七五
電話 886-2-23511028 · 傳真 886-2-23965656

定價新臺幣三六○元

中華民國九十六年（2007）十二月初版

自 序

　　南彰化平原上，曾經瀰漫一片青蔥蒼翠的甘蔗田，寬闊的濁水溪流淌其間，滋潤了肥美的沃土；高聳的八卦山，阻絕了來自北方的寒冷季風 —— 天開地闊，氣象清朗。於是甘蔗枝枝挺拔茁壯，源源不絕地孕育出品質精良的蔗糖，行銷於海內外，造就了台灣豐厚的外匯。

　　六年前，原來的這片蔗田中央，矗立起典雅恢宏的明道黌宮，青青甘蔗，搖身變成了青青子衿 —— 來自各地的學子，齊聚在這裏，勤懇向學：飲一樣的濁水溪水，吹一樣的八卦山風，然而所孕育的不再是蔗糖了，卻是那無以數計的學識和人生智慧。

　　明道中文系在此地成立，也已經屆滿四年了。來此任教的老師，在學術與教學的園地裏辛勤耕植，一如當日悉心付出的蔗農；在每學期定期舉辦三場的教師學術研討會中，輪流提出他們精心撰述的論文。是這片孕育甜美的土地再次的生產、再次的豐收。欣喜於這份成果，我們將之集結成書，奉獻給學術界。也許在風簷展書之際，讀者能嗅得出那股蔗香，嘗得出那股蔗甜 —— 它們，來自糖的故鄉。

陳維德謹識 95 年 8 月

來自糖的故鄉
── 明道國學論叢之一

目　　錄

顧亭林《日知錄》探微

胡楚生

摘　要

　　顧亭林生當明室覆亡、清人入關之際，嘗起兵抗清，明亡之後，亭林先生六謁孝陵，六謁思陵，不仕滿廷，著書立說，以求俟諸異日，經世而致用，所著《日知錄》三十二卷，尤爲亭林先生平生志業所寄之書。

　　清兵入關之後，屠毒之慘，殺戮之眾，亭林先生，親身而目擊，其感慨於種族之禍、亡國之痛者，往往不盡見之於字裏行間，而時或有寄寓於言語文詞之外者，後世讀其書者，悉心體會，猶能探幽索微，省悟一二。

　　此文之作，即就《日知錄》中，亭林先生對於明室巨變所寄寓之隱微心意，試加探索，舉例說明，以表彰亭林先生昔日之用心。

　　關鍵詞：顧炎武　顧亭林　日知錄

一、引　言

　　顧炎武（1613～1682）字寧人，江蘇崑山人，學者稱爲亭林先生，生於明萬曆四十一年，卒於清康熙二十一年，享年七十歲。

1

　　亭林先生生當明室覆亡、清人入關之際,其嗣母王氏,於清
兵南下之後,絕食殉節,遺言後人,勿事二姓[2],亭林先生受命之
餘,嘗起兵抗清,明亡之後,亭林先生六謁孝陵,六謁思陵,不
仕滿廷,又嘗遍觀天下,著書立說,以求俟諸異日,經世而致用。

　　亭林先生著述宏富,所撰著者,如《音學五書》、《左傳杜解
補正》、《金石文字記》、《天下郡國利病書》、《肇域志》等,皆屬
博學稽古、卓具心得之作,而《日知錄》三十二卷,尤爲亭林先
生平生志業所寄寓之書。

　　清兵入關之後,屠毒之慘,殺戮之眾,亭林先生親身而目擊,
種族之禍,亡國之痛,形諸著述,復遭時忌,則其感慨之深,往
往不盡見之於字裏行間,而時或有寄寓於言語文詞之外者,後世
讀其書者,悉心體會,探索幽微,猶能省悟亭林先生用心之一二。

　　亭林先生〈又與人書二十五〉云:「君子之爲學,以明道也,
以救世也。」又云:「別著《日知錄》,上篇經術,中篇治道,下
篇博聞,共三十餘卷,有王者起,將以見諸行事,以躋斯世於治
古之隆,而未敢爲今人道也。」亭林先生〈又與友人論門人書〉
云:「所著《日知錄》三十餘卷,平生之志與業,皆在其中。」又
云:「而有王者起,得以取酌焉,其亦可以畢區區之願矣。」[3]亭
林先生〈初刻日知錄自序〉云:「若其所欲,明學術,正人心,撥

1　顧炎武之生平,參江藩:《漢學師承記》卷八〈顧炎武〉,台灣商務印書館,
　　民國六十六年十一月。徐世昌:《清儒學案》卷六、卷七〈亭林學案〉,國防
　　研究院,民國五十六年十月。張穆《顧亭林先生年譜》,台北,世界書局,民
　　國五十二年一月。
2　參林微紅:〈吳中第一奇節 —— 顧炎武和他的母親〉,載《歷史月刊》(1988
　　年4月),頁122-123。
3　並見顧炎武:《顧亭林詩文集》,台北,世界書局,民國五十二年一月。

亂世，以興太平之事，則有不盡於是刻。」由以上亭林先生所言，可知《日知錄》一書，其撰著之目的，其內容之大要，以及亭林先生用心之宛曲，寄託之深遠，所謂「明道」、「救世」，是其中有經緯邦國之義存在，所謂「有王者起，將以見諸行事」，明非指清初帝王之身，所謂「平生之志與業，皆在其中」，「未敢爲今人道也」，是其書中當有不盡見於語言文字之中，而委婉幽微寄慨而託諸語言文字之外者。

　　清康熙三十四年，潘耒初刻《日知錄》行世，道光十六年，黃汝成爲《日知錄集釋》，然皆拘於時忌，多遭竄改，故所刻者，並非原書之本來面目。民國二十二年，張繼（溥泉）先生於北平購得原抄本《日知錄》，持與章太炎黃季剛二位先生共同校閱，黃張二先生，撰爲校勘記，太炎先生爲之序，然後亭林先生之志節苦心，精神意趣，始得重現人間。民國四十七年，溥泉先生夫人崔震華女士，委請徐文珊教授整理原抄本《日知錄》，並在台刊印出版。

　　以下所述，即據原抄本《日知錄》，以探索亭林先生對於明室巨變之事所寄寓之隱微心意，至於相關文字之異同增補，則於徵引各條之下，比對通行本，隨文加注，並作說明。

二、探　微

（一）隱刺奸佞失節

《日知錄》卷十七〈廉恥〉條云：

> 《五代史・馮道傳》論曰：「禮義廉恥，國之四維，四維不張，國乃滅亡。善乎管生之能言也，禮義，治人之大法，廉恥，立人之大節。蓋不廉則無所不取，不恥則無所不爲。人而如此，則禍敗亂亡，亦無所不至。況爲大臣而無所不

取，無所不為，則天下其有不亂，國家其有不亡者乎？」
然而四者之中，恥尤為要。故夫子之論士曰：「行己有恥。」
孟子曰：「人不可以無恥，無恥之恥，無恥矣。」又曰：「恥
之於人大矣，為機變之巧者，無所用恥焉。」所以然者，
人之不廉而至於悖禮犯義，其原皆生於無恥也，故士大夫
之無恥，是謂國恥。吾觀三代以下，世衰道微，棄禮義，
捐廉恥，非一朝一夕之故。然而松柏後凋於歲寒，雞鳴不
已於風雨，彼眾昏之日，固未嘗無獨醒之人也。頃讀《顏
氏家訓》，有云：「齊朝一士夫，嘗謂吾曰，我有一兒，年
已十七，頗曉書疏，教其鮮卑語及彈琵琶，稍欲通解，以
此伏事公卿，無不寵愛。」吾時俯而不答，異哉此人之教
子也！若由此業，自致卿相，亦不願汝曹為之。」嗟乎！
之推不得已而仕於亂世，猶為此言，尚有〈小宛〉詩人之
意，彼閹然媚於世者，能無媿哉？

羅仲素曰：「教化者朝廷之先務，廉恥者士人之美節，風俗
者天下之大事。朝廷有教化，則士人有廉恥，士人有廉恥，
則天下有風俗。」

古人治軍之道，未有不本於廉恥者，吳子曰：「凡制國治軍，
必教之以禮，勵之以義，使有恥也。」夫人有恥，在大足
以戰，在小足以守矣。《尉繚子》言：「國必有孝慈廉恥之
俗，則可以死易生。」而太公對武王：「將有三勝，一曰禮
將，二曰力將，三曰止欲將。」故禮者所以班朝治軍，而
〈兔罝〉之武夫，皆本於文王后妃之化，豈有淫芻蕘竊牛
馬而為暴於百姓者哉？

《後漢書》，張奐為安定屬國都尉，羌豪帥感奐恩德，上馬
二十匹。先零酋長又遺金鐻八枚。奐並受之，而召主簿於

諸羌前，以酒酹地，曰：「使馬如羊，不以入廄。使金如粟，不以入懷。」悉以金馬還之。羌性貪而貴吏清，前有八都尉，率好財貨，為所患苦。及奐正身潔己，威化大行。嗚呼！自古以來，邊事之敗，有不始於貪求者哉？吾於遼東之事有感！

杜子美詩：「安得廉頗將，三軍同晏眠。」一本作廉恥將。詩人之意，未必如此。然吾觀《唐書》，言王佖為武靈節度使，先是吐蕃欲成烏蘭橋，每於河壖先貯材木，皆為節帥遣人潛載之，委於河流，終莫能成。蕃人知佖貪而無謀，先厚遺之，然後併役成橋，乃築月城守之。自是朔方禦寇不暇，至今為患，繇佖之黷貨也。故貪夫為帥，而邊城晚開，得此意者，郢書燕說，或可以治國乎？[4]

　　亭林先生於此條之中，暢論廉恥之義，對於朝廷大臣，立身行己之重要，此條前文所舉，以馮道身仕五朝爲例，後文所舉，以王佖貪婪黷貨爲例，朝廷命官，一文一武，武將愛財，文官畏死，敗壞廉恥，天下亂矣，亭林先生云：「自古以來，邊事之敗，有不始於貪求者哉！吾於遼東之事有感。」遼東之事，實指洪承疇身爲薊遼總督，而投降滿清，先導入關之事。《明史·本紀》卷二十三〈莊烈帝紀〉記載，崇禎七年十一月乙酉，詔洪承疇兼攝五省軍務，十一年九月辛巳，清兵入牆子嶺，總督薊遼兵部侍郎吳阿衡戰死，十二年正月丁丑，改洪承疇總督薊遼，孫傳庭總督保定、山東、河北，十五年二月戊午，清兵攻松山，洪承疇被俘投降，巡撫都御史丘民仰、總兵官曹變蛟、王廷臣、副總兵江翥、

4　見《原抄本日知錄》，台北，文史哲出版出版，民國六十八年四月。頁387-388。下引並同。

饒勳等死難[5]。又《清史稿校注》卷二百四十四《列傳》二十四記載，洪承疇既被俘，清太宗（皇太極）欲收承疇為用，命范文程諭降，承疇方科跣謾罵，文程徐與語，泛及古今事，梁間塵偶落，著承疇衣，承疇拂去之，文程遽歸，告太宗曰：「承疇必不死，惜其衣，況其身乎！」皇太極自臨視，解所御貂裘衣之，曰：「先生得無寒乎？」承疇瞠視久，歎曰：「真命世之主也！」乃叩頭請降，皇太極大悅，即日賞賜無算，置酒陳百戲，諸將或不悅，以為何待承疇之重也，皇太極進諸將曰：「吾曹櫛風沐雨數十年，將欲何為？」諸將曰：「欲得中原耳！」皇太極笑曰：「譬諸行道，吾等皆瞽，今獲一導者，吾安得不樂？」莊烈帝初聞承疇死，予祭十六壇，建祠都城外，與丘民仰並列，帝將親臨奠祭，俄聞承疇降，乃止。清世祖順治元年四月，清睿親王多爾袞帥師南下攻明，承疇從之。[6]順治二年，清豫親王多鐸師下江南，命洪承疇總督軍務，招撫江南各省，以迄底定西南各省，承疇皆統兵與戰，效命清廷。[7]且清兵入關之初，本意僅在掠奪貨財，尚未敢有席捲中原之想，而降臣洪承疇導之南下，天下遂不可問。[8]《日知錄》中此條，亭林先生尚論後漢及五代史事，忽於文末，著一感嘆曰：「嗚呼！自古以來，邊事之敗，有不始於貪求者哉？」所謂貪求，貪金錢，貪富貴，貪生惜死，皆貪求者也，亭林先生於此文下又曰：「吾於遼東之事有感！」先生心中隱微之意，豈不灼然明白！[9]

5 見《新校本明史》，台北，鼎文書局，民國六十四年六月。

6 見《清史稿校註》，台北，商務印書館，民國八十八年。下引並同。

7 參李光濤：《明季流寇始末》下編第四章第三節〈洪承疇之經略南疆〉，中央研究院歷史語言研究所專刊之五十一，民國五十四年三月。

8 參李光濤：〈洪承疇援遼始末〉、〈論洪承疇之招撫江南〉，載所著《明清史論集》下冊，台北，商務印書館，民國六十年四月。

9 清人全祖望於所撰〈梅花嶺記〉（載全氏《鮚埼亭集‧外編》卷二十）之中，敘述史可法於揚州殉國之後，大江南北，義軍兵興，皆託史閣部之名，以為

（二）暗喻清兵入關

《日知錄》卷四〈納公孫寧儀行父于陳〉條云：

> 孔寧儀行父從靈公宣淫于國，殺忠諫之泄冶。君弒不能死，
> 從楚子而入陳，《春秋》之罪人也，故書曰：「納公孫寧儀
> 行父于陳。」杜預乃謂二子託楚以報君之讎，靈公成喪，
> 賊討國復，功足以補過。嗚呼！使無申叔時之言，陳為楚
> 縣矣！二子者楚之臣僕矣！尚何功之有？幸而楚子復封，
> 成公反國，二子無秋毫之力。而杜氏為之曲說，使後世詐
> 諼不忠之臣，得援以自解，嗚呼！其亦愈于今之已為他人
> 郡縣而猶言報讎者與！
>
> 有盜于此，將劫一富室，至中途而其主為僕所弒，盜遂入
> 其家，殺其僕，曰：「吾報爾讎矣。」遂有其田宅貨財，子
> 其子孫其孫，其子孫亦遂奉之為祖父。嗚呼！有是理乎？
> 《春秋》之所謂亂臣賊子者，非此而誰邪？與楚子之存陳，
> 不與楚子之納二臣也，公羊子固己言之，曰存陳，悕矣。[10]

《左傳》宣公九年記載，陳靈公與孔寧儀行父三人，皆通於
夏姬，宣淫於國，大臣泄冶亟諫，靈公殺之，十年，靈公與孔寧
儀行父飲於夏氏，靈公謂行父曰：「徵舒似女。」行父對曰：「亦
似君。」徵舒乃夏姬之子，聞而病之，遂弒靈公，孔寧儀行父二
人，懼而奔楚，十一年，楚伐陳，殺夏徵舒，因以陳為楚國之縣，
楚大臣申叔時諫楚子，以縣陳為貪，楚子乃復封陳，而使孔寧儀
行父二人返陳。杜預注云：「二子淫昏，亂人也，君弒之後，能外

忠烈尚在，孫兆奎起兵被執，清軍經略洪承疇與之有舊，問曰：「先生在兵
間，審知故揚州閣部史公果死耶？抑未死耶？」孫公答曰：「經略從北來，
審知故松山殉難督師洪公果死耶？抑未死耶？」承疇大恚，急呼麾下驅出
斬之。

10 同注 4，頁 100。

託楚，以求報君之讎。」又云：「賊討國復，功足以補過。」而亭
林先生非之，以為二人「何功之有」，以為「使無申叔時之言，陳
為楚縣矣，二子者楚之臣僕矣」，《日知錄》此條之末，亭林先生
所論「有盜于此」一節，實針對吳三桂乞師女真，以至引滿人入
關不返一事而發，《清史稿校註》卷四百八十一〈吳三桂傳〉記，
「順治元年，李自成自西安東犯，太原、寧武、大同皆陷，又分
兵破真定。莊烈帝封三桂平西伯，並起襄（吳襄，三桂父）提督
京營，徵三桂入衛。寧遠兵號五十萬，三桂簡閱步騎遣入關，而
留精銳自將為殿。三月甲辰，入關。戊甲，次豐潤。而自成已以
乙巳破明都，遣降將唐通、白廣恩將兵東攻灤州。三桂擊破之，
降其兵八千，引兵還保山海關。自成脅襄以書招之，令通以銀四
萬犒師，遣別將率二萬人代三桂守關。三桂引兵西，至灤州，聞
其妾陳為自成將劉宗敏掠去，怒還，擊破自成所遣守關將；遣副
將楊坤、遊擊郭雲龍上書睿親王乞師。王方西征，次翁後，三桂
使至，明日，進次西拉塔拉，報三桂書，許之。自成聞三桂兵起，
自將二十萬以東，執襄置軍中，復遣所置兵政部尚書王則堯招三
桂，三桂留不遣。越四日，王進次連山，三桂又遣雲龍齎書趣進
兵。師夜發，踚寧遠，次沙河。明日，距山海關十里。三桂遣邏
卒報自成將唐通出邊立營，王遣兵攻之，戰於一片石，通敗走。
又明日，師至關，三桂出迎。王命設儀仗，吹螺，偕三桂拜天畢，
三桂率部將謁王，王令其兵以白布繫肩為識，前驅入關」，「王承
制進三桂爵平西王，分馬、步各萬隸焉，令前驅逐自成。」[11]吳
三桂以愛妾陳圓圓為李自成部將所掠，竟開山海關迎清兵入內，
罔顧民族大義[12]，亭林先生《日知錄》此條，於尚論《左傳》史

---

11 同注 6。

12 清人吳偉業〈圓圓曲〉詩（載吳氏《梅村集》）有曰：「鼎湖當日棄人間，破

事之際，忽爾言及「有盜于此」一節，而云「遂有其田宅貨財」，文末乃稱「子其子孫其孫」，又稱《春秋》之所謂亂臣賊子者，非此而誰邪」，其指斥之嚴，用意之深，豈不灼然而可見者歟！[13]

（三）指斥大夫無恥

《日知錄》卷十七〈兩漢風俗〉條云：

> 漢自孝武表章六經之後，師儒雖盛而大義未明，故新莽居攝，頌德獻符者遍於天下。光武有鑒於此，故尊崇節義，敦屬名實，所舉用者，莫非經明行修之人，而風俗為之一變。至其末造，朝政昏濁，國事日非，而黨錮之流，獨行之輩，依仁蹈義，舍命不渝，風雨如晦，雞鳴不已·三代以下，風俗之美，無尚於東京者！故范曄之論，以為桓靈之間，君道秕僻，朝綱日陵，國隙屢啟。故自中智以下，靡不審其崩離，而權強之臣，息其闚盜之謀，豪俊之夫，屈於鄙生之義，所以傾而未顛，決而未潰，皆仁人君子心力之為。可謂知言者矣！使後代之主，循而弗革，即流風至今，亦何不可？而孟德既有冀州，崇獎跅弛之士，觀其下令再三，至於求負汙辱之名，見笑之行，不仁不孝，而有治國用兵之術者，於是權詐迭進，姦逆萌生。故董昭太

敵收京下玉關，慟哭六軍俱縞素，衝冠一怒為紅顏。」又曰：「妻子豈應關大計，英雄無奈是多情，全家白骨成灰土，一代紅粧照汗青。」意含譏切者，即指此也

13 世傳清攝政王多爾袞〈與明史可法書〉有曰：「闖賊李自成，稱兵犯闕，手毒君親，中國臣民，不聞加遺一矢，平西王吳三桂，介在東陲，獨效包胥之哭，朝廷感其忠義，念累世之宿好，棄近日之小嫌，爰整貔貅，驅除狗鼠。」又曰：「國家之撫定燕京，乃得之於闖賊，非取之於明朝也。」而史可法〈復清多爾袞書〉則曰：「昔契丹和宋，止歲輸以金繒，回紇助唐，原不利其土地，況貴國篤念世好，兵以義動，萬代瞻仰，在此一舉，若乃乘我蒙難，棄好崇讎，規此幅員，為德不卒，是以義始而以利終，為賊人所竊笑也。」是清人入關，利用降臣，詭詐欺愚，久居不去，恬然無恥，猶為狡辯也。

和之疏，已謂「當今年少，不復以學問為本，專更以交遊為業。國士不以孝悌清修為首，乃以趨勢求利為先」。至正始之際，而一二浮誕之徒，騁其智識，蔑周孔之書，習老莊之教，風俗又為之一變。夫以經術之治，節義之防，光武明章，數世為之而未足，毀方敗常之俗，孟德一人變之而有餘。後之人君，將樹之風聲，納之軌物，以善俗而作人，不可不察乎此矣。

光武躬行勤約，以化臣下，講論經義，常至夜分，一時功臣，如鄧禹有子十三人，各使守一藝，閨門修整，可為世法。貴戚如樊重，三世共財，子孫朝夕禮敬，常若公家。以故東漢之世，雖人才之倜儻，不及西京，而士風家法，似有過於前代。

東京之末，節義衰而文章盛，自蔡邕始，其仕董卓無守，卓死驚歎無識。觀其集中濫作碑頌，則平日之為人可知矣！以其文采富而交游多，故後人為立佳傳。嗟乎！士君子處衰季之朝，常以負一世之名，而轉移天下之風氣者，視伯喈之為人，其戒之哉！[14]

亭林先生討論歷代風俗，於東西二周以下，最為推崇東漢，以為「光武躬行勤約，以化臣下」，「尊崇節義，敦厲名實」，故「三代以下，風俗之美，無尚於東京者」，然而，自曹操據有冀州之後，崇獎跅弛之士，於是風氣大壞，權詐迭進，姦逆萌生，故亭林先生以為，「經術之治，節義之防，光武明章，數世為之而未足，毀方敗常之俗，孟德一人變之而有餘」，至於東漢之末，「節義衰而文章盛」，則亭林先生歸咎於蔡邕，以其無守無識，濫作碑頌，「以

14　同注4，頁377-378。

其文采富而交游多」，此則亭林先生，生當晚明之際，筆下所書，雖爲蔡邕，心中所指，豈不在於變節降清之文史冠冕錢謙益乎？《清史稿校註》卷四百九十一《列傳》二百七十一《文苑傳》一記：「錢謙益，字受之，常熟人。明萬曆中進士，授編修，博學工詞章，名隸東林黨。天啓中，御史陳以瑞劾罷之。崇禎元年，起官，不數月至禮部侍郎。會推閣臣，謙益慮尚書溫體仁、侍郎周延並推，則名出己上，謀沮之。體仁追論謙益典試浙江取錢千秋關節事，予杖論贖。體仁復賄常熟人張漢儒訐謙益貪肆不法。謙益求救於司禮太監曹化淳，刑斃漢儒。體仁引疾去，謙益亦削籍歸。流賊陷京師，明臣議立君江寧。謙益陰推戴潞王，與馬士英議不合，已而福王立，懼得罪，上書誦士英功，士英引爲禮部尚書。復力薦閹黨阮大鋮等，大鋮遂爲兵部侍郎。順治三年，豫親王多鐸定江南，謙益迎降，命以禮部侍郎管秘書院事。馮銓充明史館正總裁，而謙益副之。俄乞歸。五年，鳳陽巡撫陳之龍獲黃毓祺，謙益坐與交通，詔總督馬國柱逮訊。謙益訴辨，國柱遂以謙益、毓祺素非相識定讞。得放還，以著述自娛，越十年卒。謙益爲文博贍，諳悉朝典，詩尤擅其勝。明季王、李號稱復古，文體日下，謙益起而力振之。家富藏書，晚歲絳雲樓火，惟一佛像不燬，遂歸心釋教，著楞嚴經蒙鈔。其自爲詩文，曰牧齋集、曰初學集、有學集。乾隆三十四年，詔燬板，然傳本至今不絕。」又《清史稿校註》卷三百十二《列傳》九十二記：「沈德潛字碻士，江南長洲人，乾隆元年，舉博學鴻詞，試未入選，四年，成進士，改庶吉士，年六十七矣」，「二十六年，復詣京師祝皇太后七十萬壽，進歷代聖母圖冊。入朝賜杖，上命集文武大臣七十以上者爲九老，凡三班，德潛爲致仕九老首。命游香山，圖形內府。德潛進所編《國朝詩別裁集》請序，上覽其書以錢謙益爲冠，因諭：

謙益諸人為明朝達官，而復事本朝，草昧締構，一時權宜。要其人不得為忠孝，其詩自在，聽之可也。選以冠本朝諸人則不可。錢名世者，皇考所謂名教罪人，更不宜入選。慎郡王，朕之叔父也，朕尚不忍名之。德潛豈宜直書其名？至世次前後倒置，益不可枚舉。命內廷翰林重為校定。二十七年，南巡，德潛及錢陳群迎駕常州，上賜詩，並稱為大老。三十年，復南巡，仍迎駕常州，加太子太傅，賜其孫維熙舉人。三十四年卒，年九十七。贈太子太師，祀賢良祠，諡文愨。御製詩為輓。是時上命燬錢謙益詩集，下兩江總督高晉令察德潛家，如有謙益詩文集，遵旨繳出。會德潛卒，高晉奏德潛家並未藏謙益詩文集，事乃已。」是則錢謙益文史詩名雖盛，沈德潛所編《國朝詩別裁集》，亦以錢氏褒然冠於集首，而清帝已不齒其為人，命燬錢詩版刻，況在明人，寧有不加鄙視者乎！亭林先生云：「士君子處衰季之朝，常以負一世名，而轉移天下之風氣者，視伯喈之為人，其戒之哉！」此語數也，移之以指斥錢氏之負國恩而敗士節者，誰曰不宜？亭林先生之用心，豈不灼然可知。

（四）憂慮被髮左衽

《日知錄》卷九〈管仲不死子糾〉條云：

> 君臣之分，所關者在一身，夷夏之防，所繫者在天下。故夫子之於管仲，略其不死子糾之罪，而取其一匡九合之功。蓋權衡於大小之間，而以天下為心也。夫以以君臣之分，猶不敵夷夏之防，《春秋》之志可知矣。
>
> 有謂管仲之於子糾，未成為君臣者，子糾於齊未成君，於仲與忽，則成為君臣矣。狐突之子毛及偃，從文公在秦，而曰：「今臣之子，名在重耳，有年數矣。」若毛偃為重耳之臣，而仲與忽不得為糾之臣，是以成敗定君臣也，可乎？

又謂桓兄糾弟，此亦強為之說。夫子之意，以被髮左衽之禍，尤重於忘君事讎也。

論至於尊周室攘夷狄之大功，則公子與其臣，區區一身之名分小矣。雖然，其君臣之分故在也，遂謂之無罪，非也。[15]

《論語・憲問》記：「子路曰，桓公殺公子糾，召忽死之，管仲不死，曰，未仁乎？子曰，桓公九合諸侯，不以兵車，管仲之力也，如其仁，如其仁。」又記：「子貢曰，管仲非仁者與？桓公殺子糾，不能死，又相之。子曰，管仲相桓公，霸諸侯，一匡天下，民到于今受其賜，微管仲，吾其被髮左衽矣，豈若匹夫匹婦之為諒也，自經於溝瀆，而莫之知也。」管仲不死子糾之難，王肅以為管仲之於公子糾，「君臣之義未成」，程子以為，桓公為兄，子糾為弟，「桓公殺之雖過，而糾之死實當」[16]，皆過為閃爍其詞，亭林先生則以為，「君臣之分，所關者在一身，夷夏之防，所繫者在天下」，「蓋權衡於大小之間，而以天下為心也」，以天下為心，其言最關緊要，亭林先生生當清人入關之際，其於種族陷溺，文化沉淪，感受特為深刻，故於華夷之辨，言之也最為明著，「夫子之意，以被髮左衽之禍，尤重於忘君事讎也」[17]，通行本《日知錄》無此十九字[18]，原抄本《日知錄》有之，此十九字，也最能彰明夫子之要旨。實則，此條對於明亡之際，忘君事讎，以至引而為被髮左衽巨禍之失節人臣，尤其具有筆誅之用意存在。

---

15 同注 4，頁 201。
16 見朱熹：《四書集注》，台北，中華書局《四部備要》本。
17 參胡楚生：〈清初諸儒論「管仲不死子糾」申義〉，載拙著《清代學術史研究》，台北，學生書局，民國七十七年二月，頁 125-140。
18 通行本，此據清黃汝成：《日知錄集釋》卷七，台北，世界書局，民國六十三年七月，頁 158。下引通行本並同。

（五）傷感蠻夷猾夏

《日知錄》卷九：〈素夷狄行乎夷狄〉條云：

> 「素夷狄行乎夷狄」，然則將居中國而去人倫乎？非也。處
> 夷狄之邦而（不失）吾中國之道，是之謂素夷狄行乎夷狄
> 也。六經所載，帝舜滑夏之咨，殷宗有截之頌，《禮記》明
> 堂之位，《春秋》（朝）會之書，凡聖人所以為內夏外夷之
> 防也，如此其嚴也！《文中子》以元經之帝魏，謂天地有
> 奉，生民有庇，即吾君也。何其語之偷而悖乎！宋陳同甫
> 謂黃初以來，陵夷四百餘載，夷狄異類迭起以主中國，而
> 民生常覬一日之安寧於非所當事之人。以王仲淹之賢，而
> 猶為此言，其無以異乎凡民矣！夫（興）亡有迭代之時，
> 而中華（無）不復之日，若之何以萬古之心胸而區區於旦
> 暮乎！此所（謂）偷也。漢和帝時，侍御史魯恭上疏曰：「夫
> 戎狄者，四方之異氣，蹲夷踞肆，與鳥獸無別，若雜居中
> 國，則錯亂天氣，汙辱善人。」夫以亂辱天人之世，而論
> 者欲將毀吾道以殉之，此所謂悖也。孔子有言：「居處恭，
> 執事敬，與人忠，雖之夷狄，不可棄也。」夫是之謂素夷
> 狄行乎夷狄也。若乃相率而臣事之，奉其令，行其俗，甚
> 者導之以為虐于中國，而藉口於素夷狄之文，則子思之罪
> 人也已！[19]

通行本《日知錄》無此條，原抄本有之，考《中庸》曰：「君
子素其位而行，不願乎其外，素富貴，行乎富貴，素貧賤，行乎
貧賤，素夷狄，行乎夷狄，素患難，行乎患難，君子無入而不自
得。」其意所重，乃在「君子無入而不自得」，素夷狄行乎夷狄，

---

19 同注 4，頁 186-187。

僅爲陪襯之詞而已，重點原不在以夷狄之行爲法，故《中庸》所謂「素夷狄行乎夷狄」者，亭林先生以爲，不過教人，雖「處夷狄之邦，而不失吾中國之道」而已，非使華夏民族，處於夷狄之地，即奉行夷狄之道也，至於「奉其令，行其俗」，「相率而臣事之」，「導之以爲虐于中國」，此其禍也，亭林先生親自目睹，親身體受，故其於《春秋》家所謂之「內諸夏而外夷狄」者，感悟亦特爲痛切，故昌言「興亡有迭代之時，而中華無不復之日，若之何以萬古之心胸而區區於旦暮乎」，蓋有感於明室之暫亡，而冀望神州有重光之日也。

（六）痛心文化沉淪

《日知錄》卷十七〈正始〉條云：

> 魏明帝殂，少帝即位，改元正始，凡九年。其十年，則太傅司馬懿殺大將軍曹爽，而魏之大權移矣。三國鼎立，至此垂三十年，一時名士風流，盛於雒下，乃其棄經典而尚老莊，蔑禮法而崇放達，視其主之顛危若路人然，即此諸賢爲之倡也。自此以後，競相祖述。如《晉書》言，王敦見衛玠，謂長史謝鯤曰：「不意永嘉之末，復聞正始之音。」沙門支遁，以清談著名於時，莫不崇敬，以爲造微之功，足參諸正始。……然而《晉書·儒林傳·序》云：「擯闕里之典經，習正始之餘論，指禮法爲流俗，目縱誕以清高。此則虛名雖被於時流，篤論未忘乎學者。是以講明六藝，鄭玄王肅爲集漢之終。演說老莊，王弼何晏爲開晉之始。」以至國亡於上，教淪於下，胡戎互僭，君臣屢易，非林下諸賢之咎而誰咎哉？

> 有亡國有亡天下。亡國與亡天下奚辨？曰，易姓改號，謂之亡國。仁義充塞，而至於率獸食人，人將相食，謂之亡

天下。魏晉人之清談，何以亡天下？是孟子所謂楊墨之言，至於使天下無父無君而入於禽獸者也。……是故知保天下，然後知保其國。保國者，其君其臣，肉食者謀之。保天下者，匹夫之賤，與有責焉耳矣。[20]

劉義慶《世說新語·任誕》曰：「陳留阮籍，譙國嵇康，河內山濤，三人年皆相比，康年少亞之。預此契者，沛國劉伶，陳留阮咸，河內向秀，琅邪王戎，七人常集于竹林之下，肆意酣暢，故世謂竹林七賢。」[21]蓋魏晉之清談，以七人為代表，放誕仁義，崇慕老莊，蔑棄禮法，遂至於使司馬氏之亡於異族，五胡十六國，交亂中原，禮義淪胥，道德沉淪，真所謂亡天下而率獸食人之慘者也，故亭林先生深加排斥，以為「國亡於上，教淪於下」，「非林下諸賢之咎而誰咎哉」。亦唯亭林先生以道德禮義人倫文化所關繫者為念，故強調異族侵陵，為中夏亡天下之巨禍，故以為匹夫匹婦，皆與有責焉者，《日知錄》卷九〈夫子之言性與天道〉條曰：「五胡亂華，本於清談之流禍，人人知之。孰知今日之清談有甚於前代者，昔之清談談老莊，今之清談談孔孟。」又曰：「以明心見性之空言，代修己治人之實學，股肱惰而萬事荒，爪牙亡而四國亂，神州蕩覆，宗廟丘墟」。《日知錄》卷二十〈內典〉條曰：「夫心所以具眾理而應萬事，正其心者，正欲施之治國平天下，孔門未有專用心於內之說也，用心於內，近世禪學之說耳。」又〈朱子晚年定論〉條曰：「以一人而易天下，其流風至於百有餘年之久者，古有之矣，王夷甫之清談，王介甫之新說。（《宋史》林之奇言，昔人以王何清談之罪，甚于桀紂，本朝靖康禍亂，考其端倪，

---

20 同注 4，頁 378-379。
21 見余嘉錫：《世說新語箋疏》卷下〈任誕〉第二十三，台北，仁愛書局，民國七十三年十月，頁 727。

王氏實負王何之責。）其在於今，則王伯安之良知是也。」合此數條觀之，則亭林先生，言語雖稱魏晉，意中所指，豈無眼前王學末流，狂禪盛行，清談誤國，不務實學，以致清人入關，明室覆亡，文化淪胥之傷痛在耶！

（七）表彰忠義烈節

《日知錄》卷十七〈本朝〉條云：

> 古人謂所事之國為本朝，魏文欽降吳，表言「世受魏恩，不能扶翼本朝，抱愧俛仰，靡所自厝」。又如吳亡之後，而蔡洪與刺史周俊書，言「本朝舉賢良」是也。《顏氏家訓》：「先君先夫人，皆未還建業舊山，旅葬江陵東郭。承聖末，啟求揚都，欲遷瑩厝。蒙詔賜銀百兩，已于揚州小郊，卜地燒磚。值本朝淪沒，流離至此。」之推仕歷齊周及隋，而猶稱梁為本朝。蓋臣子之辭，無可移易。而當時上下，亦不以為嫌者矣。
>
> 《舊唐書‧劉昫傳》，昫為石晉宰相，而其〈職官志〉稱唐曰皇朝，曰皇家，曰國家，〈經籍志〉稱唐曰我朝。
>
> 宋胡三省註《資治通鑑》，書成于元至元時。註中凡稱宋皆曰本朝，曰我宋。其釋地理，皆用宋州縣名。惟一百九十七卷蓋牟城下註曰：「大元遼陽府路。」遼東城下註曰：「今大元遼陽府。」二百六十八卷順州下曰：「大元順州領懷柔密雲二縣。」二百八十六卷錦州下曰：「陳元靚曰，大元于錦州置臨海節度，領永樂安昌興城神水四縣，屬大定府路。」二百八十八卷建州下曰：「陳元靚曰，大元建州領建平永霸二縣，屬大定府路。」以宋無此地，不得已而書之也。[22]

---

22 同注 4，頁 411-412。

　　《日知錄》卷十七有〈本朝〉一條，亭林先生云：「古人謂所事之國爲本朝。」章炳麟〈日知錄校記序〉曰：「昔時讀《日知錄》，怪顧君仕明至部郎，而篇中稱明，與前代無異，疑爲後人改竄。又〈素夷狄行乎夷狄〉一條，有錄無書，亦以爲乾隆抽毀也。後得潘次耕初刻，與傳本無異，則疑顧君真蹟已然。結轖不怡者久之。去歲聞友人張繼得亡清雍正時寫本，其缺不書者故在，又多出「胡服」一條，纏纏千餘言。其書明則本朝，涉明諱者則用之字，信其爲顧君真本。曩之所疑于是奐然凍解也。顧其書丹黃雜施，不可攝影以示學者。今歲春，余弟子黃侃因爲〈校記〉一通，凡今本所缺者具錄於記，一句一字皆著焉。其功信勤矣。頗怪次耕爲顧君與徐昭法門下高材，造膝受命，宜與恆眾異，乃反劉定師書，令面目不可全睹，何負其師之劇耶！蓋亦懲于史禍，有屈志而爲之者也。今〈校記〉既就，人人可檢讀以窺其真。顧君千秋之志得以無恨，而侃之功亦庶幾與先哲並著歟！」[23]徐文珊教授所整理之《原抄本日知錄》，其〈敘例〉第十條云：「書中與通行本不同者，多在明清之順逆，內諸夏而外夷狄，對明帝稱謂各條，散見全書各篇，不遑枚舉，舉其要者，如稱明必曰本朝，稱明太祖必曰我太祖，崇禎必曰先帝，明初稱國初等，此皆示作者只知身爲明人，不知有清帝，一字之差，敵我之分，順逆之辨，全在於是。清人必爲竄改，本朝改明朝，我太祖改明太祖，先帝改爲崇禎，而有明遺臣變爲清之降臣矣。餘如內侵之夷狄稱曰胡曰虜，清人則改爲邊爲塞爲敵爲外國，五胡改劉石，中原左衽改中原塗炭，凡此種種，輕重褒貶，毫釐千里，不容假借。」[24]徐文珊教授〈原抄本顧炎武日知錄評介〉亦曰：「著者民族立場，明

---

23 同注 4，附錄一，頁 957。
24 同注 4，頁 2。

朗而堅定，最爲清廷所不能容忍。蓋著者所堅持之立場，正清廷
不兩立之大敵。顧氏於民族爲漢，於國家爲明。非漢者夷狄，反
明者寇盜。其存心只知有漢有明，而不知有滿有清。故書中絕口
不言滿，不言清，更不屑道及清帝廟諡與年號。每有所指，必指
明曰我朝，本朝、國朝，明太祖必曰我太祖，崇禎必曰先帝，一
似明祚未終者然。此種不承認主義雖屬消極，然在清室視之，當
爲其所大忌，故必改之而後快。於是我朝本朝國朝全改稱明朝，
或有明。我太祖改爲明太祖，先帝改崇禎。一字二字之差，而忠
奸順逆之別，何止霄壤？亭林地下有知，吾知其必攘臂仗劍而起
矣！」[25]然則，通行本《日知錄》中「本朝」此條，則正屬亭林
先生於華夷大義，爲書中各篇發凡起例作張本者也，已屬難得而
珍貴，今《原抄本日知錄》重現人間，取以比校，則亭林先生之
心志，豈不益爲彰著者歟！

（八）申論風俗移人

《日知錄》卷二十九〈胡服〉條云：

> 自古承平日久，風氣之來，必有其漸。而變中夏爲夷狄，
> 未必非一二好異之徒啟之也。《春秋傳》僖公二十二年，初，
> 平王之東遷也，辛有適伊川，見被髮而祭於野者，曰：「不
> 及百年，此其戎乎！其禮先亡矣！」秋，秦晉遷陸渾之戎
> 於伊川。《後漢・五行志》，靈帝好胡服胡帳胡床胡坐胡飯
> 胡箜篌胡笛胡舞，京都貴戚，皆競爲之。其後董卓多擁胡
> 兵，填塞街衢，虜掠宮掖，發掘園陵。《晉書・五行志》，
> 泰始之初，中國相尚用胡床柏槃，及爲羌煮柏炙，貴人富
> 室，必畜其器。言享嘉會，皆以爲先。太康中，又以氈爲

---

25 同注 4，頁 1001-1002。

綹頭及絡帶袴口,百姓相戲曰:「中國必為胡所破,夫氈毳產於胡,而天下以綹頭帶身袴口,胡既三制之矣,能無敗乎?」至元康中,氐羌互反,永嘉後,劉石遂纂中都。自後四夷迭據華土,是服妖之應也。

《冊府元龜》,後漢高祖天福十二年,左衛將軍許敬遷奏:「臣伏見天下鞍轡器械,並取契丹樣裝飾,以為美好。安有中國之人,反效戎虜之俗?請下明詔毀棄,須依漢境舊儀。」敕曰:「近者中華人情浮薄,不依漢禮,卻慕胡風,果致狂戎來侵。諸夏應有契丹樣鞍轡器械服裝等,並令逐處禁斷。」

《太祖實錄》,初,元世祖起自朔漠,以有天下,悉以胡俗變易中國之制,士庶咸辮髮椎髻,深簷胡帽。衣服則為褲褶窄袖,及辮線腰褶,婦女衣窄袖短衣,下服群裳,無復中國衣冠之舊。甚者易其姓字為胡名,習胡語。俗化既久,恬不為怪。上久厭之,洪武元年二月壬子,詔復衣冠,如唐制。士民皆束髮於頂,官則烏紗帽,圓領袍,束帶,黑靴。士庶則服四帶巾。雜色盤領,衣不得用黃玄,其辮髮椎髻,胡服,胡語,胡姓,一切禁止。斟酌損益,皆斷自聖心。於是百有餘年胡俗,悉復中國之舊矣。

《河間府志》,陳士彥曰:「今河間男子,或有左衽者,而婦人尤多。至於孺子環狐狗之尾以為冠,而被身毛革以為服,謂之達粧。夫被髮野祭,辛有卜其為戎。晉太康中,俗以氈為綹頭及絡帶袴口,彼此互相嘲戲,以為胡兒。未幾,劉石之變遂起。」此書作於萬曆四十三年,不二期而遼東之難作矣!至於今日,胡俗縵縷,咸為戎俗,高冠重

　　履，非復華風，有識之士，得不悼其橫流，追其亂本哉？[26]

　　中夏民族，自古束髮冠帶，久成習俗，民眾以爲，身體髮膚，受之父母，不敢毀傷，乃孝行之始，至於博袍長袖，服飾右衽，不輕更易，乃禮義之風，然而清兵入關之後，下令薙髮易服，遵從滿人習俗，以其召致百姓反對，順治元年，爲求示好，乃禮葬崇禎帝，又諭兵部，令「天下臣民，照舊束髮，悉聽其便」，及多鐸破南明，順治二年六月，重頒「薙髮令」，令發十日，強制實行，有所謂「留頭不留髮，留髮不留頭」者，人民反抗，由是愈爲激烈，即以江陰一地而言，民心慷慨，典史閻應元陳明遇爲守帥，守八十一日，全城十七萬餘人，壯烈犧牲，無一降者[27]，至於嘉定一地，民眾憤慨，士紳侯峒曾黃淳耀爲領袖，七月初、七月底、八月初，三次城破，義軍奮戰，清軍三次屠城，義軍民眾，死亡殆盡。[28]其他各地，因薙髮易服而引致民眾愈加憤怒、反抗愈加激烈者，亦爲數極多，《日知錄》中〈胡服〉一條，亭林先生尙論歷代夷狄胡服擾亂中原，往往導致國家災變，因以爲戒，其所措心，實即在於視薙毛髮易服色爲文化沉淪、仁義充塞、「變中夏爲夷狄」、亡天下之慘禍也，故於〈胡服〉一條之中，隱寓其「悼其橫流，追其亂本」之義蘊焉，徐文珊教授〈原抄本顧炎武日知錄評介〉曰：「《春秋》最重夷夏之防，所以明辨敵我，嚴心理國防也。此書本《春秋》之旨，極重華夷之辨，每有論及，必斥爲胡、爲虜、爲賊，或指爲蠻夷戎狄。雖非盡指清人，然作賊心虛，忌聞惡名，於是盡爲竄改，或曰邊、曰塞、曰敵、曰外國……。其尤著者，則〈素夷狄行乎夷狄〉、〈胡服〉二條，不特專章論述，

26　同注4，頁824-826。
27　參《明史》卷二百七十七《閻應元傳》、《陳明遇傳》。
28　參《明史》卷二百七十七〈侯峒曾傳〉，卷二百八十二《黃淳耀傳》。

闡明《春秋》之旨，且語重心長，指陳時弊，洋洋灑灑，痛快淋
漓。既不能斷章而取義，亦不勝竄偽以亂真，乃不得不全章刪落，
以使羚羊掛角，無跡可求。」[29]然而，〈胡服〉一條，一千三四百
字，以其不容於清廷，通行本《日知錄》中，乃遭全條刪除，冀
使後世讀者，無跡可以尋覓，天幸《原抄本日知錄》此條尚在，
而亭林先生嚴辨夷夏之大義之旨，尚得重見於人間也。

（九）追惟黨爭貽害

《日知錄》卷十七「宋世風俗」條云：

> 《宋史》言，士大夫忠義之氣，至於五季，變化殆盡。宋
> 之初興，范質王溥，猶有餘憾。藝祖首褒韓通，次表衛融，
> 以示意嚮，真仁之世，田錫王禹偁范仲淹歐陽修唐介諸賢，
> 以直言讜論倡於朝。於是中外縉紳，知以名節為高，廉恥
> 相尚，盡去五季之陋。故靖康之變，志士投袂，起而勤王，
> 臨難不屈，所在有之。及宋之亡，忠節相望。嗚呼！觀哀
> 平之可以變而為東京，五代之可以變而為宋。則知天下無
> 不可變之風俗也。〈剝〉上九之言碩果也，陽窮於上，則復
> 生於下矣。
>
> 人君御物之方，莫大乎抑浮止競。宋自仁宗在位四十餘年，
> 雖所用或非其人，而風俗醇厚，好尚端方。論世之士，謂
> 之君子道長。及神宗朝，荊公秉政，驟獎趨媚之徒，深鋤
> 異己之輩。鄧納李定舒亶竇序辰王子韶諸奸，一時擢用，
> 而士大夫有十鑽之目，干進之流，乘機抵隙。馴至紹聖崇
> 寧，而黨禍大起，國事日非，膏肓之疾，遂不可治。後之
> 人但言其農田水利青苗保甲諸法為百姓害，而不知其移人

---

29 同注 4，頁 1002。

心變士習為朝廷之害。其害於百姓者，可以一旦而更，而其害於朝廷者，歷數十百年滔滔之勢一往而不可反矣！李應中謂自王安石用事，陷溺人心，至今不自知覺，人趨利而不知義，則主勢日孤。此可謂知言者矣。詩曰：「毋教猱升木，如塗塗附。」夫使慶曆之士風一變而為崇寧者，豈非荊公教猱之效哉？

〈蘇軾傳〉，熙寧初，安石創行新法，軾上書言：「國家之所以存亡者，在道德之淺深，不在乎強與弱。曆數之所以長短者，在風俗之厚薄，不在乎富與貧。臣願陛下務崇道德而厚風俗，不願陛下急於有功而貪富強……近歲樸拙之人愈少，巧進之士益多，惟陛下哀之救之。」當時論新法者多矣，未有若此之深切者。根本之言，人主所宜獨觀而三復也。

《東軒筆錄》，王荊公秉政，更新天下之務，而宿望舊人，議論不協，荊公遂選用新進，待以不次。故一時政事，不日皆舉，而兩禁臺閣，內外要權，莫非新進之士也。及出知江寧府，呂惠卿驟得政柄，有射羿之意。而一時之士，見其得君，謂可以傾奪荊公，遂更朋附之，以興大獄。尋荊公再召，鄧綰反攻惠卿，惠卿自知不安，乃條列荊公兄弟之失數事面奏，上封惠卿所言以示荊公。故荊公表有云：「忠不足以取信，故事事欲自明，義不足以勝姦，故人人與之立敵。」蓋謂是也，既而惠卿出知亳州，荊公復相，承黨人之後，平日肘腋盡去，而在者已不可信，可信者又才不足以任事。當日唯與其子雱機謀，而雱又死。知道之難行也，於是慨然復求罷去。

荊公當日處卑官，力辭其所不必辭，既顯，宜辭而不復辭，

矯情干譽之私，固有識之者矣。夫子之論觀人也，曰「察其所安」，又曰「色取仁而行違，居之不疑，在邦必聞，在家必聞」，是則欺世盜名之徒，古今一也。人君可不察哉？陸游〈歲暮感懷詩〉：「在昔祖宗時，風俗極粹美。人材兼南北，議論忘彼此。誰令各植黨，更仆而迭禍，此風猶未已。儻築太平基，請自厚俗始。」[30]

　　〈宋世風俗〉一條，亭林先生之意，似在嚴責王安石，以為「荊公秉政，驟獎趨媚之徒，深鋤異己之輩」，以為「後之人但言其農田水利青苗保甲諸法為百姓害，而不知其移人心變士習為朝廷之害」，然而，論其用心，則在逕指安石之任用小人，以至「干進之流，乘機抵隙」，馴至於「黨禍大起，國事日非」，而「膏肓之疾，遂不可治」也，故於北宋新舊黨人之爭，戕傷國力者，而不免深致其嗟嘆也，是以亭林先生以為，「人君御物之方，莫大乎抑浮止競」，蓋怵然凜乎黨錮競爭之為禍也。

　　夫亭林先生生當晚明時期，而東林黨爭，歷神宗、光宗、熹宗、思宗，迄南明而其事未已，顧憲成高攀龍輩，欲以學術正人心，進而正朝廷天下之是非，然是非豈易明哉！彼等既嚴辨乎君子小人之分，崇高氣節，堅其壁壘，君子小人之辨，遂一操之在己，同於己者，視為君子，異於己者，視為小人，遂使天下無完人矣，而己身亦不得為君子之行，意氣既盛，又牽涉於宮廷瑣事，門戶之別，愈趨複雜，益與閹宦，勢不兩立，爭鬥連年，而國家元氣戕喪，生民之道瀕絕，一旦外患驟至，國亡隨之矣，[31]「誰令各植黨，更仆而迭禍」，亭林先生有見於此，能不感慨良深？是

30　同注 4，頁 379-382。
31　參李焯然：〈論東林黨爭與晚明政治〉，載所著《明史散論》，台北，允晨文化公司，民國七十六年十月，頁 169－191。

以尙論古人，枚舉宋代朋黨之禍，用以隱刺明末東林閹宦相持相拒之事，以示其傷痛之意，以鑑戒於後世也。

（十）慨歎閹宦亂政

《日知錄》卷六〈閹人寺人〉條云：

> 閹人寺人屬于冢宰，則內廷無亂政之人，九嬪世婦屬于冢宰，則後宮無盛色之事。大宰之于王，不惟佐之治國，而亦誨之齊家者也。自漢以來，惟諸葛孔明為知此義，故其上表後主，謂宮中府中，俱為一體，而宮中之事，事無大小，悉以咨攸之、禕、允三人。于是後主欲采擇以充後宮，而終執不聽，宦人黃皓，終允之世，位不過黃門丞，可以為行《周禮》之效矣。後之人君，以為此吾家事，而為之大臣者，亦以為天子之家事，人臣不敢執而問也。其家之不正而何國之能理乎？魏楊阜為少府，上疏欲省宮人，乃召御府吏問後宮人數。吏曰：「禁密，不得宣露。」阜怒杖吏一百，數之曰：「國家不與九卿為密，反與小吏為密乎？」然後知閹寺嬪御之繫于天官，周公所以為後世慮，至深遠也！
>
> 漢承秦制，有少府之官，中書謁者、黃門、鉤盾、尚方、御府、永巷、內者、宦者八官，令丞、諸僕射、署長、中黃門皆屬焉，然則奄寺之官，猶隸于外庭也。[32]

《周禮》記閹人「掌守王宮之中門之禁」，寺人「掌王之內人及女宮之戒令」，「佐世婦治禮事」，而皆屬之於冢宰治官之職，蓋天官冢宰之立，「使帥其屬，而掌邦治，以佐王均邦國」也，亭林先生於此條之中，以為家齊而後國治，以為「太宰之於王，不唯

---

32 同注4，頁129。

佐之治國，而亦誨之齊家者也」，故「閹人寺人屬冢宰」，則宮中府中，俱爲一體，奄宦之流，無所進其讒佞，而擅其權柄矣，是以「內廷無亂政之人」，此則周制之善者也。及至後世，「人君以爲，此吾家事，而爲之大臣者，亦以爲天子之家事，人臣不敢執而問也」，此條之中，亭林先生雖尙論《周禮》典制，稱頌周公之深慮遠謀，而目光所注，則在明末之史事，蓋明末奄寺之徒，專權擅政，國家危急，至於明室覆亡，論其緣由，固屬多端，然而宦官之專擅政權，東廠之殘害大臣，劉謹魏忠賢之徒，流毒深遠，謂其毫無影響，其誰信之？亭林先生鑑於奄宦誤國，痛心之餘，故於《日知錄》此條之中，暢論其杜絕之道，此與梨洲先生於《明夷待訪錄》中論「奄宦」之禍，以爲「奄宦之如毒藥猛獸，數千年以來，人盡知之矣，乃卒遭其裂肝碎首者，曷故哉？豈無法以制之與？則由於人主之多欲也」，「吾意人主者，自三宮以外，一切當罷，如是，則奄人之給使令者，不過數十人而已矣」[33]，蓋皆屬有感於明室之弊政而發爲針砭之方者也。[34]

（十一）深責權臣禍國

《日知錄》卷十七〈奴僕〉條云：

> 《顏氏家訓》，鄴下有一領軍，貪積已甚，家僮八百，誓滿一千。唐李義府多取人奴婢，及敗，各散歸其家，時人為露布云：「混奴婢而亂放，各識家而競入。」聖祖數涼國公藍玉之罪亦曰：「家奴至於數百。」今日江南士大夫多有此風，一登仕籍，此輩競來門下，謂之投靠，多者亦至千人。而其用事之人，則主人之起居食息以至於出處語默，無一

33　見黃宗羲：《明夷待訪錄》，台北，世界書局，民國六十三年七月。

34　參胡楚生：〈黃梨洲論閹宦之禍〉，載拙著：《清代學術史研究》，台北，學生書局，民國七十七年二月，頁 345-349。

不受其節制。有甘於毀名喪節而不顧者。奴者主之,主者奴之。嗟乎!此六逆之所繇來矣!

《漢書·霍光傳》任宣言:「大將軍時,百官已下,但事馮子都王子方等。」又曰:「初光愛幸監奴馮子都,常與計事。及顯(光妻)寡居,與子都亂。」夫以出入殿門、進止不失尺寸之人,而溺情女子小人,遂至於此。今時士大夫之僕,多有以色而升,以妻而寵。夫上有漁色之主,則下必有烝弒之臣。清斯濯纓,濁斯濯足,自取之也。是以欲清閨門,必自簡童僕始。

嚴分宜之僕永年,號曰鶴坡。張江陵之僕游守禮,號曰楚濱。不但招權納賄,而朝中多贈之詩文,儼然與搢紳為賓主。名號之輕,文章之辱,至斯而甚!異日媚閹建祠,非此為之嚆矢乎?

人奴之多,吳中為甚。其專恣暴橫,亦惟吳中為甚。有王者起,當悉免為良,而徙之以實遠方空虛之地。士大夫之家所用僕役,並令出資雇募,如江北之例。則豪橫一清,而四鄉之民,得以安枕。其為士大夫者,亦不受制於人,可以勉而為善。訟簡風淳,其必自此始矣。[35]

《日知錄》此條,論歷代顯貴廣蓄僮僕之事,而朝中貴人,僮僕成群,其不肖者,往往窺伺主人意向,逢迎取媚,登堂入室,久之,「則主人之起居食息以至出處語默,無一不受其節制」,至於「奴者主之,主者奴之」,則敗家傷身之禍,為不遠矣,然而,亭林先生以為,「上有漁色之主,則下必有烝弒之臣」,是以「欲清閨門,必自簡童僕始」也。考明熹宗天啓年間,宦官魏忠賢當

---

35 同注 4,頁 400-401。

權，又掌東廠，勢傾一時，東林黨人，若楊連、左光斗、高攀龍、黃尊素等，並遭殘害，天啓六年，浙江巡撫馮汝楨於西湖建魏忠賢生祠，稱九千歲，各地方官吏，爭相效尤，魏閹生祠，幾遍天下[36]。亭林先生於《日知錄》〈奴僕〉此條之末，既論嚴分宜之僕永年，張江陵之僕游守禮，招權納賄，而朝中多贈之詩文，儼然與搢紳爲賓主，又曰：「異日媚閹建祠，非此爲之蒿矢乎」？則亭林先生有感於閹宦之禍，攘權擅政，敗壞國家者，其用意豈不深遠哉！

三、探微之方法

北宋司馬光（1019～1086）所撰《資治通鑑》一書，凡二百九十四卷，編年記事，上起戰國三家分晉，下迄五代周世宗之征契丹，記一千三百六十二年之史事，凡國家興衰之跡，生民休戚之事，其善可爲法，惡可爲戒者，皆一一爲之著錄，誠編年史之鉅構也。

南宋胡三省（1230～1302），號身之，理宗寶祐中進士，宋亡，隱居不出，撰《資治通鑑注》，歷三十年，稿凡三度遺失，而終底於成，號稱精洽，《資治通鑑》文繁義博，貫串爲難，三省所釋，於象緯、推測、地形、建置、制度、沿革諸端，皆稱賅備。

新會陳垣（援庵）教授，於抗日戰爭晚期，身居北平，讀《資治通鑑》，「因念胡身之爲文（天祥）、謝（枋得）、陸（秀夫）三公同年進士，宋亡，隱居二十餘年而後卒，顧《宋史》無傳，其著述亦多不傳。所傳僅《鑑注》及《釋文辨誤》，世以是爲音韻之學，不之注意，故言浙東學術者多舉深寧（王應麟）、東發（黃震），

---

36 參《明史》卷三百五〈魏忠賢傳〉。

而不及身之。自考據學興，身之始以擅長地理稱於世。然身之豈獨長於地理已哉，其忠愛之忱見於《鑑注》者不一而足也。今特輯其精語七百數十條，爲二十篇，前十篇言史法，後十篇言史事，其有微旨，並表而出之，都二十餘萬言。庶幾身之生平抱負，及治學精神，均可察見，不徒考據而已。」[37]陳援庵教授所撰《通鑑胡注表微》一書，間常論及其「表微」之方法，約略言之，可得幾項重點，例如：

（一）於考據之外以意逆志而求之

《資治通鑑》曰：

> （唐玄宗）開元十二年，命南宮說測南北日晷極星。

《胡注》曰：

> 溫公作《通鑑》，不特紀治亂之跡，至於禮樂歷數，天文地理，尤致其詳。讀《通鑑》者，如飲河之鼠，各充其量而已。（卷二一二）

《表微》曰：

> 《通鑑》之博大，特於此著明之。清儒多謂身之長於考據，身之亦豈獨長於考據而已哉！今之表微，固將於考據之外求之也。[38]

今案史學徵實，必資於考據，然而胡三省身遭亡國之痛，隱居注史，別具微旨，寓於《通鑑》注釋之中，不敢明白言之，故援庵先生，探索其隱微之意，又豈能以考據方法明顯求證而加以申張？故乃曰「今之表微，固將於考據之外求之也」。

（二）於胡氏感慨古今史事中求之

《資治通鑑》曰：

---

37 見陳垣：《通鑑胡注表微·小引》，台北，洪氏出版社，民國六十九年十月。
38 見陳垣：《通鑑胡注表微》，台北，洪氏出版社，民國六十九年十月，頁31。

後周世宗顯德四年，蜀李太后以典兵者多非其人，謂蜀主曰：「以吾觀之，惟高彥儔太原舊人，終不負汝，自餘無足任者。」蜀主不能從。

《胡注》曰：

及孟氏之亡，僅高彥儔一人能以死殉國。至蜀主之死，其母亦不食而卒。婦人志節如此，丈夫多有愧焉者。（卷二九三）

《表微》曰：

此有感於宋楊太后之殉國也。新會崖山有大忠祠，祀宋丞相文天祥、陸秀夫、樞密使張世傑。又有全節廟，即慈元殿，祀楊太后。……楊太后之殉國，身之所謂「丈夫多有愧焉者」也。[39]

今案楊太后為宋度宗妃，元兵下臨安時，帝后王臣，盡為俘虜，獨楊妃負其子益王是與廣王昺，航海至閩粵，群臣奉是即帝位，冊封楊妃為太后，帝崩，復立昺，奔崖山，為大宋社稷圖恢復，元兵逼近崖山，陸秀夫知事不可為，負帝昺赴海死，后聞之，亦赴水死。《通鑑》記蜀主李太后之言，胡注言「蜀主之死，其母亦不食而卒，婦人志節如此」，而援庵先生則以為三省注，「有感於宋楊太后之殉國」，此乃《表微》於感概古今史事、藉古事以寓今事之例也。

（三）於胡氏直指為某事者求之

《資治通鑑》曰：

（後晉齊王）冊運二年，馮玉每善承迎帝意，由是益有寵。曾有疾在家，帝謂諸宰相曰：「自刺史以上，俟馮玉出乃得除。」其倚任如此。玉乘勢弄權，四方賂遺，輻輳其門，

由是朝政益壞。

《胡注》曰：

> 竇廣德有賢行，漢文帝以其后弟，恐天下議其私，不私相
> 也。馮玉何人斯，晉出帝昌言於朝，以昭親任之意。臨亂
> 之君，各賢其臣，其此謂乎！史言晉亡形已成。（卷二八五）

《表微》曰：

> 此為賈似道言之也。《宋史・姦臣傳》言：「似道以貴妃弟，
> 賜第葛嶺，雖深居，凡臺諫彈劾，諸司薦辟，七切事不關
> 白不敢行。史爭納賂求美職，其求為帥閫監司群守者，貢
> 獻不可勝計。一時貪風大肆」云云。亡國君臣所為，抑何
> 相似也。[40]

今案《通鑑》記後晉出帝寵幸大臣馮玉之事，胡注謂「史言
晉亡形已成」，又兼舉漢文帝時竇廣德雖有賢德，而帝不敢任以為
相之事，以反證之。而援庵先生，則遙指三省之注，「此為賈似道
言之也」，此乃《表微》於直指為某事言者之例也。

（四）於胡氏深加鑒戒處求之

《資治通鑑》曰：

> 後唐明宗天成元年四月，帝殂，李彥卿等慟哭而去，左右
> 皆散。善友斂廡下樂器，覆帝尸而焚之。

《胡注》曰：

> 自此以上至是年正月，書「帝」者皆指言莊宗。莊宗好優
> 而斃於郭門高，好樂而焚以樂器，故歐陽公引「君以此始，
> 必以此終」之言以論其事，示戒深矣。（卷二七五）

《表微》曰：

---

40 同注38，頁401。

上冠明宗年號，而下所書「帝」乃指莊宗，故注特揭之。
歐公語見《五代史・伶官傳》，示戒不為不深。然南宋君相
歌舞湖山之樂，曾未少輟，《武林舊事》十卷，記歌舞者殆
居其半也。噫！[41]

今案《通鑑》記後唐莊宗之薨，胡注則言，「莊宗好優而斃於
郭門高，好樂而焚以樂器」，好優好樂，以此而始，亦以此而終，
以示鑒戒，而援庵先生乃逕指三省之注，其意實在於慨嘆「南宋
君相歌舞湖山之樂，曾未少輟」，以表顯胡氏於南宋末年史事深加
鑒戒之用心。

要之，胡三省既為《通鑑》作注，而身當亡國之痛，心中隱
微，不便顯言，僅能宛轉隱約於注釋史事之中，寄寓其意旨，而
援庵先生撰為《表微》，所欲「表顯」之「微意」，多不直接在《通
鑑》所陳述之史事中，而往往在與《通鑑》歷朝史事相類相似之
宋代史事或感慨中，所謂「古今一轍」、「陳古寓今」之方式，故
援庵先生以為，《胡注》表面皆論古史古事，而文中則多緊扣宋末
史事而言之者。故援庵先生自謂，不於史實考證中求之，而「於
考據之外求之」也。援庵先生《表微》之作，方法不止上述四端，
而以上述四者，使用較多。

亭林先生之身世及遭遇，與胡三省相類，懷抱之孤節及用心，
亦與胡三省相似，故今人讀《日知錄》，亦不妨效法陳援庵先生之
讀《通鑑注》，嘗試探索亭林先生寄寓於書中隱微之意旨，拙撰茲
稿，亦實有嚮慕於此者在也。

婺源潘石禪（重規）教授，嘗撰〈亭林詩發微〉、〈亭林詩鉤
沉〉、〈亭林隱語詩覼論〉、〈顧亭林詩自注發微〉等多篇論著[42]，

41 同注 38，頁 194。
42 見潘重規：《亭林詩考索》，台北，東大圖書公司，民國八十一年十二月。

指出亭林先生詩中，嘗用韻目，替代其所欲隱諱之文字，如以「處」代「胡」、以「虞」代「虜」、以「支」代「夷」、以「尤」代「酋」、以「霽」代「帝」、以「陽」代「亡」等等，皆「韻目式之隱語」也，潘教授校讀亭林先生之詩，自亭林先生詩中，發現亭林先先埋沒多年之志節苦心，誦讀之下，儼然有如面對古代之烈士學人，而聆聽其耿耿精忠之苦心告語[43]，潘師之作，心實嚮慕久之，而亭林先生所作，一者爲文，一者爲詩，探究之方，難盡雷同，僅能於《日知錄》通行本與原抄本之文字比勘異同處，稍稍近於潘師所持用之方法而已。

四、結　語

　　《日知錄》三十二卷，上篇經術，中篇治道，下篇博聞，皆亭林先生稽古有得，札錄貫串之作，然而，亭林先生，身當明室覆亡，家國之痛，種族之禍，親身而目睹，是以凡所著述，於博學多聞考古集證之中，未嘗不隱然而有感慨關懷寄寓之心意，潛藏於文詞言語之外者存焉。

　　《日知錄》三十二卷之中，計約一千一百餘條，固非條條皆有寄寓，亦非句句皆具別義，然而，遂謂《日知錄》書中，盡屬博學稽古之作，並無身世感慨之意，潛隱其中，則不可也。

　　此文之作，僅就《日知錄》中，擇取其十一條，姑爲探微，就其份量而言，不過全書百分之一，僅能略發其凡，以俟他日三隅之反，其中探微之一、之二、之十一，亭林先生自言「吾於遼東之事有感」，自言「有盜于此，將劫一富室」，自言「異日媚閹建祠」，其意最爲顯豁，其他八條，雖意稍潛隱，亦不難比例推知，

---

43 同注 42，頁 2 及 24。

要之,《日知錄》中有亭林先生寄寓之微旨,應無所疑,讀是書者,苟能設身處地,以心印心,設以此身處之亭林先生當時,設以此心感悟亭林先生心意,則於亭林先生當時之用心,或能體會而得其一二,用為探微索隱之資。

參考文獻

1.顧炎武:《原抄本日知錄》,台北,文史哲出版社,民國六十八年四月。

2.黃汝成:《日知錄集釋》,台北,世界書局,民國六十三年六月。

3.顧炎武:《顧亭林詩文集》,台北,世界書局,民國五十二年一月。

4.顧炎武:《孤本蔣山傭殘稿》,台北,世界書局,民國五十二年一月。

5.張穆:《顧亭林先生年譜》,台北,世界書局,民國五十二年一月。

6.趙儷生:《日知錄導讀》,成都,巴蜀書社,一九九二年四月。

7.黃秀政:《顧炎武與清初經世學風》,台北,商務印書館,民國六十七年十二月。

8.孫劍秋:《顧炎武經學之研究》,台北,東吳大學,民國八十一年。

9.江藩:《漢學師承記》,台北,商務印書館,民國六十六年十一月。

10.徐世昌:《清儒學案》,台北,國防研究院,民國五十六年。

11.張舜徽:《清儒學記》,山東,齊魯書社,一九九一年十一月。

12.梁啓超:《中國近三百年學術史》,台北,里仁書局,民國八十四年二月。

13.錢穆：《中國近三百年學術史》，台北，商務印書館，民國八十四年九月。

14.孟森：《明清史論著集刊》，台北，南天書局，民國七十六年五月。

15.李光濤：《明季流寇始末》，台北，中央研究院歷史語言研究所，民國五十四年三月。

16.李光濤：《明清史論集》，台北，商務印書館，民國六十年四月。

17.李焯然：《明史散論》，台北，允晨文化公司，民國七十六年十月。

18.陳垣：《通鑑胡注表微》，台北，新文豐出版社，民國八十二年九月。

19.潘重規：《亭林詩考索》，台北，東大圖書公司，民國八十一年十二月。

20.胡楚生：〈陳援庵《通鑑胡注表微》中「表微」之方法例釋〉，台中，《興大人文學報》第三十八期，民國九十六年三月。

附記：

《原抄本日知錄》卷二十九〈胡服〉一條（通行本無此條），引《河間府志》，言史上以胡服流行，後遂變亂屢興之事，並云：「此書作於萬曆四十三年，不二期而遼東之難作矣。」考明神宗萬曆四十三年（1615 年），至明思宗崇禎十五年（1642 年），而清兵陷松山，洪承疇被執降清，前後相距二十七年（期·疑通作紀，十二年也）。本文探微首條之，中引《日知錄》卷十七〈廉恥〉條爲例，文中有亭林先生所云，「嗚呼！自古以來，邊事之敗，有不始於貪求者哉！吾於遼東之事有感！」則〈廉恥〉與〈胡服〉兩條之中，皆用「遼東」一詞，亦同指洪承疇降清之事，於此尤可得一佐證。

淺探佛經翻譯對於文學語言的影響

—— 從王維的佛理詩看佛教對文學的浸潤

明道大學中文系助理教授　羅文玲

寫作綱要

一、前言

二、佛經翻譯文學的思想表現

三、佛經翻譯文學的語彙

四、王維詩中的佛教用語

五、結　論

關鍵詞：佛經翻譯　王維　佛教文學　佛理詩　禪詩

一、前　言

　　佛教在中國的流傳以及其影響力的擴大，一方面靠僧團的傳教，另一方面必須藉由佛經的傳譯以及流通。中國的文學以及文人接受佛教的浸染，與佛經的翻譯與傳播關係更是密切。漢魏以後，佛教廣泛而深入進入文人的生活中，文人研習佛典漸成風氣。對於中國這般具有悠久的文化傳統和高度文化的知識階層者而言，佛經的義理、恢弘的想像力以及文學表現，較僧侶的宗教宣

傳更有吸引力，因此佛典對於中國文人的影響是相當深遠的。

　　佛經是佛教傳法的文字，是一種宗教宣傳品，佛陀的教法以及佛陀的形象，主要是依靠這些佛經流傳下來，而佛經的價值似乎又遠遠超越宗教的宣傳。原因在於在數量龐大的佛經中，除了教義宣傳，還包含關於社會、歷史、法律、哲學、倫理學、心理學、美學以及文學與語言學等許多領域廣闊而有價值的內容。就其有關於文學的內容而言，許多佛經的語言及表現手法都是富於文學性的，有一部分佛經包含古代印度的民間文學創作，還有一部分的佛經本身就是文學創作，所以當這些佛經翻譯成中文時，就賦予「佛經翻譯文學」的概念。

　　中國古代詩歌，內容廣博且歷史悠久，期間包含經久不衰的大量佛理詩，以及引用佛語的詩歌。佛理詩自魏晉時代開始在中國萌芽吐苞，據《廣弘明集》《統歸篇》所載佛詩看，有釋支遁《四月八日讚佛詩》等 21 首，釋慧遠《念佛三昧詩》，晉王齊之《念佛三昧詩》等 4 首，齊王融《法樂辭》12 章，梁昭明太子《開善寺法會詩》，梁簡文帝《望同泰寺浮圖詩》等 10 首，還有劉孝綽、梁武帝、王筠、梁元帝、謝靈運、沈約等三十餘人的詩。這些詩大多是關於讚佛、詠懷、佛教儀式以及遊山寺的五言古詩。這些作品是以同佛教有關的材料為題的文學作品。

　　與佛理有關的詩歌到了唐代進入黃金時代，唐代有大批心向佛門，或仕或隱的撰寫與佛理有關的詩人，如孟浩然、王維、劉禹錫、白居易、柳宗元、杜牧等等。其中王維寫的作品數量相當多且其對佛理的理解尤為深厚。有的以佛理入詩談佛說禪，有的融山水於佛，禪趣無窮，在佛教與文學的關係議題值得深入討論。

二、佛經翻譯文學的思想表現

佛經中的「經」，狹義的說，只有佛陀說法的紀錄才叫做「經」。但從廣義來說，規定僧團和僧侶的行為的「律」，以及後代信眾闡釋「經」所作的「論」，也可統稱為「經」。這「經」「律」「論」又合稱作「三藏」。「藏」在梵文裡本來是指籃子的意思，漢譯時用「藏」字以表示其包容廣大，如同收藏東西的倉庫，收集三藏的叢書，漢語統稱維「大藏經」「一切經」。

佛經中的文學表現方法，最令人印象深刻的是想像力的表現。佛經一方面多思辯，另一方面是多形象化的表現方式，他與中國傳統文學的表現有很大的差別。以下從三個方面論述佛經翻譯文學的思想表現：

（一）不可思議

誇張是文學表現的基本手法，中國文學中有許多誇張的描寫，如莊子〈逍遙遊〉中的大鵬鳥「搏扶搖而上者九萬里」是用具體的高度，但從北溟到南海仍是這世界的範圍。

但是佛經的表現手法應以「不可思議」來形容，如《妙法蓮華經》中：

> 譬如五百千萬億那由它阿僧祇三千大千世界，假使有人抹為微塵，過於東方五百千萬億那由它阿僧祇國乃下一塵，如是東行，盡是微塵。

在佛經中數量單位是「俱祇」（十萬）、億、那由它（兆）、阿僧祇[1]；時間單位則是用「剎那」[2]、「劫」[3]，這些詞語只能用譬喻

---

1 阿僧祇，又做阿僧企那，漢譯作無敵、無量數，這詞之意是不可數量。這是印度數量方面一個單位，是指極為巨大的數量。

2 剎那，是說極為短促時間單位。一佛教的無常觀一切法，現象恆常處在剎那生滅的狀態下，無有暫住，瞬間即轉為後一剎納的事物。

來說明，現實中是非常不可思議的。

　　佛經善於用誇張的表現手法描繪完整的場面。《華嚴經》所描寫的諸佛菩薩境界，從一般的道理是難以思量得到的，但是在佛經中有文字的敘述：

　　《華嚴經、世間淨眼品》有偈曰：

　　　　諸法真實相，寂滅無所依。

　　　　如來方便力，能為眾生現。

　　　　如來於諸法，無性無所依。

　　　　而能現眾像，顯相猶明燈。

　　　　以因緣譬喻，方便隨所樂。

　　　　如現諸如來，智慧神通力。

　　絕對圓融真實的如來世界，像真如本性、諸法實相，皆不可以文字表達，而是「言語道斷，心行處滅」[4]。佛法雖然方便而用譬喻方式呈現，但是其文字表現仍是不可思議，這是在中國文學中幾乎少見的表現方式。

　　（二）奇妙神變

　　《華嚴經》：「佛種種變化施作佛事，一切悉賭無所掛礙，於一念頭一切現化，充滿法界。」大乘佛教講佛有三身 —— 法身、報身、化身，所以佛能夠「變化無方，無所不入」，因此佛的境界是「不可思議」的。

　　不但佛能夠奇妙變化，諸菩薩及阿羅漢也都能夠變化，這種神變在佛經中是相當常見的，對於中國文人影響甚是深遠，最明

---

3 劫，這是印度表示及其長久時間的單位，通常常用來表示世界的年齡，如世界的成、住、壞、空，都是用劫來量度。

4 心行者心念之異名，心者遷流於剎那，故云心行。究竟之真理，言語之道斷而不可言說，心念之處滅而不可思念也。《瓔珞經》下曰：「一切言語道斷，心行處滅。」《大乘止觀》：「言語道斷，心行處滅，故名不可思議境」

顯的是民間文學中的「觀世音菩薩」，就是以其應化身「聞聲就苦」。

　　《維摩詰經》《問疾品》是講維摩詰居士以其神通接待佛弟子問疾故事。維摩詰居士聽說文殊師利菩薩前來問疾，維摩詰居士就以神通力將屋子變成一方丈，只留一牀橫臥其上，引起一段對話，來說明諸法性空的道理。維摩詰居士的神變成了中國文學和美術中常用的題材。

　　（三）高度的想像力－玄想

　　文學離不開想像，佛經文學利用想像和文學相通，創造了冥想的世界，佛經的想像是一種「高度的玄想」，何以言之呢？因爲它打破了幻想與現實，精神與物質的界限，佛、菩薩與人，出世與入世的世界是渾然一體的，佛經將現實世界消融於想像之中，這就構成佛經想像的特殊性。

　　佛經中所講的世界是三千大千世界，世界的中央是須彌山，日月星辰依著須彌山而運行，其外還有無邊的佛國土。在這樣的世界中，除了佛菩薩外，還有六道眾生，組成了龐大的形象體系，這些形象亦影響中國文學作品，例如龍、龍王形象的出現。這雖是佛經中的教義，卻因爲其冨於想像，而造成藝術領域的開展。

　　綜合以上三點，佛經翻譯文學的思想表現是值得深入討論，由於這些特色，使得人類的思維領域得以拓展，藝術構思及表現跨進另一番境界。

三、佛經翻譯文學的語彙

　　隨著印度佛教著作的翻譯與流傳，佛教經典中有不少典故以及具藝術美的新詞語，這些語彙引進了六朝隋唐的文學作品中。這些語佛經翻譯有關的文學語言傳入中國以後，豐富了我國文學語言，有些語彙甚至成爲人門常用的語彙。

　　在漢語發展史上，中古時期來自梵語系統語源的辭彙，其數量相當可觀。據梁啓超先生統計日本人所編《佛教大辭典》共收有「三萬五千餘條」，而大陸學者梁曉虹統計丁福保所編《佛教大辭典》亦收有佛教辭語近三萬條[5]。這些「漢晉迄唐八百年間諸師所造，加入吾國系統中而變爲新成分。」[6]大大豐富了漢語詞彙，從而奠定它在漢語詞彙發展史上的重要地位。

　　佛教詞語在漢語各個領域內幾乎都有，較多見於哲學、文學、民俗以及日常用語。

　　佛教是世界上最富有哲學思辯特點的宗教，因佛學本身就含有宗教與哲學兩部分，因此許多佛家名相自然就是哲學名詞，佛教的某些語詞經過變化，用於現代哲學。佛教對古代哲學語彙的影響很大，佛教認爲一切物質世界都是心靈世界所顯現的表相，物質世界是按著「成住壞空」這樣的程序發展的，一切物質現象都是變幻無常的，唯有真如本性不生不滅且是恆久不變的。因此如「性相」「性空」「真如」「實相」「無常」「無我」「法性」等一系列命題相繼出現，這些也就成了中國古典哲學史上探討現象與本質關係的常用語彙。

　　佛教對中國文學帶來新的文體以及新的意境，同時對文學輸入大量的語彙。因爲佛經翻譯與流傳的關係，佛典中優美的典故和具有藝術美的新詞語，引進我國六朝特別是唐代以後的文學作品中，豐富我國文學語言的寶庫。有些佛教語彙甚至成爲文學理論的術語，常見的如：

　　境界　唯識學有「境界說」，此說被借鑒與發揮而形成文學理論中的「境界說」。

---

5 梁曉虹著《佛教辭語的構造與漢語詞彙的發展》北京語言學院出版社。
6 見梁啓超《佛典與翻譯文學》。

妙悟　禪宗主張覺悟到本性就是佛，把「頓悟」稱爲「妙悟」[7]。唐代詩人以用此詞，王維《畫學秘訣》言：「妙悟者不在多言，善學者還從規矩。」[8]至宋代「妙悟」則更成爲評詩文的常談。宋代嚴羽《滄浪詩話、詩辨》：「大抵禪道唯在妙悟，詩道亦在妙悟。……惟悟乃在當行，乃爲本色。」

禪宗的「頓悟說」對於唐宋詩歌創作思潮影響頗大，形成「以禪喻詩」之風，故用禪悟喻詩文，引用佛教語很多。宋代嚴羽《滄浪詩話》在「以禪喻詩」上是一部帶有總結性的著作。他明確提出「以禪喻詩，莫此親切」，特別強調「妙悟」「本色之物」「透徹之悟」。

佛經翻譯文學有它特別語言特色，依朱慶之先生的論點有幾點特色：

1.含有大量的口語詞以及俗語詞：

如「大力士」，是指力氣特別大的勇士。「人王有大力士，其力當千。」「…皆爲一器，狀若海坑，滿中芥子，若麻若米，有大力是盡能把持，灑散四方。」

2.含有大量的外來詞

佛經翻譯時，除了因介紹新觀念而輸入許多新詞彙，還傳入不少外來語的音譯詞，以及一些佛教徒用的專用語。

音譯詞，如

「魔」，指擾亂身心破壞好事，障礙善法者。這語彙是源自梵文 mara，基本意義是「破壞」，「屠殺者」。

7　《禪宗永嘉集、毗婆舍那頌第五》：「無即不無，有即非有，有無雙照，妙悟蕭燃。」又《事理不二第八》：「夫妙理通衢，則山河非壅；迷名滯相，則絲毫成隔。」
8　《王右丞集箋住》卷28。

　　「劫」，佛教時間單位，指天地由開始至毀滅的一個週期，如「汝於來世一劫當得作佛」

　　<u>意譯詞彙如</u>：

　　「如來」，專指佛陀，「於時如來始起樹下。」

　　「法輪」，對佛法喻稱，源自梵文 dharmacakra，dharmaup 音譯為「達磨」，是法的意思，cakra 為車輪。「世界眾聖，未曾有轉法輪，遷入泥洹如我今者也。」

　　唐代文學家創作時已經相當熟悉佛典用語，特別是有詩佛之稱的王維，其作品中有許多援引佛經語彙的詩篇。

四、佛經翻譯對文學用語的影響 —— 以王維詩為例

　　佛經翻譯對於漢語的影響，一是文學詞彙以及文學表現手法的，另一部分是譯經文體的形成。

　　王維在中國詩歌史上，所呈現的風格相當特殊，他被稱為詩佛，是一位虔誠的佛教徒。他的母親是神秀的著名弟子，其「師事大照禪師三十餘年」[9]，大照即是曾被禪門立為「七祖」的普寂的門徒。他本人廣泛結交禪人，曾受教於神會，以「精禪理」聞名於世。[10]他自號為「摩詰」，揭示了自己做當世維摩的志趣，特別是在他積極求進的濟世之志受到挫折以後，過著亦官亦隱的生活，結交道友，「退朝之後，焚香獨坐，以禪誦為事」[11]，在佛教中尋求精神的慰藉，維摩詰給了他精神上的支持，也為他指示了尋求解脫的人生方式。因此後人給予他「高情合受維摩詰」[12]的讚譽。

9　王維〈請施莊為寺表〉一文中紀載。
10　見《全唐詩》卷 129，苑咸〈酬王維序〉。
11　《舊唐書》，卷 109 下，〈文苑下〉。
12　《帶經堂集》，〈戲仿元遺山論詩絕句〉。

　　他精於禪理，其詩歌與佛教關係相當密切，在其作品中佛教語言的運用相當普遍，如：

　　　蓮花法藏心懸悟，貝葉經文手自書。(〈苑舍人能書梵字兼達梵音皆曲盡其妙戲爲之贈〉)

　　　墨點三千界，丹飛六一泥。(〈和宋中丞夏日遊福賢觀天長寺之作〉)

　　　共仰頭陀行，能忘世諦情。迴看雙鳳闕，相去一牛鳴。(〈與蘇盧二員外期遊方丈寺而蘇不至因有是作〉)

　　　欲問義心義，遙知空病空。山河天眼裡，世界法身中。(〈夏日過青龍寺謁操法師〉)

　　這些主題寫佛寺以及僧人等與佛教有關的詩作，採用了許多與佛教有關的用語。

　　王維作品中也有許多作品主題與佛教無關，但是語彙的使用亦取自佛經，舉例來說：

　　　緣合妄相有，性空無所親。(〈山中示弟等〉)

　　　忽入甘露門，始知清涼樂。〈苦樂〉

　　　朝梵林未曙，夜禪山更寂。〈藍田山石門精舍〉

　　如這般廣泛運用佛典入詩，在唐代詩人中是不多見的，劉維崇《王維評傳》說到：「與佛有關係的詩用佛語固然可以，與佛沒有關係的，也雜以佛語，這在一般詩人中是很少見。就是出過家作過和尚的賈島，在詩文裡也很少用佛家語。把佛家語用在律詩中，不是一件簡單的事，因爲律詩講求對仗以及平仄，如果不是對佛經佛典有極深的研究，很難自然的把佛家語用在詩裡。這充分證明了王維對佛經誦讀之熟，與了解之深了。」[13]

13　劉維崇，《王維評傳》，正中書局，1972 年。

　　王維中年以後篤信佛教，深研佛典禪理，他曾於詩中提到「身逐因緣法，心過次第禪。」[14]而且作品中一再寫到想學得「無生」境界的詩句

> 一心在法要，願以<u>無生</u>講。〈謁璿上人〉
>
> 空居法雲外，觀世得<u>無生</u>。〈登辨覺寺〉
>
> 欲知除老病，唯有學<u>無生</u>。〈秋夜獨坐〉

　　這裡的「無生」是指涅槃之真理，無生亦無滅，因此觀無生之理以破生死之煩惱。《魏書釋老志》云：

> 漸積勝業，陶冶粗鄙，經無數形，澡練神明，乃致無生，
> 而得佛道。

　　從前面所引王維幾首詩提到「學無生」「講無生」「得無生」，可以看出王維十分致力於佛道的追求。「禪境」是王維晚年嚮往的人生境界，而他表現在詩歌作品上，則是運用大量的佛經語言。

　　王維在〈胡居士臥病遺米因贈〉一詩中，其詩云：

> 了觀四大因，根性何所有。妄計苟不生，是身孰休咎。
>
> 色聲何謂客，陰界復誰守？徒言蓮花目，豈惡楊枝肘。
>
> 既飽香積飯，不醉聲聞酒。有無斷常見，生滅幻夢受。
>
> 即病即實相，趨空定狂走。無有一法真，無有一法垢。
>
> 居士素通達，隨意善抖擻。床上無氈臥，鍋中有粥否？
>
> 齋時不乞食，定應空漱口。聊持數斗米，且救浮生取。

　　詩中寫王維助道友胡居士之貧窮，而鼓勵其修道也，此特顯示佛教之形而上的思辨，多用禪語，這首詩所引用的「禪語」如下：「了觀」、「四大」、「根性」、「色聲」、「陰界」、「蓮花目」、「香積飯」、「聲聞」、「斷常見」、「幻夢」、「實相」、「抖擻」、「漱口」。

---

14 引自王維〈過盧員外宅看梵僧共題〉。

今擇其要者而釋之：

四大，身因四大和合爲相，骨肉之堅相爲地大，津液之潤濕爲水大，煖觸之氣息爲火大，動搖之筋脈爲風大。《維摩詰經》：「四大合故，假名爲身，四大無主，身亦無我。」

蓮花目，《法華經》：「是菩薩目，如廣大青蓮花葉。」

香積飯，佛教真理之象徵。《維摩詰經》：「於是維摩詰不起於座，居眾會前，化作菩薩，而告之曰，汝往上方界，分度四十二恆河沙佛土，有國名眾香，佛號香積。」諸菩薩、聲聞、天人食此飯者，身安快樂，又諸毛孔皆出妙香。

實相，見《妙法蓮華經》：「唯佛與佛，乃能究竟諸法實相。」《大般涅盤經》：「無相之相，名爲實相。」

由於這些豐富的佛經用語題材運用，這首詩讀來彷若《法華經》《維摩詰經》。王維能自然地把這些佛經中詞彙運用入詩，可說是開創一種風氣。

王維親承神會佛法，受囑作《能禪師碑》，這是現存有關慧能最早可信的資料。其中傳述慧能禪法：

> ……乃教人以忍，曰：忍者無生，方得無我。始成於初發心，以為教首。至於定無所入，慧無所依，大身過於十方，本覺超於三世。根塵不滅，非色滅空；行願無成，即凡成聖。舉足下足，常在道場；是心是情，同歸性海。[15]

這裡概括的是慧能的「無念」「無住」，自見本性的禪觀。

再錄〈過盧員外宅看飯僧共題七韻〉

> 三賢異七聖，青眼慕清蓮。
>
> 乞飯從香積，裁衣學水田。

15　《王右丞集箋注》卷二十五。

上人飛錫杖，檀越施金錢。

趺坐簷前日，焚香竹下烟。

寒空法雲地，秋色淨居天。

身逐因緣法，心過次第禪。

不須愁日暮，自有一灯燃。

　　此詩寫友人盧象信佛，並且與僧侶往來，可知王維之尚佛也。詩中所引用佛語「三賢」、「七聖」、「清蓮」、「水田」、「檀越」、「法雲地」、「淨居天」、「因緣法」、「次第禪」等語，詩僅十四句，而引用禪語十次。概述如下：

　　「三賢」，見《仁王般若經》：「三賢，十勝住果報。唯佛一人居淨土。」指十住菩薩、十行菩薩以及十回向菩薩。

　　「青蓮」見《大般若經》：「世尊眼相修廣，譬如青蓮花葉，甚可愛樂。」《維摩詰經》：「目淨修廣如青蓮。」

　　「水田」，田溝貯水，生長嘉苗，以長形命；法衣之田，潤以四利之水，增其三善之苗，以養法身慧命也。

　　「因緣法」，見《大方廣佛華嚴經》：「一切世間從緣生，不離因緣見諸法。」

　　「次第禪」，見《大方廣佛華嚴經》：「隨其次第，入諸禪定。」

　　「淨居天」，色界十八天之中，淨居天為最。無煩天、無熱天、善見天、善現天、色究竟天，此五天皆謂之淨居天。

　　王維有〈與胡居士皆病寄此詩兼示學人二首〉，無論在構思還是用語都取於《維摩經》。其第一首：

一興微塵念，橫有朝露身。如是睹陰界，何方置我人。

礙有固為主，趣空寧舍賓。洗心巨懸解，悟道正迷津。

因愛果生病，從貪始覺貧。色聲非彼妄，浮幻即吾真。

四達竟何遣，萬殊安可塵。胡生但高枕，寂寞與誰鄰。

戰勝不謀食，理齊甘負薪。子若未始異，頗論疏與親。

　　這首詩題材是慰病，主旨是闡發「般若空」的無得無礙的人生觀，詩旨實際上是取自《維摩經、問疾品》裡維摩詰的話：「從痴有愛則我病生，以一切眾生病，是故我病，若一切眾生病滅，則我病滅。」而人生若「朝露」的看法，是用了《觀眾生品》的語言。詩中表現的蕩除塵垢，身心一如的觀念，也正是《維摩經》所宣揚的。

　　禪的意趣在王維詩中的多緯度展現，與盛唐蓬勃向上的時代精神有關。唐代是一個既不偏於理性，又不過重情采的時代，引禪入詩，在圓美流轉的唐音中充分展現了動與靜，哲學與藝術的融合。宗白華所說：「禪是動中的極靜，也是靜中的極動，寂而常照，照而常寂，動靜不二，直探生命的本源。禪是中國人接受佛教大乘義後認識到自心靈的深處而燦爛地發揮到哲學與藝術的境界，靜穆的觀照和飛躍的生命構成藝術的兩元，也就是「禪」的心靈狀態。」[16]

　　王維詩中，引用佛教語言的作品，作一簡表呈現之：

佛典用語	作品名稱及詩句
空色	趣空定狂走（胡居世臥病遺米因贈） 遙知空病空（夏日過清龍寺謁操禪師） 性空所無親（山中示弟） 寒空法雲地（過盧員外宅看飯僧共題） 色聲何謂客（胡居世臥病遺米因贈） 色聲非彼妄（與胡居士皆病寄此詩兼示學人）
陰界	陰界復誰守（胡居世臥病遺米因贈） 如是諸陰界（與胡居士皆病寄此詩兼示學人）

---

[16] 宗白華《美學散步》。

法	白**法**調犴象（黎拾遺聽裴迪見過秋夜對雨之作）
法藏	蓮花**法藏**心懸悟（苑舍人能書梵語兼達梵音皆曲盡其妙戲爲之贈）
法身	世界**法身**中（夏日過清龍寺謁操禪師）
法雲	寒空**法雲**地（過盧員外宅看飯僧共題）
	空居**法雲**外（登辨覺寺）
法侶	山中多**法侶**（山中寄諸弟妹）
天眼	山河**天眼**裡（夏日過清龍寺謁操禪師）
	青眼慕青蓮（過盧員外宅看飯僧共題）
蓮花	**蓮花**法藏心懸悟（苑舍人能書梵語兼達梵音皆曲盡其妙戲爲之贈）
	徒言**蓮花**目（胡居世臥病遺米因贈）
	青眼慕**青蓮**（過盧員外宅看飯僧共題）
禪	夜**禪**山更寂（藍田山石門精舍）
	徐步謁**禪宮**（夏日過清龍寺謁操禪師）
	客去更安**禪**（投道一師蘭若宿）
	禪寂日已固（偶然作）
	愁猿學四**禪**（遊悟真寺）
道	中歲頗好**道**（終南別業）
	道心及牧童（藍田山石門精舍）
	如何**道門**裡（沈十四拾遺新竹生讀經處同諸公之作）
緣	身逐**因緣法**（過盧員外宅看飯僧共題）
	上人無生**緣**（燕子龕禪師）
	緣合妄相有（山中示弟等）
皈依	**皈依**宿化城（遊感化寺）
香積飯	既飽**香積飯**（胡居世臥病遺米因贈）
	香飯青菰米（遊感化寺）

　　由上述所討論的諸例觀察之，王維詩中好用佛點之特色可歸納如下：

　　1.追求生命之超脫與忘我，故而用「色」、「空」、「緣」以及「皈依」諸用語。

　　2.對佛心以及佛境的嚮往，引用法、蓮花、道、禪、香積飯、三賢、七聖等語彙。

　　3.有感於現實世界之苦惱，而用陰界、四大、根性等佛教用語。

五、結　論

　　佛教自東漢傳入中國，在中國較早的僧詩裡，佛教教義以及語彙的運用是較為生硬的，顯示當時佛教與中國文化仍未融合的狀況；隨著佛教逐漸發展，佛教語彙在詩歌中的運用也日漸成熟。到了唐代，佛教達到最輝煌的時期，佛教達到最輝煌的時期，且完全融入中國文化的核心之中，佛理及佛教語彙幾乎完全融入詩歌之中，「詩佛」王維的作品是代表者。

　　王維將自然物象的審美表現與佛理以及佛教用語甚至個人的體會完全融合為一，王維淡化了佛理詩的說理傾向，並增強了詩歌的文學性，使這一類詩改變了傳統佛理詩的格局，表現出另一種情致與特點。這種演變可以考見中國與佛教文化相交流的情況，更可以考見佛教對文學的逐漸滲入以及佛教對中國文學在語彙的深刻影響。

羅文玲

2004 年 12 月 29 日

文心雕龍體義箋證

廉永英　撰

關鍵詞：體性、體骨、體式、體勢

一、引　言

　　文心一書，久稱難讀，彥和早有所見，故曰：「知音其難哉，音實難知，知實難逢，逢其知音，千載其一乎」（知音）蓋言隱榮華，無怪其闇而不彰；陽春白雪，宜乎其和者寥寥矣。

　　審其綱目，抉其幽微，則貫穿全書，亦復杳渺難尋者厥有兩端：一曰道，一曰體。道也者彥和文學論之形而上者也，體也者彥和文學論之形而下者也。道之義爲綱，體之義爲目，綱者文之經，目者文之緯，經定而後緯成，綱舉然後目張，沿隱以之顯，因內而符外，夫然後乃知彥和之體大思精，文理緻密者矣，夫然後乃可以鈎沉索隱，探本窮源也矣。

　　彥和之所謂道也體也，輒一詞而多義，同篇有別，兩章迥異。道之義，厥有三，余別有文；體之義，蓋有四：一曰體性，一曰體骨，一曰體式，一曰體勢，今請箋而證之，用就正於並世之博雅君子焉。

　　熊十力佛家名相通釋曰：「凡一大學派之專著，其思想自成宏大深密之系統。其名詞恆爲一獨立國之語言，初學讀之，不能不爲其所困，然倘能不憚艱阻，反復數遍，精心求之，久而必尋得

其思路，蛛絲馬迹，此牽彼引，千途萬轍，莫不貫穿，思路既得，一切了無餘蘊矣。」

體者正彥和一專用之術語也，倘學者不解其義蘊，則讀之將如墜五里霧中，論之勢必郢書而燕說，彼誤解與悖謬，蓋可想見。

彥和有云：「夫才量學文，宜正體製，必以情志為神明，事義為骨髓，辭采為肌膚，宮商為聲氣」（附會）情志者體性也，喻之於人猶如神明；事義者體骨也，喻之於人猶如骨髓；辭采者體式也，喻之於人猶如肌膚；宮商者體勢也，喻之於人猶如聲氣。彥和又曰：「是以將閱文情，先標六觀：一觀位體，二觀置辭，三觀通變，四觀奇正，五觀事義，六觀宮商，斯術既形，優劣見矣。」（通變）一觀位體，體性等篇論之，二觀置辭，麗辭等篇論之，三觀通變，通變等篇論之，四觀奇正，定勢等篇論之，五觀事義，事類等篇論之，六觀宮商，聲律等篇論之。范氏曰：「大較如此，其細密當參伍錯綜以求之。」（文心雕龍注）洵為知言；雖然，猶惜其未盡餘蘊也，余以為得其肯綮，然後可以游刃有餘，解千牛而猶新發於硎者，厥為一體耳。

二、箋　證

（一）體性義

體性之體，為彥和之文學風格論，蓋文學之風格，受時代、地域、體類及作者之影響，而有不同之精神面貌。換言之，一時代有一時代之文風，一地域有一地域之文風，一體類有一體類之文風，一作者有一作者之文風。故知夫文風之情貌，為時所限，為地所限，為體所限，亦為人所限。上溯三代，迄於近世，文風之貿遷，罔能外乎此例。

桐城姚姬傳氏有言：「凡文之體十三，而所以為文者八：曰神

理氣味格律聲色。神理氣味者，文之精也；格律聲色者，文之粗也。然苟舍其粗，則精者亦胡以寓焉。」（古文辭類纂序）案姚氏所謂之神理氣味，係指文章之內容言；格律聲色，係指文章之形式言。內容與形式，乃文章之表裏，其於一文風之形成，自為不可或缺者。

　　彥和析文風為八，故曰：「總其歸途，數窮八體：一曰典雅，二曰遠奧，三曰精約，四曰顯附，五曰繁縟，六曰壯麗，七曰新奇，八曰輕靡。」（體性）案彥和此間所指之八體，乃謂文章之八種風格也。斯八種風格各有成因，彥和釋之曰：「典雅者，鎔式經誥，方軌儒門者也；遠奧者，複采曲文，經理玄宗者也；精約者，覈字省句，剖析毫釐者也；顯附者，辭直義暢，切理厭心者也；繁縟者，博喻釀采，煒燁枝派者也；壯麗者，高論宏裁，卓爍異采者也；新奇者，擯古競今，危側趣詭者也；輕靡者，浮文弱植，縹緲附俗者也。」（體性）並以八種風格有迥乎不同之情貌者四：曰：「雅與奇反，奧與顯殊，繁與約舛，壯與輕乖，文辭根葉，苑囿其中矣。」（體性）

　　以言時代之於文風者：彥和曰：「黃唐淳而質，虞夏質而辨，商周麗而雅，楚漢侈而豔，魏晉淺而綺，宋初訛而新。」（通變）又曰：「時運交移，質文代變，古今情理，如可言乎。」（時序）又曰：「自中朝貴玄，江左稱盛，因談餘風，流成文體。是以世極迍邅，而辭意夷泰，詩必柱下之旨歸，賦乃漆園之義疏。故知文變染乎世情，興廢繫乎時序，原始以要終，雖百世可知也。」（時序）又曰「正始餘風，篇體輕澹，而嵇阮應璆，並馳文路矣。」（時序）揚子法言曰：「虞夏之書，渾渾爾，商書灝灝爾，周書噩噩爾。」韓昌黎進學解亦曰：「上窺姚姒，渾渾無涯，周誥殷盤，佶屈聱牙」二氏均以時代影響文風也。證以詩大序之言「至於王

道衰，禮義廢，政教失，國異政，家殊俗，而變風變雅作矣。國史明乎得失之迹，傷人倫之廢，哀行政之苛，吟咏情性以風其上，達於世變而懷其舊俗者也。」與孟子之言：「王者之迹熄而詩亡，詩亡然後春秋作。」（孟子離婁）並皆不謬。

　　以言地域之於文風者：彥和曰：「人稟七情，應物斯感，感物吟志，莫非自然。」（明詩）又曰：「情以物遷，辭以情發。」（神思）又曰：「是以詩人感物，聯類不窮，流連萬象之際，沉吟視聽之區，寫氣圖貌，既隨物以宛轉，屬采附聲，亦與心而徘徊。」（物色）此並以外界景物，感蕩心魂，而人情隨物境而遷者也，故曰：「山林皋壤，實文思之奧府；屈平之所以能洞鑒風騷之情者，抑亦江山之助乎。」（物色）王夫之曰：「楚，澤國也。其南沅湘之交，抑山國也。疊波曠宇，以蕩遙情，而迫之以崟嶔戌削之幽苑，故推宕無涯，而天采矞發，江山光怪之氣莫能掩抑。」（楚辭通釋敘例）李延壽北史文苑傳曰：「江左宮商發越，貴於清綺；河朔詞義貞剛，重乎氣質。氣質則理勝於詞；清綺則文過其意。理勝者，便於時用；文華者，宜於歌詠。此則南北詞人得失之大較。」文風以地域有別，而各異其趣，此實古今所共見，不刊之宏論也。

　　以言體類之於文風者：彥和曰：「文體多術，共相彌綸，一物攜貳，莫不解體。所以列在一篇，總備情變。」（總術）札記曰：「此篇乃總會神思以至附會之旨，而丁寧鄭重以言之，非別有所謂總術也。篇末曰『文體多術，共相彌綸，一物攜貳，莫不解體，所以列在一篇，總備情變』然則彥和之撰斯文，意在提挈綱維，指陳樞要明矣。自篇首至知言之選句，乃言文體眾多。自此以下，則明文體雖多，皆宜研術，即以證圓鑒區域，大判條例之不可輕。紀氏於前段則云汗漫，于次節則云與前後二段不相屬，愚誠未喻紀氏之意也。今取全文而為之銷解，庶覽者毋惑焉。若夫練術之

功，資於平素，明術之效，呈於斯須。剖情析采，籠圈條貫，摛神性，圖風勢，苞會通，閱聲字，其事至多，其例至密，其利病是非之辨至紛紜。必先之以博觀，繼之以勤習，然後覽先士之盛藻，可以得其用心，每自屬文，亦能自喻得失。真積力久，而文術稠適，無所滯疑，縱復難得善文，亦可退求無疵，雖開塞之數靡定，而利病之理有常，顏之推云『但使不失體裁，辭意可觀，遂稱才士』言成就之難也。是以練術為文者，如輪扁之引斧，棄術而任心者，如南郭之吹竽。繩墨之外，非無美材，以不中程而去之無吝；天籟所激，非無殊響，以不合度而聽者告勞。是知術之於文，等於規矩之於工師，節奏之於矇瞍，豈有不先曉解，而可率爾操觚者哉。若夫曉術之後，用之臨文，遲則研京以十年，速則奏賦於食頃，始自用思，終於定藳，同此必然之條例，初無歧出之衢途。蓋思理有恆，文體有定，取勢有必由之準桌，謀篇有難畔之綱維，用字造句，合術者工而不合術者拙，取事屬對，有術者易而無術者難。聲律待術而後安，采飾待術而後美，果其辨之有明通之識，斯為之無憒惑之虞。雖文意細若秋毫，而識照朗於鏡鑷。故曰乘一總萬，舉要治繁也。欲為文者，其可不先治練術之功哉。」案周書論辭，文貴體要，得體扼要，方為善篇，黃氏亦明言「文有定體」，是得乎彥和之意矣。

　　彥和又曰：「章表奏議，則準的乎典雅：詩頌歌詩，則羽儀乎清麗；符檄書移，則楷式於明斷；史論序注，則師範於覈要；箴銘碑誄，則體製於宏深；連珠七辭，則從事於巧豔。」（定勢）彥和又曰：「詳總書體，本在盡言，言以散鬱陶，託風采，故宜滌暢以任氣，優柔以懌懷。文明從容，亦心聲之獻酬也。」（書記）又曰：「原夫哀辭大體，情主於哀痛，而辭窮乎愛惜。」（哀弔）前乎彥和者：曹子桓典論論文云：「奏議宜雅，書論宜理，銘誄尚實，

詩賦欲麗」。陸士衡文賦曰：「詩緣情而綺靡，賦體物而瀏亮，碑披文以相質，誄纏綿而悽愴，銘博約而溫潤，箴頓挫而清壯，頌優游以彬蔚，論精微而朗暢，奏平徹以閑雅，說煒燁而譎誑。」後乎彥和者：王應麟辭學指南引夏文莊之言曰：「美辭施於頌贊，明文布於牋奏，詔誥語重而體宏，歌謠言近而旨遠。」陸時雍詩鏡總論曰：「詩四言優而婉；五言直而俗；七言縱而暢；三言矯而掉；六言甘而媚；雜言芬葩，頓跌起伏。」不同之體類，當有不同之風格，此見諸家正同。

　　以言作者之於文風者：彥和曰：「賈生俊發，故文潔而體清；長卿傲誕，故理侈而辭溢；子政簡易，故趣昭而事博；子雲沉寂，故志隱而味深；孟堅雅懿，故裁密而思靡；平子淹通，故慮周而藻密；仲宣躁競，故穎出而才果；公幹氣褊，故言壯而情駭；嗣宗俶儻，故響逸而調遠；叔夜儁俠，故興高而采烈；安仁輕敏，故鋒發而韻流；士衡矜重，故情繁而辭隱：觸類以推，表裏必符。」（體性）案彥和所舉賈生以下十二人，旨在闡明作者才性與作品風格相表裏，故曰：「豈非自然之恆質，才氣之大略哉。」（體性）故曰：「夫情動而言形，理發而文見，蓋沿隱以之顯，因內而符外者也。」（體性）故曰：「八體屢遷，功以學成。才力居中，肇自血氣；氣以實志，志以定言，吐納英華，莫非情性。」（體性）故曰：「故宜摹體以定習，因性以練才，文之司南用此道也。」（體性）案彥和此語，在指示習文之道在因性摹體。故體性篇贊曰：「才性異區，文體繁詭。辭為膚葉，志實骨髓。雅麗黼黻，淫巧朱紫。習亦凝真，功沿漸靡。」又曰：「情數詭雜，體變遷貿。」（神思）是彥和以文思有瞬息之變，文術有巧拙之數，故文章之風格乃時有變異也。又曰：「夫情致異區，文變殊術，莫不因情立體，即體成勢也，勢者，乘利而為制也。如機發矢直，澗曲湍回，自然之

趣也。」（定勢）又曰：「自近代辭人，率好詭巧，原其爲體，訛勢所變，厭黷舊式，故穿鑿取新，察其訛意，似難而實無他術也，反正而已。」（定勢）又曰：「密會者以意新得巧，苟異者以失體成怪。舊練之才，則執正以馭奇；新學之銳，則逐奇而失正；勢流不反，則文體遂弊。」（定勢）案彥和以近世文章新變之餘，訛意實多，而失體成怪也。又曰：「魏文稱，文以氣爲主，氣之清濁有體，不可力強而致。故其論孔融，則云體氣高妙；論徐幹則云時有齊氣；論劉楨則云有逸氣。」（風骨）案曹子桓典論論文曰：「文以氣爲主，氣之清濁有體，不可力強而致，譬諸音樂，曲度雖均，節奏同檢，至於引氣不齊，巧拙有素，雖在父兄，不能以移子弟。」言氣有清濁，雖父兄子弟，不能相移，此實指「才性」言之，爲後世陽剛陰柔說之所本。彥和又曰：「魏武以相王之尊，雅愛詩章；文帝以副君之重，妙善辭賦；陳思以公子之豪，下筆琳瑯；並體貌英逸，故俊才雲蒸。」（時序）此中「體貌英逸」之體字，即指才性言之也。

　　文章所以宣情達意也，故作者之情性及其學養，是爲鑄成一家文風之主因，故彥和曰：「才有庸儁，氣有剛柔，學有淺深，習有雅鄭。並情性所鑠，陶染所凝。是以筆區雲譎，文苑波詭者矣。故辭理庸儁，莫能翻其才；風趣剛柔，寧或改其氣；事義淺深，未聞乖其學；體式雅鄭，鮮有反其習，各師成心，其異如面。」（體性）案才氣爲內，學習屬外，故彥和曰：「並情性所鑠，陶染所凝」也。

　　此中所引文心各篇彥和所用體字義，均爲體性之體，係指文章之風格言。

（二）體骨義

　　體骨之體，爲彥和之文學題材論，文心事類一篇專論此意。

故彥和曰:「事類者,蓋文章之外,據事以類義,援古以證今者也。」此明事類之義也。

又曰:「昔文王繇易,剖判爻位,既濟九三,遠引高宗之伐,明夷六五,近書箕子之貞;斯略舉人事以徵義者也。至若胤征羲和,陳政典之訓;盤庚誥民,敘遲任之言;此全引成辭,以明理者也。然則明理引乎成辭,徵義舉乎人事,迺聖賢之鴻謨,經籍之通矩也。大畜之象,君子以多識前言往行,亦有包於文也。」(事類)此亦荀卿「持之有故,言之成理」之義也,故前言往行,必須多識之也。

又曰:「觀夫屈宋屬篇,號依詩人,雖引古事而莫取舊辭。雖賈誼鵩賦,始用鶡冠之說;相如上林,撮引李斯之書;此萬分之一會也。及揚雄百官箴,頗酌於詩書;劉歆遂初賦,歷敘於記傳;漸漸綜採矣。至於崔班張蔡,遂捃摭經史,華實布濩,因書立功,皆後人之範式也。」(事類)此彥和於引事取材,為史之考察,並標示範例者也。

又曰:「夫薑桂同地,辛在本性,文章由學,能在天資。才自內發,學以外成,有學飽而才餒,有才富而學貧。學貧者,迍邅於事義;才綏者,劬勞於辭情;此內外之殊分也。是以屬意立文,心與筆謀,才為盟主,學為輔佐,主佐合德,文采必霸,才學褊狹,雖美少功。」(事類)此謂學以外成,然後可以為文,迍邅事義,則雖有美才而其功必寡者也。

又曰:「夫經典沉深,載籍浩瀚,實羣言之奧區,而才思之神皋也。揚班以下,莫不取資,任力耕耨,縱意漁獵,操刀能割,必列膏腴,是以將贍才力,務在博見,狐腋非一皮能溫,雞蹠必數千而飽矣。」(事類)此彥和示人取材於經典及載籍,為其通古博觀之說也。此緣於其原道、徵聖、宗經之文學本原論也。是曰:

「夫子繼聖，獨秀前哲，鎔鈞六經，必金聲而玉振；雕琢情性，組織辭令，木鐸起而千里應，席珍流而萬世響，寫天地之輝光，曉生民之耳目矣。」（原道）又曰：「徵之周孔，文有師矣。」（徵聖）又曰：「至根柢槃深，枝葉峻茂。辭約而旨豐，事近而喻遠，是以往者雖舊，餘味日新。後進追取而非晚，前修文用而未先，可謂太山徧雨，河潤千里者也。」（宗經）此乃彥和道沿聖以垂文，聖因文以明道，文體繁變，皆出於經，故有鎔經鑄史之論也。其事類一贊，尤能顯示此意，曰：「經籍深富，辭理遐互。皪如江海，鬱若崑鄧。文梓共採，瓊珠交贈。用人若己，古來無懵。」案用典用事，貴乎變化無迹，脫胎換骨，師其意而不用其文，方為上乘，斯亦彥和之意也。

此下所引文心各篇之體字，均為體骨義。

曰：「是以括囊雜體，功在銓別，宮商朱紫，隨勢各配。」（定勢）

曰：「自風雅寢聲，莫或抽緒，奇文鬱起，其離騷哉！……昔漢武愛騷，而淮南作傳，……班固以為露才揚己，忿懟沉江；羿澆二姚，與左氏不合，崑崙懸圃，非經義所載……王逸以為詩人提耳，屈原婉順，離騷之文，依經立義……及漢宣嗟歎，以為皆合經術，揚雄諷味，亦言體同詩雅。四家舉以方經，而孟堅謂不合傳，褒貶任聲，抑揚過實，可謂鑒而弗精，翫而未覈者也。」（辨騷）

曰：「夫才量學文，宜正體製。必以情志為神明，事義為骨髓，辭采為肌膚，宮商為聲氣，然後品藻元黃，摛振金玉，獻可替否，以裁厥中。斯綴思之恆數也。」（附會）

曰：「夫文變多方，意見浮雜，約則義孤，博則辭叛，率故多尤，需為事賊。且才分不同，思緒各異，或製首以通尾，或尺接

以寸附，然通製者蓋寡，接附者甚眾。若統緒失宗，辭味必亂，義脈不流，則偏枯文體。」（附會）

曰：「昔陸機文賦，號爲曲盡，然汎論纖悉，而實體未該。故知九變之貫匪窮，知言之選難備矣。」（總術）

曰：「夫鑒周日月，妙極機神；文成規矩，思合符契；或簡言以達旨，或博文以該情，或明理以立體，或隱義以藏用。……書契斷決以象夬，文章昭晰以象離，此明理以立體也。」（徵聖）

曰：「故文能宗經，體有六義：一則情深而不詭，二則風清而不雜，三則事信而不誕，四則義直而不回，五則體約而不蕪，六則文麗而不淫，揚子比雕玉以作器，謂五經之含文也。」（宗經）

曰：「將覈其論，必徵言焉。故其陳堯舜之耿介，稱湯武之祇敬，典誥之體也；譏桀紂之猖披，傷羿澆之顛隕，規諷之旨也；虬龍以喻君子，雲蜺以譬讒邪，比興之義也；每一顧而掩涕，歎君門之九重，忠怨之辭也；觀茲四事，同於風雅者也。」（辨騷）

曰：「固知楚辭者 ，體憲於三代，而風雜於戰國，乃雅頌之博徒，而詞賦之英傑也。」（辨騷）

曰：「宋初文詠，體有因革，莊老告退，而山水方滋。」（明詩）

曰：「及景純注雅，動植必讚，義兼美惡，亦猶頌之變耳。然本其爲義，事生獎歎，所以古來篇體，促而不廣，必結言於四字之句，盤桓乎數韻之辭；約舉以盡情，昭灼以送文，此其體也。」（頌讚）

曰：「容體底頌，勳業垂讚。鏤彩摛文，聲理有爛。年積愈遠，音微如旦。降及品物，炫辭作翫。」（頌讚）

曰：「箴者，所以攻疾防患，喻鍼石也。斯文之興，盛於三代。夏商二箴，餘句頗存。及周之辛甲百官箴一篇，體義備焉。」（銘

箋）

曰：「傅毅所制，文體倫序，孝山崔瑗，辨絜相參，觀其序事如傳，辭靡律調，固誄之才也。」（誄碑）

曰：「詳夫誄之為制，蓋選言錄行，傳體而頌文，榮始而哀終。」（誄碑）

曰：「夫屬碑之體，資乎史才。其序則傳，其文則銘。標序盛德，必見清風之華；昭紀鴻懿，必見峻偉之烈；此碑之制也。」（誄碑）

曰：「建安哀辭，惟偉長差善，行女一篇，時有惻怛。及潘岳繼作，實踵其美。觀其慮善辭變，情洞悲苦，敘事如傳。結言摹詩，促節四言，鮮有緩句；故能義直而文婉，體舊而趣新。」（哀弔）

曰：「自對問以後，東方朔效而廣之，名為客難。……崔實客譏，整而微質；蔡邕釋誨，體奧而文炳，景純客傲，情見而采蔚；雖迭相祖述，然屬篇之高者也。」（雜文）

曰：「史肇軒黃，體備周孔，世歷斯編，善惡偕總。騰褒裁貶，萬古魂勳。辭宗邱明，直歸南董。」（史傳贊）

曰：「逮漢成留思，子政讎校，於是七略芬菲，九流鱗萃，殺青所編，百有八十餘家矣。迄至魏晉，作者間出，讕言兼存，璅語必錄，類聚而求，亦充箱照軫矣。然繁辭雖積，而本體易總，述道言治，枝條五經。其純粹者入矩，踳駁者出規。禮記月令，取乎呂氏之紀。三年問喪，寫乎荀子之書，此純粹之類也。若乃湯之問棘，云蚊睫有雷霆之聲；惠施對梁王，云蝸角有伏尸之戰；列子有移山跨海之談，淮南有傾天折地之說，此踳駁之類。」（諸子）

曰：「研夫孟荀所述，理懿而辭雅；管晏屬篇，事覈而言練；……

辭約而精,尹文得其要;慎到析密理之巧,韓非著博喻之富,呂氏鑒遠而體周,淮南汎採而文麗,斯則得百氏之華采,而辭氣文之大略也。」(諸子)

曰:「逮江左羣談,惟玄是務;雖有日新,而多抽前緒矣。至如張衡譏世,韻似俳說:孔融孝廉,但談嘲戲;曹植辨道,體同書抄;言不持正,論如其已。」(論說)

曰:「故檄移為用,事兼文武,其在金革,則逆黨用檄,順命資移,所以洗濯民心,堅同符契,意用小異而體義大同。」(檄移)

曰:「揚雄劇奏,班固典引,事非鐫石,而體因紀禪。觀劇秦為文,影寫長卿,詭言遯辭,故兼包神怪。然骨掣靡密,辭貫圓通,自稱極思,無遺力矣。」(封禪)

曰:「搆位之始,宜明大體,樹骨於訓典之區,選言於宏富之路,使意古而不晦於深,文今而不墜於淺,義吐光芒,辭成廉鍔,則為偉矣。」(封禪)

曰:「表體多包,情偽屢遷,必雅義以扇其風,清文以馳其麗。」(章表)

曰:「夫奏之為筆,固以明允篤誠為本,辨析疏通為首。強志足以成務,博見足以窮理,酌古御今,治繁總要,此其體也。」(奏啓)

曰:「周書曰:議事以制,政乃弗迷。議貴節制,經典之體也。昔管仲稱軒轅有明臺之議,則其來遠矣。」(議對)

曰:「若乃張敏之斷輕侮,郭躬之議擅誅,程曉之駁校事,司馬芝之議貨錢,何曾蠲出女之科,秦秀定賈充之諡,事實允當,可謂達議體矣。」(議對)

曰:「夫動先擬議,明用稽疑,所以敬慎羣務,弛張治術。故其大體所資,必樞紐經典:採故實於前代,觀通變於當今;理不

謬搖其枝，字不妄舒其藻。」（議對）

（三）體式義

體式之體，乃彥和文學之修辭論也。文心情采一篇備言之矣。案彥和生當齊梁衰晚之世，文士好奇，率好詭巧，文繡鞶帨，爲文造情，乃至失體成怪，勢流不返，彥和目擊心傷，怒然憂之，乃獨倡文質彬彬之論，以欲以矯末世之人心與文運焉。麗辭一篇析其術，情采一篇闡其理。故曰：「聖賢書辭，總成文章，非采而何！夫水性虛而淪漪結，木體實而花萼振，文附質也。虎豹無文鞹同犬羊；犀兕有皮，而色資丹漆，質待文也。」（情采）此彥和文質相待，華實並重之說也。

又曰：「立文之道，其理有三：一曰形文，五色是也；二曰聲文，五音是也；三曰情文，五性是也。五色雜而成黼黻，五音比而成韶夏，五性發而爲辭章，神理之數也。」（情采）此彥和辭采、聲律、情志三者兼善之論，南朝唯重辭采及聲律，而輕乎文章之情感思想，故彥和反復言之耳。

又「鉛黛所以飾容，而盼倩生於淑姿；文采所以飾言，而辯麗本於情性」（情采）實內容形式並重，力矯齊梁之文弊者也。札記曰：「舍人處齊梁之世，其時文體方趨於縟麗，以藻飾相高　文勝質衰，是以不得無救正之術。此篇（情采）恉歸，即在挽爾日之頹風，令循其本，故所譏獨在采溢於情，而於淺露樸陋之文未遑多責，蓋揉曲木未有不過其直者也；雖然，彥和之言文質之宜，亦甚明憭矣。」

此下所引文心各篇之體字，均爲體式義。

曰：「體式雅鄭，鮮有反其習。」（體性）

札記曰：「體式全由研閱而得，故云鮮有反其習。」

注曰:「俗學不能發雅議,是故當慎所習也。」

曰:「句有可削 ,足見其疎;字不得減,乃知其密。精論要語,極略之體;游心竄句,極繁之體;謂繁與略,隨分所好。引而申之,則兩句敷爲一章,約以貫之,則一章刪成兩句。思贍者善敷,才覈者善刪。」(章句)

案辭藻爲情理之文,情理爲辭藻之質,彥和論文每謂「雕琢情性,組織辭令」(原道),又曰:「夫水性虛而淪漪結,木體實而花萼振,文附質也。虎豹無文,則鞹同犬羊,犀兕有皮,而色資丹漆,質待文也。」(情采)又曰:「夫鉛黛所以飾容,而盼倩生於淑姿;文采所以飾言,而辯麗本於情性。」(情采)彥和以文質必相副稱爲說,進而主張鎔冶情理,使綱領清晰,裁治辭采,使蕪穢不生。文賦「榛枯勿剪,庸音足取」之說,彥和舉爲不知鎔裁之例,而評曰「其識非不鑒,乃情苦芟繁也。」(鎔裁)

曰:「夫裁文匠筆,篇有小大 ;離章合句,調有緩急;隨變適會,莫見定準。句司數字,待相接以爲用;章總一義,須意窮而成體。」(章句)

曰:「至於詩頌大體,以四言爲正,唯祈父肇禋,以二言爲句。」(章句)

曰:「至於夫惟蓋故者,發端之首唱;之而於以者,乃劄句之舊體;乎哉矣也,亦送末之常科。據事以閑,在用實切。巧者迴運,彌縫文體,將令數句之外,得一字之助矣。」(章句)

曰:「造化賦形,支體必雙;神理爲用,事不孤立。夫心生文辭,運裁百慮,高下相須,自然成對。……故麗辭之體,凡有四對:言對爲易,事對爲難,反對爲優,正對爲劣。」(麗辭)

案麗辭篇所言之體,亦大抵皆謂體式。

曰：「體植必兩，辭動有配。左提右挈，精味兼載。炳爍聯華，鏡靜含態。玉潤雙流，如彼珩珮。」（麗辭）

曰：「夫文象列而結繩移，鳥跡明而書契作，斯乃言語之體貌，而文章之宅宇也。」（練字）

曰：「龍圖獻體，龜書呈貌，天文斯觀，民胥以傚。」（原道）

曰：「若夫四言正體，則雅潤爲本；五言流調，則清麗居宗；華實異用，惟才所安。」（明詩）

曰：「古來文章，以雕縟成體。」（序志）

曰：「麗詞雅義，符采相勝，如組織之品朱紫，畫繪之著玄黃，文雖新而有質，色雖糅而有本，此立賦之大體也。」（詮賦）

曰：「潘勗符節，要而失淺；溫嶠傅臣，博而患繁；王濟國子，引廣事雜；潘尼乘輿，義正體蕪；凡斯繼作，鮮有克衷。」（銘箴）

曰：「魏文帝下詔，辭義多偉，晉氏中興，唯明帝崇才，以溫嶠文清，故引入中書。自斯以後，體憲風流矣。」（詔策）

注曰：「明帝手詔以溫嶠中書令云：『中書之職，酬對多方，斟酌禮宜，非唯文疏而已，非望士良才，何可妄居。卿既以令望，忠允之懷，著於周旋；且文清而旨遠，宜居機要。今欲以卿爲中書令，朝論亦咸以爲宜。』」（藝文類聚四十八引檀道鸞晉陽秋）

曰：「陳思之表，獨冠羣才。觀其體贍而律調，辭清而志顯，應物掣巧，隨變生趣，執轡有餘，故能緩急應節矣。」（章表）

曰：「或全任質素，或雜用文綺，隨事立體，貴乎精要，意少一字則義闕，句長一言則辭妨，並有司之實務，而浮藻之所忽也。」（書記）

（四）體勢義

體勢之體，乃彥和文學之聲律論也。案中國文學聲律之說，其來已舊，禮記樂記曰：「詩言其志也，歌詠其聲也，舞動其容也，

三者本於心，然後樂器從之。」此言詩歌舞三位一體也。又曰：「樂者心之動也；聲者，樂之象也；文采節奏，聲之飾也。」古人之重視文采節奏也，於此可見。慧皎高僧傳十三經師論曰：「始有魏陳思王曹植深愛聲律，屬意經音，既通般遮之瑞響，又感魚山之神製；於是刪冶瑞應本起，以爲學者之宗。」可知曹子建之重聲律也，實受佛教之影響。其後晉陸士衡承其餘緒，亦重聲律，文賦曰：「暨音聲之迭代，若五色之相宣；雖逝止之無常，固崎錡而難便；苟達變而識次，猶開流以納泉；如失機而後會，恆操末以續顚；謬玄黃之秩敘，故淟忝而不鮮。」士衡此論已開永明文學之先河矣。范蔚宗亦自言其「性別宮商，識清濁」（宋書范曄傳）此蓋自然之聲律也。沈約更大倡「夫五色相宣，八音協暢，由乎玄黃律呂，各適物宜，故使宮羽相變，低昂舛節；若前有浮聲，則後須切響，一簡之內，音韻盡殊；兩句之中，輕重悉異。妙達此旨，始可言文。」（宋書謝靈運傳論）沈氏以文章中聲律之諧和，亦猶繪畫中顏色之調協。由是自然之聲律，一變而爲人爲之聲律。

　　上敘各家皆前乎彥和者也，此見彥和之聲律論其來有自矣。其影響彥和最深者，蓋爲沈約。彥和曰：「聲有飛沉」（聲律）沈氏曰：「前有浮聲，則後須切響。」（宋書謝靈運傳）浮聲即聲之飛也；切響即聲之沉也。又曰：「響有雙疊」（聲律）案雙即雙聲，疊乃疊韻也。故曰：「異音相從謂之和，同聲相應謂之韻」（聲韻）范氏注曰：「異音相從謂之和，指句內雙聲疊韻，及平仄之和調。」又曰：「同聲相應謂之韻，指句末所用之韻。」（文心雕龍注）故知和音與協韻，爲彥和文學之聲律論之準的也。明乎此，則彥和之聲律論可以思過半矣。然彥和又恐人爲之聲律，斲傷自然，復又有「聲含宮商，肇自血氣」以及「器寫人聲，聲非效器」（並見聲律）之說。至文心風骨等篇之所論，更涉乎筆類矣。

此下所引文心各篇之體字，均為體勢義。

曰：「聲畫妍蚩，寄在吟詠，吟詠滋味，流於字句。……異音相從謂之和，同聲相應謂之韻。韻氣一定，則餘聲易遣；和體抑揚，故遣響難契。」（聲律）

案彥和於神思篇曰：「陶鈞五文思，貴在虛靜……然後使玄解之宰，尋聲律而定墨；獨照之匠，闚意象而運斤。」又於聲律篇曰：「夫音律所始，本於人聲者也。聲含宮商，肇自血氣，先王因之以制樂歌。故知器寫人聲，聲非效器也。」又曰：「古之佩玉，左宮右徵，以節其步，聲不失序。音以律文，其可忘哉！」（聲律）可見聲律辭氣在文章中是為自然之天籟也。

曰：「若夫鎔鑄經典之範，翔集子史之術，洞曉情變，曲昭文體，然後能孚甲新意，雕畫奇辭。昭體故意新而不亂，曉變故辭奇而不黷。」（風骨）

曰：「若能確乎正式，使文明以健，則風清骨峻，篇體光華。」（風骨）

曰：「情與氣皆，辭共體並，文明以健，珪璋乃聘。蔚彼風力，嚴此骨鯁，才鋒峻立，符采克炳。」（風骨）

案彥和主張文章應有情感有思想，有辭采有聲氣，故風骨篇曰：「怊悵述情，必始乎風；沉吟鋪辭，莫先於骨。……結言端直，則文骨成焉；意氣駿爽，則文風生焉。……夫翬翟備色而翾翥百步，肌豐而力沉也。鷹隼乏采而翰飛戾天，骨勁而氣猛也。文章才力，有似于此。若風骨乏采，則鷙集翰林；采乏風骨，則雉竄文囿；唯藻耀而高翔，固文章之鳴鳳也。」

曰：「古詩佳麗，或稱枚叔，……觀其結體散文，直而不野，婉轉附物，怊悵切情，實五言之冠冕也。」（明詩）

曰：「暨武帝崇禮，始立樂府。總趙代之音，撮齊楚之氣；延

年以曼聲協律，朱馬以騷體製歌，桂華雜曲，麗而不經，赤雁羣
篇，靡而非典，河間薦雅而罕御，故汲黯致譏於天馬也。」（樂府）

曰：「詩為樂心，聲為樂體。樂體在聲，瞽師務調其器；樂心
在詩，君子宜正其文。」（樂府）

曰：「八音攡文，樹辭為體。謳吟坰野，金石雲陛。」（樂府）

曰：「夫自六國以前，去聖未遠，故能越世高談，自開戶牖。
兩漢以後，體勢漫弱，雖明乎坦途，而類多依採。此遠近之漸變
也。」（諸子）

案本條所指之體勢，亦即戰國諸子冷冷如振玉，累累似貫珠；
冰釋泉涌，金相玉振之聲氣也。惟兩漢以後，風末氣衰，形格勢
禁，文人才士縱有奇才異能，高情遠意，及夫發言立說之際，亦
非復先秦諸子響傳陵谷越世高談之風貌矣。

三、結　語

爰自民初，迄於今日，文心研究已歷七十餘年，校釋、考辨、
注譯、理論，蠡出間作，蔚為大觀，號為顯學，誰曰不宜？然則
詳考眾作，是非之爭，正謬之辨，形同方枘，勢若水火者，如：
道為儒家之道，抑為佛家之道？聖為孔聖抑是佛祖？經為六經抑
是釋典？何以正緯？何以辨騷？六觀何以作？三準何以論？下至
風骨之異說，神理之歧見，眾說紛紜，莫衷一是　。至若風格云
云，歧路徬徨，如醉如睡，更無論矣。考其所以然者，一言以蔽
之，曰：名理淆亂而已矣。

是則辨名析理，厥為正本清源，辨正然否之唯一取徑也。先
秦時期，稱為“名”者，宋代以後多稱為“字”，南宋陳淳著《字
義》，清代戴震著《孟子字義疏證》，其所謂“字即今言“概念”
“範疇”之義。“名”與“字”從其表達形式而言；“概念”“範

疇"從其思想內容而言。

　　　　中國古典學術之概念範疇，約分爲三大類：一爲自然論之概念範疇；二爲人生論之概念範疇；三爲知識論之概念範疇。以傳統名詞言之：一爲天道之名；二爲人道之名；三爲"爲學之方"之名。此三大類亦有交通互涵之密切關係，多爲不可截然而分者；況且一概念範疇之提出、演變、分化、會綜皆有一歷史過程；同一範疇，不同之思想家、不同之學派，對之有不同之理解，不可不辨也。韓愈有云：「仁與義爲定名，道與德爲虛位」《原道》韓氏所謂定名、虛位，皆屬今之所謂範疇。分析言之，定名，可謂實質之範疇；虛位，可謂形式之範疇[1]。實質之範疇，可以客觀事實驗證之，而形式之範疇，則純繫乎主觀思維，故其論定也難，於焉爭議以起，乃有儒墨之是非也；然定名之爭少，而虛位之辯多；雖然，文心一書各項命題之歧見二者皆有，於是乎紛綸擾攘，訴訴然而未有已。

　　明乎此，乃可以操刀而割，解千牛而刃發如新矣；然蒿目斯世，論者如雲而識者蔑如也，是知莊周所以笑折楊，宋玉所以傷白雪者，蓋有以也；而彥和知音其難之浩歎，千載以下猶聞其聲矣。

---

1 參見張岱年著《中國古典哲學概念範疇要論》〈自序〉第一葉（中國社會科學院，1989 年 12 月第 1 版）

王陽明七情論與致良知說關係之探析

齊 婉 先

一、問題意識之產生

　　王陽明與弟子講論致良知工夫，尤重「事上磨練」，以揭示「隨時就事上致其良知」，乃〈大學〉「格、致、誠、正」說之發明。[1]朱熹以降，〈大學〉成爲宋明儒者討論重點，王陽明將致良知套入〈大學〉中以解「格、致、誠、正」之功，對心、意、知、物等概念提出系統性論述，自有矯正朱熹說法之用意。雖然王陽明之論述取徑不離〈大學〉，但是就論述內容與思想架構之建成而言，王陽明致良知說卻非爲〈大學〉義理作註解，而是就〈大學〉所提供「正心、誠意、致知、格物」一整套工夫系統，透過孟子「良知」、「必有事焉」、「集義」說之抉發，證成致良知工夫乃承繼孔孟儒學之爲學法門。牟宗三便指出王陽明之致良知工夫論「即使不落在〈大學〉上說，而從致良知本身之分析，亦定須分析出心、意、知、物等概念」。[2]王陽明自義理系統詮定心、意、知、

---

1 〔明〕王陽明撰，《王陽明全書》（以下簡稱《全書》）（臺北市：正中書局，1979 年），卷二，〈傳習錄中〉，〈答聶文蔚〉，頁 68。

2 牟宗三先生之觀點乃自王陽明「吾心之良知即所謂天理也」之論述立場分析致良知說之思想理路乃以良知之天理與事事物物得其合於良知天理之理此一推致擴充工夫爲主軸，王陽明循此思想理路，自然訓「格物」之「格」爲「正」，而「致知格物」即「致知正物」。因此，「格物」乃以良知之天理來正物，屬

物等概念，謂「身之主宰便是心，心之所發便是意，意之本體便是知，意之所在便是物」[3]，並說明常人之須用致知、格物之功主要在於不能無私意障礙心之良知，致知、誠意工夫之目的在「勝私復理」，以令良知之發更無私意障礙，且得充塞流行天地間。[4]依王陽明之言，知乃意之本體，此處之知即是「心之虛明靈覺之良知」[5]，然則常人之私意又因何而來？何以又會讓私意障礙心之良知？對於私意問題，王陽明在堅持事上磨練立場下衡定私意之指涉範疇在人之「喜怒哀樂」等七情所感上，然而王陽明七情論與致良知說，在義理系統上究竟如何關聯？對於致良知說理論架構之建成，七情論又具有何種意義？如此提問，在論析王陽明致良知說之義理系統上，實屬必要；而就「情」一問題在宋明理學中所論道德實踐上之重要性言，王陽明對「情」進行之哲學思考與理論建構，亦須加釐清。[6]因此，本文試圖就王陽明七情論與致良

於「道德實踐的攝物歸心心以宰物之縱貫的」，非如朱熹說法以「致知格物」為「致知究物」，亦即以心知之認知活動窮究事物本身之理。見牟宗三，《從陸象山到劉蕺山》（臺北市：臺灣學生書局，2000 年），頁 231-232。

3 王陽明，《全書》，卷一，〈傳習錄上〉，頁 5。類似說法亦見於〈答顧東橋書〉中，王陽明解釋：「心者，身之主也。而心之虛靈明覺，即所謂本然之良知也。其虛靈明覺之良知應感而動者，謂之意。有知而後有意，無知則無意矣。知非意之體乎？意之所用，必有其物，物即事也。如意用於事親，即事親為一物；意用於治民，即治民為一物；意用於讀書，即讀書為一物；意用於聽訟，即聽訟為一物。凡意之所用，無有無物者。有是意即有是物，無是意即無是物矣。物非意之用乎？」見《全書》，卷二，〈傳習錄中〉，〈答顧東橋書〉，頁39。

4 王陽明，《全書》，卷一，〈傳習錄上〉，頁 5。

5 王陽明，《全書》，卷二，〈傳習錄中〉，〈答顧東橋書〉，頁 39。

6 以「情」作為宋明理學基本命題之研究，近年來頗受注意，多見於明清之際理學家思想之探討中：鄭宗義，〈性情與情性：論明末泰州學派的情欲觀〉，收入熊秉真、張壽安合編，《情欲明清 —— 達情篇》（臺北市：麥田出版社，2004 年），頁 23-80；李明輝，〈「情欲解放」乎：論劉蕺山思想中的「情」〉，收入熊秉真、張壽安合編，《情欲明清 —— 達情篇》，頁 83-125；林月惠，〈從宋明理學的「性情論」考察劉蕺山對《中庸》「喜怒哀樂」的詮釋〉，《中國文

知說在義理系統上之建構關係進行分析，探討王陽明對「情」之詮釋及在宋明理學論道德實踐上王陽明七情論所具意義。

二、「七情所感」與「私之衡定」

致良知說中，王陽明將身、心、意、知、物等概念之義理詮定統攝於心上，強調凡人固有耳目口鼻四肢之身，但非心不能視聽言動，以心為身之主宰，並視身、心、意、知、物為一件。王陽明解「意」為「心之發動處」，「未有懸空的，必著事物」，解「知」為「意之靈明處」，解「物」為「意之涉著處」，為「事」，藉以說明心之本體發用即是良知，致知格物便是誠意功夫。[7]對於喜、怒、哀、樂等七情所感之詮釋，王陽明亦自心之本體發用來界定，非就形下層面感性之「情」來理解。在看到弟子陸澄因接獲家書告知其子病危而憂悶不堪，王陽明一番話說明人之七情所感亦在天理內，但多過與不及而為私，私意一發顯便非心之本體。王陽明解釋：

> 此時正宜用功，若此時放過，閒時講學何用！人正要在此等時磨練。父之愛子，自是至情，然天理亦自有箇中和處，過即是私意。人於此處多認做天理當憂，則一向憂苦，不知已是「有所憂患不得其正」。大抵七情所感，多只是過，少不及者。才過，便非心之本體，必須調停適中始得。就如父母之喪，人子豈不欲一哭便死，方快於心；然卻曰：「毀不滅性。」非聖人強制之也，天理本體自有分限，不可過

哲研究集刊》，第 25 期（2004 年 9 月），頁 177-218。又或有自中韓儒學角度切入分析「情」之論述內容：林月惠，〈中韓儒學的「情」：以朱子與李退溪為例〉，《中山人文學報》，第 15 期（2004 年 10 月），頁 77-105；楊祖漢，〈四端七情之辯與成德之教〉，《鵝湖學誌》，第 30 期（2003 年 6 月），頁 99-124。
7 王陽明，《全書》，卷三，〈傳習錄下〉，頁 75-76。

也。人但要識得心體，自然增減分毫不得。（《全書》，卷一，

〈傳習錄上〉，頁 14-15）

　　此段話內容對於理解王陽明論述七情與私意概念相當重要，歸納要點有四：第一、「天理本體自有分限」，一切人情感發，即使是至情如父之愛子，又或是人子之喪父母，亦須合乎天理本體之分限，不宜逾越過當或減損不及。第二、「天理亦自有箇中和處」，此中和處即是天理本體之分限，須在心體上識得。第三、在七情所感上，人多認做天理當如何如何，而非自心體上識得其正，故多過少不及，私意之發顯由是而生。第四、心之中和本體因私意發顯而不得其正，便須調停適中始得復其心之本體，此正是講學用功處，「人正要在此等時磨練」。

　　上述四要點說明王陽明對七情之理解乃建立在「心即理」之義理系統中，所謂七情，王陽明解釋乃指「喜、怒、哀、懼、愛、惡、欲」七者，俱為人心所合有，但要認得良知明白。[8]依據王陽明論證，「心之本體即是性，性即是理」；[9]天理是「中」，「無所偏倚」，「如明鏡然，全體瑩徹，略無纖塵染著」；[10]而七情感發亦只在心之發動處求良知未發之中與已發中節之和，即所謂求心之本體，即是性，即是理之中和。[11]當王陽明將未發、已發緊扣心之良知本體言，又於七情感發上論常人私意之由來，多為人在「喜、怒、哀、懼、愛、惡、欲」七情所感處「有著」，[12]亦即在心之發動、七情感發處有所認做，而著些「自家意思」，[13]七情在王陽

8　王陽明，《全書》，卷三，〈傳習錄下〉，頁 92-93。

9　王陽明，《全書》，卷一，〈傳習錄上〉，頁 20。

10　王陽明，《全書》，卷一，〈傳習錄上〉，頁 19。

11　王陽明，《全書》，卷二，〈傳習錄中〉，〈答陸原靜書〉，頁 52-53。

12　王陽明，《全書》，卷三，〈傳習錄下〉，頁 92-93。

13　王陽明，《全書》，卷一，〈傳習錄上〉，頁 16。

明思想中遂與人欲、私意有所區隔，而在良知本體之發用上界定。王陽明論七情，就義理系統言，與「心即理」之理論架構正相符合，而格物致知中去人欲與除私意之工夫亦得自心上說。[14]嘗以雲蔽日譬喻良知之爲欲所蔽，強調「不可以雲能蔽日，教天不要生雲」，王陽明立場在肯定七情之存在乃在天理中，因此「七情順其自然之流行，皆是良知之用，不可分別善惡」。[15]對於七情之詮釋，王陽明將之上提至良知本體之發用，認爲「良知雖不滯於喜、怒、憂、懼，而喜、怒、憂、懼亦不外於良知」，[16]亦說明其對於人之自然心理情感持肯定態度。[17]

王陽明認爲「喜、怒、哀、樂本體自是中和的」，[18]對於「私」、「欲」之衡定，著眼於七情感發時中和本體之未得其正，七情有著，而產生偏倚，或過或不及。其中，過與不及，皆就外顯現象言「私」、「欲」，推王陽明之意，「私」、「欲」之內在緣由仍在「有著」上。所謂「著」，必在「意」上講，「意」是心之所發而涉著處是「物」，因此，「意」必著事物而未有懸空者。七情既爲人心所合有，七情之有所感發，正是心之發動，即是「意」；「意」之所在便是事物，正是七情有所感發處，如人子哭父母之喪，父母之喪即七情有所感發之事物，哭爲七情之哀之感發，乃良知之用，

---

14 林月惠即指出王陽明以「未發」、「已發」言良知本體之體用、寂感、隱顯，意味：良知之未發爲中，已發爲和。此於義理雖通，卻與《中庸》文本之解讀不能相符。對於其中扞格不符之處，林月惠認爲在王陽明自身並未察覺，但在王門後學之學術論證中，此問題已逐漸顯現。見林月惠，〈從宋明理學的「性情論」考察劉蕺山對《中庸》「喜怒哀樂」的詮釋〉，頁 186-187。

15 王陽明，《全書》，卷三，〈傳習錄下〉，頁 93。

16 王陽明，《全書》，卷二，〈傳習錄中〉，〈答陸原靜書〉，頁 53。

17 蒙培元強調王陽明崇尙「自然」之特點，認爲王陽明之論七情，與論道心、人心、良知一樣，皆以「自然」爲最高原則。見蒙培元，《中國心性論》（臺北市：臺灣學生書局，1990 年），頁 410。

18 王陽明，《全書》，卷一，〈傳習錄上〉，頁 16。

此亦合乎天理之中和本體。王陽明強調「私」、「欲」之發顯不在哀之感發，而在因哀之感發而產生欲一哭便死之「自家意思」上，在因哀之感發滯於父母之喪此事物而令悲傷痛哭無所節制甚至到「毀至滅性」上。依此例看來，因哀之感發而產生欲一哭便死之「意」，即是私意；因哀之感發滯於父母之喪此事物而令悲傷痛哭至無所節制之「著」，即謂之「欲」。私意與「欲」俱不循天理，不得中和本體之正，俱為良知之蔽，非心之本體。王陽明既由七情所感處言私意與「欲」，而「意」之本體靈明處是「知」，則致良知工夫自不能離「意」、離「事」進行，故致良知工夫中，王陽明注重「事上磨練」，強調「隨意所在某事而格之」即誠意功夫，而「誠意功夫實下手處在格物」。[19]值得注意是，王陽明所衡定之「私」，乃自常人言，常人不同於聖人處，即在「常人之心多有所昏蔽，則其本體雖亦時時發見，終是暫明暫滅」，[20]未能如聖人心體始終得見全體大用，故須講求致良知工夫以去其人欲而歸於天理。

三、事變亦只在人情中

在回答弟子陸澄所問陸九淵於人情事變上做工夫之說，王陽明解釋：

> 除了人情事變，則無事矣。喜、怒、哀、樂，非人情乎？自視、聽、言、動以至富貴、貧賤、患難、死生，皆事變也。事變亦只在人情裏。其要只在致中和，致中和只在謹獨。(《全書》，卷一，〈傳習錄上〉，頁 13)

喜、怒、哀、樂為人心所合有，自是人情表現，自視、聽、

---

19 王陽明，《全書》，卷三，〈傳習錄下〉，頁 75-76；99-100。
20 王陽明，《全書》，卷一，〈傳習錄上〉，頁 19。

言、動以至富貴、貧賤、患難、死生，雖事有萬變，卻不離人情，故「除了人情事變，則無事矣」。王陽明「事變亦只在人情裏」看法乃在「心即理」義理系統中，由心體良知之發用衡定事變之理之追求當在人情中。良知發用何以能無窮盡因應天下事理之節目與古今時變？王陽明解釋：

> 夫良知之於節目時變，猶規矩、尺度之於方圓、長短也；節目時變之不可預定，猶方圓、長短之不可勝窮也。故規矩成立，則不可欺以方圓，而天下之方圓不可勝用矣；尺度誠陳，則不可欺以長短，而天下之長短不可勝用矣；良知誠致，則不可欺以節目時變，而天下之節目時變不可勝應矣。(《全書》，卷二，〈傳習錄中〉，〈答顧東橋書〉，頁41)

以規矩、尺度與方圓、長短譬喻良知與節目時變，王陽明旨在說明節目時變之義理，原當在「此心感應酬酢之間」精察，不假外求，因為心外無物，心外無事，心外無理。所謂精察義理於此心感應酬酢之間，正是自人之七情所感處，「隨意所在某事而格之」，以去其人欲而歸天理。依王陽明之言，講求節目之詳、考究時變之異，所論乃在名物度數、知識技能，無法達致精察節目時變之義理於此心感應酬酢之間，即令講得世上許多名物度數、知識技能，終不能因應節目時變之改易，因為「與己原不相干，只是裝綴，臨時自行不去」。[21] 王陽明對於人情事變之論述，可見乃自良知本體之發用言，屬於道德實踐層面。雖然王陽明批評節目時變之講求、考究，原非聖人「復心體之同然」之學，無關乎作聖之功，[22] 但亦強調並非將名物度數、知識技能置下，全然不理，只是要「知所先後則近道」。

---

21 王陽明，《全書》，卷一，〈傳習錄上〉，頁18。
22 王陽明，《全書》，卷二，〈傳習錄中〉，〈答顧東橋書〉，頁43-44。

　　然而聖人應變不窮,遂令王陽明弟子懷疑是否當預先講求事變之義理以便於臨事時從容應付。關於此疑問,王陽明認為事變之講求,亦只是「照時事」,但「卻須先有箇明的工夫」。聖人之所以能應變不窮,如周公能制禮作樂以文天下,孔子能刪述六經以詔萬世,凡此不在聖人預先講求事變而能為,在「聖人之心如明鏡,只是一箇明,則隨感而應,無物不照」;既然是明鏡,自然不可能出現「已往之形尚在,未照之形先具」之情狀。[23]王陽明看法意味:事變之特徵在隨時變易,因此,相對應者,在隨感而應,無物不照之心之明。富貴、貧賤、患難、死生等事,固然隨時變易,至於視、聽、言、動,皆是心使發竅於耳、目、口、鼻、四肢,亦隨時變易,然能視、聽、言、動,此便是性,便是天理。[24]聖人本此隨感而應,無物不照之心之明而「知箇天理,能箇天理」,故能於事事上知箇天理所在,去事事上盡箇天理。然而在心之本體明白之後,有禍福之來,雖聖人亦有所不免,則聖人終究未必能盡知天下事物,王陽明因此說明:

> 　　不是本體明後,卻於天下事物都便知得,便做得來也。天下事物,如名物度數、草木鳥獸之類,不勝其煩,聖人須是本體明了,亦何緣能盡知得。但不必知的,聖人自不消求知,其所當知的,聖人自能問人;如「子入太廟,每事問」之類。先儒謂「雖知亦問,敬謹之至」;此說不可通。聖人於禮樂名物,不必盡知,然他知得一箇天理,便自有許多節文度數出來,不知能問,亦即是天理節文所在。(《全書》,卷三,〈傳習錄下〉,頁 80-81)

　　此段話中,王陽明解釋二件事:第一、即使是聖人本體明白

23　王陽明,《全書》,卷一,〈傳習錄上〉,頁 10。
24　王陽明,《全書》,卷一,〈傳習錄上〉,頁 29-30。

透徹，亦不能知盡、做遍天下事物。第二、聖人所知爲天理，便自有許多節文度數出來，不知能問，亦是天理節文所在。王陽明以「子入太廟，每事問」爲例，對照「雖知亦問，敬謹之至」說之不可通，說明天下事物如名物度數、草木鳥獸類之知，本不能盡知，亦不必盡知，臨事若有當知而不知之名物度數，聖人自能問人而知。

　　將「不知能問，亦即是天理節文所在」與「事變亦只在人情裏」合觀，推王陽明之意，名物度數、節目時變是否預先講求之理解當自體用一源體察。王陽明論證：

　　人只要成就自家心體，則用在其中。如養得心體，果有未發之中，自然有發而中節之和，自然無施不可。(《全書》，卷一，〈傳習錄上〉，頁18)

　　對於預先講求名物度數，考究節目時變之考量，意在於求臨事無失而其用無窮，王陽明並不反對，但強調事變之講求不可離去事爲，懸空講虛文，必須在自家心體上致得中和，成就良知本體之明，方能隨感而應，無物不照，而其施用自無不可之處，一如明鏡，任其妍媸之來，隨物見形，但在明鏡卻未曾留染，所謂「情順萬事而無情」。[25]透過體用一源之理解，王陽明將原先在知識論層面之事變講求上提至道德實踐層面，認爲用在自家心體中，並以中和說涵攝事變施用之無窮，因此，「不知能問」是符合天理節文，而「事變亦只在人情裏」之說，意旨在自人之七情感發處，實誠其意，實做致良知工夫，則良知本體處固明，良知發用處亦「無施不可」，事變之講求自在其中。王陽明認爲「良知無前後，只知得見在的幾」，故「聖人不貴前知」，不預先講求節目

---

25 王陽明，《全書》，卷二，〈傳習錄中〉，〈答陸原靜書〉，頁57-58。

時變或討論變常之事,「只是知幾,遇變而通」。[26]

四、致中和與致良知

在釐清王陽明對私意、人欲之意義詮釋後,遂有一關鍵問題必須處理,即常人如何去判斷自己七情感發處是合乎天理,或為私意、人欲之展現。此一判斷問題必須回歸至王陽明致良知說上思考。王陽明論致良知工夫,多言及致中和,以未發之中詮釋良知,自「已發、未發」命題講良知之本體、發用。在回答陸原靜良知體用之問,王陽明解釋:

> 性無不善,故知無不良。良知即是未發之中,即是廓然大公、寂然不動之本體,人人之所同具者也。但不能不昏蔽於物欲,故須學以去其昏蔽;然於良知之本體,初不能有加損於毫末也。知無不良,而中、寂、大公未能全者,是昏蔽之未盡去,而存之未純耳。體即良知之體,用即良知之用,寧復有超然於體、用之外者乎?(《全書》,卷二,〈傳習錄中〉,〈答陸原靜書〉,頁51-52)

良知本體固明,且人人同具,但在常人則時為物欲所昏蔽,故須加致良知工夫以去其昏蔽復其本體,良知本體既復,「便是寂然不動,便是未發之中,便是廓然大公;自然感而遂通,自然發而中節,自然物來順應」,良知之發用自無所窮。[27]在良知發用中,

---

26 王陽明論「至誠前知」乃就致良知之誠意工夫處看聖人之應變不窮。王陽明云:「誠是實理,只是一箇良知。實理之妙用流行就是神,其萌動處就是幾。誠神幾曰聖人。聖神不貴前知;禍福之來,雖聖人有所不免,聖人只是知幾,遇變而通耳。良知無前後,只知得見在的幾,便是一了百了。若有箇前知的心,就是私心,就有趨避利害的意。邵子必於前知,終是利害心未盡處。」王陽明,《全書》,卷三,〈傳習錄下〉,頁91。
27 王陽明,《全書》,卷一,〈傳習錄上〉,頁18-19。

人之七情感發亦在其中。因此，對於陸原靜「嘗試於心，喜、怒、憂、懼之感發也，雖動氣之極，而吾心良知一覺，即罔然消阻，或遏於初，或制於中，或悔於後」，卻懷疑良知不與喜、怒、哀、懼並存而「常若居於優閒無事之地」，王陽明加以說明：

> 知此，則知未發之中，寂然不動之體，而有發而中節之和、感而遂通之妙矣。然謂「良知常若居於優閒無事之地」，語尚有病。蓋良知雖不滯於喜、怒、憂、懼，而喜、怒、憂、懼亦不外於良知也。（《全書》，卷二，〈傳習錄中〉，〈答陸原靜書〉，頁53）

王陽明就良知言體用中和，認為「知得過、不及處，就是中和」，[28]因此，既不接受「良知超然於體、用之外」說法，亦不同意「良知常若居於優閒無事之地」觀點。在體用一源之義理間架下，王陽明以良知本體涵攝喜、怒、憂、懼等七情，並自良知本體之發用言七情之感發，詮釋良知與七情之關係即「良知雖不滯於喜、怒、憂、懼，而喜、怒、憂、懼亦不外於良知」。循此義理間架，王陽明又解釋「樂是心之本體，雖不同於七情之樂，而亦不外於七情之樂」。[29]此樂乃聖人、常人所同有，只是常人有而不自知。即使在憂苦迷棄中，此樂亦未嘗不存，只一念開明，反身而誠，此樂即在，故聖人哭則不歌，即因其心體自然如此。[30]又如人遇大故，七情所感而哀哭，雖哭，「此心安處即是樂也」，原因即在「本體未嘗有動」。[31]王陽明如此解釋「樂是心之本體」正是自良知本體之未發之中引申轉出，而就心之本體言七情感發中

---

28 王陽明，《全書》，卷三，〈傳習錄下〉，頁95。
29 王陽明，《全書》，卷二，〈傳習錄中〉，〈答陸原靜書〉，頁57。
30 王陽明，《全書》，卷一，〈傳習錄上〉，頁16。
31 王陽明，《全書》，卷三，〈傳習錄下〉，頁93。

節而和之氣象。

　　致良知說中，王陽明強調良知乃人人之所同具，但時為物欲昏蔽。在論良知與喜、怒、哀、樂關係中，王陽明亦強調「不可謂未發之中常人俱有」，並自體用關係上加以理解：

> 不可謂未發之中常人俱有。蓋體用一源，有是體即有是用。有未發之中，即有發而皆中節之和。今人未能有發而皆中節之和，須知是他未發之中亦未能全得。(《全書》，卷一，〈傳習錄上〉，頁 15)

　　王陽明論體用自良知出發，所謂體是良知之體，用是良知之用；而此段話中論未發之中與發而皆中節之和又與體用合觀並論，推王陽明之意，當以良知之未發謂之中，良知之發而皆中節謂之和。然而良知發用處在常人多著些自家意思而為物欲牽蔽，未能循著良知發用流行，因此，雖然喜、怒、哀、樂本體自是中和，但所感多過與不及，有著，便是私，自有損發而皆中節之和，則喜、怒、哀、樂本體未發之中亦有所偏倚，在王陽明看來終究不能視為全得。所謂「中」，王陽明以天理解釋，認為天理無所偏倚，故謂之「中」。值得注意是，王陽明所言之偏倚非僅就已發有所染著上說，更強調未發時天理有所偏倚之理解。在回答弟子陸澄之問：「若未發時，美、色、名、利皆未相著，何以便知其有所偏倚？」王陽明詳細分析：

> 雖未相著，然平日好色、好利、好名之心原未嘗無，既未嘗無，即謂之有，既謂之有，則亦不可謂無偏倚；譬之病瘧之人，雖有時不發，而病根原不曾除，則亦不得謂之無病之人矣。須是平日好色、好利、好名等項一應私心掃除蕩滌，無復纖毫留滯，而此心全然廓然，純是天理，方可謂之喜、怒、哀、樂未發之中，方是天下之大本。(《全書》，

卷一，〈傳習錄上〉，頁20）

　　由心之有好色、好利、好名之意論證天理之偏倚，則正私、善惡之辨不在物上、事上，而在心上。王陽明因此強調欲求得未發之中之全體以致中和，即須在心上私意發動處用工夫，戒慎恐懼於獨知處以立誠，使「不論善念、惡念，更無虛假，一是百是，一錯百錯，正是王霸、義利、誠偽、善惡界頭」。[32]然則如何在私意發動處用工夫？相關細目，在王陽明為一官員解說中有詳細說明：

> 爾既有官司之事，便從官司的事上為學，纔是真格物。如問一訟詞，不可因其應對無狀，起箇怒心；不可因他言語圓轉，生箇喜心；不可惡其囑託，加意治之；不可因其請求，屈意從之；不可因自己事務煩冗，隨意苟且斷之；不可因旁人譖毀羅織，隨人意思處之：這許多意思皆私，只爾自知，須精細省察克治，惟恐此心有一毫偏倚，杜人是非，這便是格物致知。（《全書》，卷三，〈傳習錄下〉，頁79）

　　依王陽明之言，喜、怒心之起，正是七情感發時私意發動處；加意、屈意、隨意苟且、隨人意思之發生，正是七情有著，即是欲，即是私。凡此私意一發生，人心即有偏倚，即是七情感發未能發而中節，遂不得謂「和」。王陽明又特別強調，人當於七情感發私意發動處自知明瞭：已發既未能皆中節而和，則未發之中亦未能全得，因此，必須「謹獨」，於七情感發私意發動處，用「精細省察克治」工夫以致中和。

　　王陽明講未發之中，「只是天理，只是易，隨時變易」。[33]既然天理隨時變易，便不可執守，亦不得有著，惟須循天理流行，則

32　王陽明，《全書》，卷一，〈傳習錄上〉，頁29。
33　王陽明，《全書》，卷一，〈傳習錄上〉，頁16。

自有箇中和處，而中和之所在即是知得過、不及處，此即王陽明良知中和本體之義理架構。換言之，致中和正是致良知工夫之實用。王陽明解釋：

> 工夫難處，全在格物致知上。此即誠意之事，意既誠，大段心亦自正，身亦自修。但正心、修身工夫亦各有用力處。修身是已發邊，正心是未發邊。正心則中，身修則和。(《全書》，卷一，〈傳習錄上〉，頁 21)

此段話雖簡要，但已點明在王陽明義理系統中，對於正心、修身工夫之用力處乃自未發、已發處理解，以說明未發之中與已發中節之和與正心、身修之關係。王陽明以未發之中見於心之得其正，而據其詮釋「格物」為「正事」之論證內容，「修身在正其心」，「欲正其心在誠意。工夫到誠意，始有著落處」。[34]天理本無私意作好作惡，循天理而不著一分意，即是誠意。王陽明認為人心固然不能無忿懥、恐懼、好樂、憂患，但不可「有所」。王陽明分析：

> 忿懥幾件，人心怎能無得？只是不可「有所」耳。凡人忿懥，著了一分意思，便怒得過當，非廓然大公之體了。故有所忿懥，便不得其正也。如今於凡忿懥等件，只是箇物來順應，不要著一分意思，便心體廓然大公，得其本體之正了。(《全書》，卷三，〈傳習錄下〉，頁 82)

心之良知本體既正，心體即廓然大公，七情感發即隨物順應，當喜則喜，當怒則怒，當哭則哭，當樂則樂，既不滯於物，亦不用意有所喜、怒、哭、樂，如此乃見得未發之中，於已發處皆中節而和。透過「格、致、誠、正、修」之功，王陽明將致中和收

---

34 王陽明，《全書》，卷三，〈傳習錄下〉，頁 99-100。

攝於致良知之實用工夫中。

五、結　語

　　在宋明理學之核心義理中，「心」、「性」、「理」、「氣」等命題乃主要討論重點，至於「情」一概念之說明則多具輔助作用；但在宋明理學論道德實踐層面上，「情」一命題之討論，仍舊無可迴避，且深具意義。王陽明以喜、怒、哀、樂爲性之情，[35]乃將喜、怒、哀、樂置於「心體即性，性即理」之理路架構中解釋；又謂喜、怒、哀、懼、愛、惡、欲七情乃人心合有，但要認得良知，此即將人心七情感發上提至良知本體之發用，亦即道德實踐層面。致良知說是王陽明思想核心，在致良知義理系統中，王陽明之七情論可謂衡定私、欲之重要基礎，而私、欲之衡定在致良知工夫之講求上又牽涉工夫下手處之認定，因此，七情論對於王陽明致良知說之建構相當重要。透過對心、意、知、物等概念作系統性詮釋，王陽明得以仔細分析七情與人心間關係，說明七情所感雖有對象，或物，或事，或人，但其發動仍在人心上，因爲心之本體是知，是性，是天理。七情所感亦自合乎天理，但須在良知中和本體之發用上精察心體廓然大公之正。常人在七情感發處，多有所用意，故有著，有過與不及；一有著，有過與不及，即生私意，即起人欲，而成良知之蔽，中和本體遂不得見，王陽明就於此處言私意、人欲之發生，亦在此處強調人須在「事上磨練」，「隨意所在某事而格之」之「格、致、誠、正」工夫。

　　在良知中和本體之理解上，王陽明則自體用關係詮釋未發之中即是良知之體，已發之和即是良知之用。體是良知之體，用是

35　王陽明，《全書》，卷二，〈傳習錄中〉，〈答陸原靜書〉，頁 56-57。

良知之用，則體用一源，俱在良知，有是體即有是用，無是體即無是用。王陽明又解釋，「未發之中，即良知也，無前後內外，而渾然一體者也」，因此，「未發在已發之中，而已發之中未嘗別有未發者在；已發在未發之中，而未發之中未嘗別有已發者存」。[36]未發與已發既不以時間前後言，而是指涉良知中和本體之發用、寂感，則王陽明之意，當以致和即致中，致中即致良知作為工夫進路。致中和既在致良知工夫之實用，而良知本體原無內外之分，「功夫不離本體」，則致良知工夫正是「本體功夫」。[37]因此，對於陸九淵在人情事變上做工夫，王陽明乃詮釋「事變亦只在人情裏，其要只在致中和」。而程頤主張「不當於喜、怒、哀、樂未發之前求中」，與李侗強調「於靜中看喜、怒、哀、樂未發氣象何如」，在王陽明看來，皆古人欲誘人為學不得已而發之言，未可以為定論。[38]綜觀王陽明論述七情之內容，固然強調七情感發能得中節之和，展現良知本體之自主性，以「天然自有之中」說明良知發見流行處，自有「輕重厚薄，毫髮不容增減者」；[39]但是在安頓人情感通與解釋私意、人欲之發生上，仍可見王陽明對於七情之認可立場，主要乃建立在七情與私意、人欲間之細微差異分辨上。

　　王陽明認為七情為人心所合有，並將七情感發中節而和歸攝於天理未發之中之發用，如此詮釋自是將七情上提至良知本體之發用，其意義可自二方面理解：第一、就致良知義理系統之建構言，七情論對於王陽明主張本體工夫合一之思考理路，提供具關鍵意義之論述基礎。致良知說中，王陽明強調功夫不離本體，突

---

36 王陽明，《全書》，卷二，〈傳習錄中〉，〈答陸原靜書〉，頁 52-53。
37 王陽明，《全書》，卷三，〈傳習錄下〉，頁 76-77。
38 王陽明，《全書》，卷一，〈傳習錄上〉，頁 19。
39 王陽明，《全書》，卷二，〈傳習錄中〉，〈答聶文蔚〉，頁 69。

顯良知本體之絕對性與良知發用之自主性；然而，本體、功夫之認知卻又不離七情，七情感發處，本體、功夫俱顯，私意、人欲之衡定在此，致良知功夫之發用亦在此，此正是王陽明所主張「事變亦只在人情裏」。第二、在王陽明後學對情欲命題之討論內容上，舉凡對七情之理解與私意、人欲之析論，仍可見王陽明思想之影響。近年來，學者或自情欲命題入手考察明清之際儒學內部之變遷，或就王陽明後學如泰州學派、劉宗周等人對「情」一概念之詮釋加以討論。研究中，對於王陽明論七情之觀點，雖亦作說明，但或簡略、或作爲主要命題論述之背景敘述，尚未發現有就王陽明七情論之探討以專題單篇處理之研究，透過本文討論希望能釐清王陽明在「情」一概念之開發內容與意義，藉以銜接學者對王陽明後學「情」論之研究成果，而以此爲明末清初「情」論研究之初步溯源工作。

哲學說文解字

度

明道管理學院中文系：李　增教授

　　度之本字爲：[說文]：「度：法制也。从又，庶省聲。」又爲手，「周制，寸尺咫尋常仞皆以人之體爲法，寸法人手之寸口，咫法中婦人手長八寸，仞法伸臂一尋，皆於手取法，故從又。」是故度字爲從手，以手丈量長短，而後轉爲寸尺之準度，其字義爲「尺寸尋丈者，所以得長短之情也。故以尺寸量短長，尺寸之度，公平而無所偏。」《管子、明法解》之後與其它測量工具標準爲測量之標準，以此標準爲準則，稱之曰法：「尺寸也，繩墨也，規矩也，衡石也，斗斛也，角量也，謂之法。」《管子、七法》法之精神是標準、準確、公平、公正、公開、限制與度之爲標準，判準、公開、公正、公道相合符，之後兩字爲合詞爲法度，亦即與法制同義，是以《說文》解之爲法制。但度字之意義在哲學史上之發展尚不僅於此義，尚有其它。以下分析之：

　　有關於測量儀器之需求是流行於戰國之時，鐵器與牛耕促進工技與商業的興隆，這時工技製造的器械的造車、造船、工具、衣服、建築、鑄造業的機械之知，更需求測量工具準確度與標準化。這在以商人管仲治國的齊國爲然，《管子》反映了對尺寸、準

繩、規矩、斗斛、角量的準確「度數」、「度量」、「計度」，再轉爲法度，定制爲制度。並且將它提高爲治國的最高準則－「憲律制度」，並且依據於此而成爲治國、治術、賞罰、修身的準則，這便形成法家的「以法治國」的精神。法是先秦法家－包括齊法家《黃帝四經》、《管子》、《慎子》與晉法家《商君書》、《韓非子》的核心思想，其中尚可包括荀子之注重客觀化與法類似的禮。而「度」則是法的精神深層的思想源流與精神。這種精神即是尊重客觀化之法度標準，排除個人主觀的臆度。由此標準再建立度數與度量，而後再推至國家的法度（法律）與建置制度，再於經濟上設立「度制」做爲工商經濟的依據，而於爲政上做爲準則，治術上的爲權衡抉擇，而後爲人之行爲情欲之節度，生活起居之有度。而「度」就動詞方面，則有計度、忖度、度量與意度，實有理性推理判斷之意義者在。

在「度」之設立爲標準上：《管子》認爲明主設立「一度量，立表儀而堅守之」〈明法解〉，而爲法度儀式做爲「天下之程式也，萬事（與萬民）之儀表也。」因而「人君者，因其業，乘其事，而稽之以度。」《管子、君臣上》韓非子更把「度」推至絕對客觀化，「持度、寧信度、無自信」《韓非子、外儲說左上》，「故捨己能，因法數，必先以規矩爲度。」《韓非子、有度》這是法家哲學首先要以法建立客觀標準的根據。

而在與度性質相關用詞上即有度量、度數，度量是衡量人、事、物、行爲上的是非、功過賞罰之標準準則。是以「人主立其度量，陳其法式，以莅其民，度量其力，審其技能。」《管子、形勢解》「設度量，置儀法，如天地之堅，如列星之固，如日月之明，如四時之信；不知親疏、遠近、貴賤、美惡，以度量斷之。」《管子、任法》換言之，堅定、穩固、明確、信守是度量所具之特性，

因此「法制度量，王者典器也。」《管子‧侈靡》是以「人主上操度量，以割其下」《韓非子‧揚權》「上握度量，所以擅生殺之柄也。」《韓非子‧詭使》是故「人主使人，必以度量準之，以刑名參之」《韓非子‧難二》，而在度數上，即是度量之具有刻劃數據者爲度數，法家引伸爲法度上標準之條例準則。是以「人君立法術，設度數。」《韓非子‧問田》使「有術者之爲人臣也，得效度數之言」《韓非子‧奸劫弒臣》，「明於度數之理以治天下。」〈明法解〉換言之：人主反躬借鏡，去主觀偏見，全然依據客觀標準的精神。

　　法度：在先秦法家《管子》、《黃帝四經》、《韓非子》，中度字最重要的用義，即是與「法」字相結合爲「法度」一辭。這是由測量的度量衡的度量，度數的度之標準化、明確、客觀化的精神過度到政府制定的「法」而成的「法度」，其類似即是「法律」。先秦法家以法治國，以法爲教，即是要建立法度爲最高標準，並依據法度（法律）設立「制度」。《管子》認爲「法者，天下之程序也，萬事之儀表也。」〈明法解〉「法度者，萬民之儀表也。」〈形勢解〉「明主者，有法度之制，故群臣皆出於方正之治。有法度之制者，不可巧以詐僞。」〈明法解〉「法度者，王之所以制天下而禁姦邪。故法度行則國治，案法式而驗得失，非法度不留焉。」〈明法解〉《管子》之後，韓非繼之以「法度」做爲人君綂治、賞罰與統制學說的最高準則。明主統治萬民要去主觀之意度而一切尊重客觀之法度。是故韓非要「明吾法度，必吾賞罰」《韓非子‧顯學》，要「以法爲教」，「息文學而明法度」〈八說〉「故民無以私名，設法度以齊民，信賞罰以盡能」〈八經〉，而「死生隨法度。」〈安危〉「故審得失，有法度之制者，有權衡之稱者。故明主使法擇人，不自舉也；使法量功，不自度也。」「故舍己能，因法數，

必先以規矩爲度，一民之軌莫如法。」〈有度〉這就形成法家以法（或法度）爲主的治國之術了。

　　而依法度制定爲固定模式之者，是爲制度。《管子》曰：「法者，太上以制制度。故憲律制度必法道。」〈法法〉而《商君書、壹言》「凡將立國，制度不可以不察也。」之後「漢家自有制度，本以霸王道雜之。」《後漢書，百官志》制度之辭，沿用迄今。制度之內容，其制定即有限度定制之意者在。

　　度字除了動詞度量之意義外，尚且引伸有標準，限度，節度之意義，這些意義用於社會生活上有工技，經濟、政治之計度，用在個人之心理、生理之節制標準，與生活起居之節度。

　　在社會之工技，其測量儀器尺寸、衡量、規矩、斗斛、角量、繩墨度數要有準確之標準化。於經濟上，要「貧富有度。」《管子、八輔》於賦稅上要「取於民有度。」《管子、權修》在爲政上：韓非子認爲，「聖人之治民度於本，不從其欲，期於利民而已。」《韓非子、心度》是以「治天下之柄，齊民萌之度。」〈問田〉於刑賞上要有度，若「賞罰無度、國雖大則兵弱」，「廢置無度，則權瀆」〈說疑〉，可亡也。

　　「度」之概念除了應用於工商測量衡量，用之於法律，政治公眾事務上外，尚流衍至個人心理、生理情緒、欲望、思想之節宜，日常生活衣、食、住、行節度之標準。度在個人要求心理、生理上要處於平正，不能失衡，因而不能「忿怒之失度，飢飽之失度。」要「節其五欲，去其二凶。」《管子、內業》韓非子認爲「憎愛無度，嗜慾無限，動靜不節，則痤疽之爪角害之。」〈解老〉是以情感、、情緒、起居、飲食，動靜皆要有節度。而在食住行上要「度爵而制服，量祿而用財，宮室有度，死則有棺槨之度。」《管子、立政》「居處飲食，要有節度。」《韓非子、說疑》

　　度字除了用作名詞外，尚有動詞「思考衡量推斷」的意義。這尤在人心的思考過程中有「度計」：即是與人計議。是以「大臣廷吏，人主之與度計也。」《韓非子、八姦》度法是對人事物的衡量，是以「度法者，量人力而舉功。」《管子、山權數》度恕是度之於己，推己及人，是以「取人以己者，度恕而行也。」《管子、版法》以上這些皆是要尊重客觀性之標準而計議之。這是對度正面的肯定。其在反面上，法家最反對依恃自己主觀私意的妄自意度，意度是不注意到客觀的情境與條件與標準而妄自判斷。所以韓非子認為「去規矩而妄意度，奚仲不能成一輪」〈用人〉，因而不自度而要「有尺寸而無意度。」〈安危〉

　　總而言之：先秦法家於戰國時代由於牛耕、鐵器之發現，農業生產與礦業工技，商賈的興隆，產生對度量衡標準化的數「數」、「度」之需求，由此轉而與法合為法度而成為以法治國的法治主流。其後秦廷覆滅，法家隨之而衰，漢武罷黜百家，獨尊儒術之後，法度隨法家而式微不彰。當今科技發達，商業繁榮，民主法治，度之準標價值，或許又值得再受重視之者。

刑　名

　　刑名之概念是流行於戰國時期以黃老思想為主的道法家的著作，其中包括《黃帝四經》、《管子》、《尹文子》、《韓非子》。刑名是異形歧義詞，必詳細分析之。刑字的相通用的，有刑、荆、形、型。刑字為荆字之俗字。荆：[說文]：「荆，罰辠也」。从井从刀，易曰：「井，法也。」[段注]：「井者，法也，謂犯有五刑之辠者，則用刀法之。」今字改用刑，[說文]：「刑者，剄也。」俗字寫為

刑，刑字與型同，[集韻]：「荊，古作型，通作刑。」又與形通，《荀子，疆國》：「刑范正」注：「刑與形同」。從以上字義而觀之：荊、 為古字，刑為今字，與形、型通用。刑从刀从井。井當為作土磚之模型，因而刑、荊、形、型古時相通用。井即有模型之意義，故事象則要以此模型為準，不合於法者即以刀去之，整之、去之、除之，是為有刑罰之意義。再者刑與形通用，形即為物件事實之現象，是以形名即是事實與名言之對應。刑名亦與形名之意義有關。再論名。

名[說文]：「名，自命也。从夕从口。」即人於夕相遇，以上稱己之名以告知對方。[釋名、釋言語]：「名，明也，名實使分明也。」《管子、心術》：「名者，聖人之所以紀萬物也。」《管子、七法》：「名也。」注：「名者，所以稱事也。」由此可見：名之出由人而稱出而有之；萬物本無名，由人稱出而「始制有名」。是以名為代表人之內在觀念之所稱出於外者之符號、語言、文字，辭彙與述句，藉以稱道事物、事實與規律者。

名在春秋戰國有正名、名實、無名、名辯、形名、刑名、漢之後有名理，名言之發展：孔子提出正名，老子道常無名。戰國為爭辯之時，孟子豈是好辯，惠施為詭辯，莊子齊物之大辯不辯，墨辯之科技定義，公孫龍指物名實之論，尹文子為形名之論，至申韓喜刑名之學，漢末魏晉有名理，名言（言意之辨）。在這歷史發展之中，孔子之正名為倫理義務之對應，老子在萬物則始制有名，在道則為形上學之不可名。戰國之名辯為論辯之辯，《墨辯》重視工技名為科學與邏輯之定義之探討，公孫龍於普遍觀念、個別觀念之指與物之邏輯之論，而尹文形名即研討形與名：認為「名者，名形也。形者，應名者也。……無名，故大道無稱；有名，故名以正形。今萬物俱存，不以名正之，則亂；萬名俱列，不以

形應之，則乖，故形名者，不可不正也。……形以定名，名以定事，事以檢名。察其所以然，則形名之與事物無所隱其理矣。」《尹文子，大道上》

《史記老莊申韓列傳》說：「申不害之學本于黃老而主刑名」，「韓非喜刑名法術之學而其本於黃老。」是以刑名之學大盛於申、韓，而申不害之著作遺佚，所留不多，難考。韓非之著作則留有所論刑名甚爲豐富。其後秦亡漢興，董仲舒獨尊儒術，名法潛隱不彰，刑名一詞於漢之後轉爲專指刑法誌上刑罰之刑名，則其義狹窄，不如原辭意義豐富。

韓非之「刑名」，即是承繼孔子正名名實要相符之精神，下批儒墨之辯，綜合名言、名實，接受黃老、稷下學派、尹文之形名而加以發揮者也。

韓非之刑名之用字常與形名相混用，但兩者有些差別，形名之形是指形狀、形體，屬於普通邏輯學：刑名之刑是刑法，屬於法制邏輯之學。可以確實的是：韓非在用「刑名」之時常與法制、法律、法治相牽連，而以法術爲核心而維繫之，其在用刑名之運作上之分類有法制之刑名，價值之刑名，治術之刑名。

法制上：「刑名參同，用其所生。」〈揚權〉法律上：「同合刑名，審驗法式，擅爲者誅。」〈主道〉治術上：「刑名者，言與事也。爲人臣者，陳而言，君以其言授之事，專以其事責其功。事不當其言，則罰。」是刑名在法制上意義上，名爲法律條文，刑是被法律所規範之事,而刑名兩者相互參驗而行賞罰。

刑名之在法制上：有三呈，一是憲律制度必法道。道爲「萬理之所稽」，「萬物之所以然」。「理者，成物之文也」，「理爲物之制」〈解老〉，要「因道全法」〈大體〉，如此以道理成之爲最高之名，憲律制度據之以成「形」。此者爲法制最高之刑名。其次即是

刑法上的刑名，名是所犯之罪之名目，根據此罪名而定刑罰之律，而「刑」即是犯罪之具體事實，比照參驗其犯罪事實，而引刑律恰如其份之罪名以審判定罪處罰，即是刑法之刑名。故《管子、正名》云：「制斷五刑，名當其名，罪人不怨，善人不惊，曰刑」。《韓非子》中「刑」字大都指涉刑法上之刑，用之於刑德、刑賞、刑罰上之「殺戮之謂刑。」〈二柄〉。三是民法上之名份、與物權之確認，以上即尹文所說「名定則物不競，分明則物不私。」韓非認為「名正物定，名倚物徙」，身份地位上要「審名以定位，明分以辯類。……周合刑名，民乃守職。」〈揚權〉

其次，在春秋戰國時，百家爭鳴，論辯激烈，價值觀念淆亂，相互矛盾，甚至與法治相衝突，韓非子要定於一法，統制其價值，故要「立名號所以為尊，……法令所以為治，以刑罰所以擅威」〈詭使〉以統制百家所「形」成的為世俗價值觀；其中即有倫理價值：忠、正、廉、齊、愿、仁、聖、大人、英傑。二為社會價值：即是名譽；即高尚、貴重、烈士、勇夫。三為法制價值：即是爵位、威利、法令、官爵、刑罰。四為物貨價值：即是利祿、財貨、良田、美宅、租稅、傜賦、糧粟，以上參見〈詭使〉。此等種種所形之刑名，皆要「一法而不求智，固術而不慕信。」要一概「以法為教」，「必以度量準之，以刑名參之以事，遇於法則行，不遇法於則止；功當其言則賞，不當則誅。以刑名收臣。」〈詭使〉

在治術上：「君臣不同道，下以名禱，君操其名，臣效其形，形名參同，上下和調也。」〈揚權〉故要「因任而授官，循名而責實，操殺生之柄，課群臣之能者也。」利用刑名為準而治之。

總而言之：刑名之思想淵源於正名、無名、有名、名實、名言、名辯、形名之論，於道法家《黃帝四經》、《管子》、《尹文子》、《莊子外雜篇》、《韓非子》皆有之，而尤以《韓非子》所論為盛。

至漢之後，隨法家思想衰弱而潛隱不彰。

動　靜

　　動靜之字義分別為單字與合詞。動之字義，[說文]；「作也，從力重聲」，作是動作，[說文]之解說偏重在人之動作與作為。除此之外，動字尚有與物有關之移動，運動，推動，擾動；與人有關之舉動，動作，行動，勞動等。

　　靜字字義為安定曰靜，[增韻]：「靜，動之對也。」靜字尚有行動之靜止，心之不擾動曰寧靜。不作曰靜之意義。

　　動靜合詞，常用在運動與靜止，人之動作與不動作。與心理之擾動與靜止。以上動靜之意義隨著中國哲學史發展階段之不同而各有所差異與變動。

　　動靜是一種附加體，是一種狀態，附加體是附屬性，其狀態不能獨立存在，必須依附於主體而後始能置立，否則便沒有意義。換言之：動靜必須依附於「某物」之主體而存在。動靜是狀詞，是「用」，必須依附於主體。因此在中國哲學史上之因依附於主體而有各種不同的描述，有形上學的，有萬物之運動的，有人之外在行為之舉動與休靜，有內在行為心理上之躁動與寧靜，各有差別，分別述之：

一、形上學之動靜

　　在本體論上：老子以「道」做為本體，道為體，動為發用，認為「反者，道之動。」〈四十章〉道體落實於天地之間，「虛而不屈，動而愈出。」〈五章〉然而道之動為反，即是復。「夫物芸

芸，各復歸其根，歸根曰靜。」〈十六章〉這是老子從道，與《易經》從太極宇宙本體論說「太極生兩儀，兩儀生四象，四象生八卦」〈繫上傳〉，以乾坤配天地陽陰論動靜。從乾坤之動靜之化生萬物，「天尊地卑，乾坤定矣，動靜有常，剛柔斷矣。」「夫乾，其靜也專。其動也直，是以大生焉。夫坤，其靜也翕，其動也闢，是以廣生焉。廣大配天地，變動配四時，陰陽之義配日月。」〈繫上傳〉「坤至柔而動也剛，至靜而德方」，易經要知「變化之道者」，「以動者，尚其變。」其變化之動為「一陰一陽之謂道。」〈繫上傳〉而其為「道也屢遷，變動不居，周流六虛，上下無常。」〈繫下傳〉「陰陽不測之謂神」然而落實於天地之間，「順以動，天地以順動，故日月不過而四時不忒。」〈豫〉

《莊子》從道之有無，生一，生物而言「泰初有無，一之所起，留（流：郭釋）動而生物。」〈天地〉萬物為一氣之流行而言陰陽交通而萬物生焉，以陰陽動靜相配，「靜而與陰同德，動而與陽同波，其動也天，其靜也地。」〈天道〉

周敦頤之〈太極圖說〉更是綜合老莊易而從宇宙本體論言動靜。其云「無極而太極。太極動而生陽，動極而靜，靜而生陰，靜極復動。一動一靜，互為其根；分陰分陽，兩儀立焉。陽變陰合而生水、火、木、金、土。五氣順布，四時行焉。……無極之真，二五之精，妙合而凝，乾道成男，坤道成女。二氣交感，化生萬物，萬物生生而變化無窮焉。」此從無極－太極－陰陽－五行－男女，萬物化生之動靜，奠立宋明理學宇宙觀之基礎。

由此可見，從形上學論動靜即是從主體與依附體之體用關係而言之；動靜為用、為依附體，依附於老子之道，莊子之氣，易經之太極陰陽乾坤，而至周敦頤《太極圖說》，這是從宇宙本體論言動靜者。

二、物之動靜

　　動靜落於萬物之層面上則是運動與靜止，變化生成之為動，性理所成為靜。《莊子》謂道「留動而生物」，「物之生也，若驟若馳，無動而不變，無時而不移。」〈秋水〉「效物而動，日夜無隙，而不知其所終。」〈田子方〉萬物為大共名，其分析則有礦物、植物、動物、人物等。此種物之分類等級為荀子所言的「水火有氣而無生，草木有生而無知，禽獸有知而無義，人有氣有生有知亦且有義。」〈王制〉是以礦物之動為運動，「其動若水，其靜若鏡。」〈天下〉「鼓宮宮動，鼓角角動」〈徐無鬼〉，不鼓而靜止則無聲。植物之動為生長，搖曳生動。動物則是鳥飛魚游獸走之動，人則有心有志之舉動。總而言之，萬物皆在運動與變化，靜只是運動與變化速度快慢比率之相對性之暫時現象。分別言之：

　　《易經》所重在變易，其所根據為「為道屢遷，變動不居，周流六虛」的原則，其言物之動靜在震與艮卦。故曰：「雷雨之動滿盈。」〈屯〉「震為動，艮，止也，時止則止，時行則行，動靜不失其時，其道光明，〈艮〉故云：「震者，動也。物不可以終動；止之，故受之以艮。艮者，止也。物不可以終止。故受之以漸；漸者，進也；進必有所歸，故受之以歸妹。」〈說卦〉換言之：這種物之動、止、漸、進、歸之秩序亦是「反者，道之動」之公式也。

　　然則，秦漢對於物之運動，除了天文曆法時則較有以科學、數學測量其運動之軌則、規律之準確度之外，其後就注意到「爻者，效天下之動者也。是故吉凶生而悔吝著也」〈繫下傳〉，「吉凶悔吝者，生乎動者也。」〈繫上傳〉是以秦漢之後哲人，因而把對動靜的研究就轉移到人的行為動靜之領域上。

　　動靜之在人行為方面，則不同於礦物，植物、動物之動靜，

蓋礦物（包括天文，地物之動），總是受物理運動定律之限定，植物之生長變化，則受自然律則之限定，動物之行動與靜棲則受生物生理法則之制限，而人的動靜，除了具有形軀運動，自然生化，生命生理外，尚受心理之影響。而人之心理各有不同，由此而開顯之行為亦因之有異則而顯得複雜。因此論述人之動靜行為亦與礦、植、動物之動靜亦有差別，蓋人之動靜不是純受物理運動，自然生化律，生命律則之支配者。此者荀子之論水火、草木、禽獸、與人之差別性之言最為明確。

三、人外在行為之動靜

因此，中哲在論人之動靜方面則分為外在行為與內在行為兩面：在先秦道法家偏於外在行為，尤其是著重內聖外王、虛靜無為、君人南面之術之操作，而宋明理學家較重內在道德修養之論述，此兩者本為一體兩面，不可分割，僅是輕重有差而已。前者皆源於黃老，而後者則發展有差。

於外在行為《老子》要「事善能，動善時」〈八章〉，「靜為躁君」〈二十六章〉，「靜勝熱，清靜為天下正。」〈四十五章〉「我好靜而民自正。」〈五十七章〉「牝常以靜勝牡，以靜為下。」〈六十一章〉由此可見老子的主張並非是絕對主靜者，而是把動靜做為治國的理性工具。

《黃帝四經》〈經法〉篇認為「人制取予」，因而生必動，動有害，曰不時。至正者靜，至靜者聖。其以「王術」的觀點論動靜。曰：「人主者，號令之所出也，不應動靜之化，則事窘於內而舉窘於外。」因而要「知虛實動靜之所為」。《四經》之形上學之所根據為天道，是以「動靜參於天地謂之文。」是以要知動靜互轉，天道「贏極必靜，動舉必正，贏極而不靜，是胃（謂）失正，

動舉而不正，是胃后命。」要合於「四時有度，動靜有立，而外內有處。」是以動靜要合於時，「動靜不時，胃之逆，周遷動作胃之稽。」《黃帝四經》〈十大經〉以動靜爲「靜作」，靜作要法天合德，「地俗德以靜，而天正名以作。」而「人靜則靜，人作而作」，「靜作相養」，而要合時，「靜作得時，天地與之。靜作失時，天地奪之。」總言之，〈經法〉認爲王術是要法天道之動靜互變，及合時而動靜。

　　《管子》論動靜著重在「視時而動，王者之術」〈霸言〉方面。而其所根據的理則是在天地陰陽，即「天之道虛，地之道靜；虛則不屈，靜則不變，不變則無過。」〈心術上〉「人主者，立於陰，陰者靜。動則失位，陰則能制陽矣，靜則能制動矣。」〈心術上〉是以明主之動靜要依於理，因於時，中於術數，合於法，是故明主要「動靜得理」〈形勢解〉「緣理而動」，合於時宜，「聖人之動靜開闔取予之必因於時；時則動，不時則靜。」〈宙合〉要計於術數「言辭動作，皆中術數」〈形勢解〉，準度於法；「萬物百事非在法之中者，不能動也。」〈任法〉由此人主在主觀方面要「動作必思之」〈樞言〉，「承從天之指者，動必明」〈侈靡〉，「動必量力，舉必量技」〈戒〉。如此則「官長任事守職則要動作和。」〈五輔〉此者歸本於「心能執靜，道將自定。」〈封禪〉

　　《韓非子》動靜觀之目的亦在於人主執一而運作刑名而治人。認爲外在行爲之動靜與內在心之思慮動靜有關。其外在行爲要「動作言學，舉事於文」〈外儲說左上〉，「故靜則建乎德，動則順乎道」〈喻老〉，要「少欲則血氣治而舉動理，舉動理則少禍害。」〈解老〉然則外在行爲之動靜要做到順道、建德、循理，則根於人心之「聰明睿智，天也，動靜思慮，人也。」〈解老〉「知治人者，其思慮靜，知事天者，其孔竅虛，思慮靜故德不去，神靜則

和多。」〈解老〉「虛則知實之情,靜則知動者正。」〈主道〉是以
「聖人愛精神而貴處靜,動靜有時;嗜慾無限,動靜不時,則痤
疽之爪角害之。」〈解老〉故「聖人執一以靜,使名自命,令事自
定。虛靜無爲,道之情也。」〈揚搉〉

四、宋明之內在動靜觀

　　動靜觀延到了宋明理學家有一大的轉折,即是理學雖然融合
了道儒陰陽佛學,但堅持以儒家孔孟仁義道德爲道統,因而將道
法家以統治術爲主的動靜觀轉化爲人本身內在心性德性修養的動
靜。蓋宋明理學家有鑑於《易》之「吉凶悔吝生乎動」,因而慎動
而主靜。道學中周敦頤、二程、朱、陸、王陽明皆主張動靜合一,
清初王船山、顏習齋主動。

　　宋明理學家動靜觀仍受老莊之虛靜觀之影響,老子之「致虛
極,守靜篤」〈十六章〉「濁以靜之徐清,安以久動之徐生。」〈十
五章〉《莊子》之注重聖人之心靜,「虛靜恬淡寂寞無爲萬物之本」,
要「虛則靜,靜則動,動則得矣」〈秋水〉的內在心術之修養。

　　宋明理學家之首周敦頤主靜,影響整個理學學風,動靜引導
至儒家仁義道德德性修養。周敦頤認爲「聖人是之以中正仁義而
主靜,立人極焉。」〈太極圖說〉雖然周子認爲「太極動而生陽」,
雖是主靜,但亦不否認「動」,只是要「吉凶悔吝生乎動」,故要
慎動,因而要「動而正曰道,用而和曰德;匪禮匪智匪信,悉邪
也;邪動,辱也,甚焉,害也。故君主慎動。」《通書》

　　二程子受學于周子,雖亦重靜,但認爲人爲活物,絕對虛靜
爲一不可能,二程先生語錄云:「蓋人活物也,又安得爲槁木死灰
乎?既活則須有動作,須有思慮。必欲爲槁木死灰,除是死也。」
由此可見二程認爲絕對虛靜爲不可能,要以「定」與「敬」主持

動靜。明道曰：「所謂定者，動亦定，靜亦定，無將迎，無內外。」
〈答橫渠先生書〉。伊川曰：「敬則自虛靜。居敬則自然行簡。」
〈語錄〉如此自然虛靜。

　　朱子承繼二程，認為人為活物，須當處理學問事物，不能不
動，不能捨動求靜，不能專務靜坐。其云「人心活物，當動而動，
當靜而靜，不失其時，其道光明。」〈答許順之書〉人之行動當是
「動時也有靜，順理而應，則雖動亦靜也。惟動時能循理，則無
事時能靜，靜時能存，則動時得力。」〈語類〉所以朱子認為動靜
當存天理，而以敬存之其中，則能當時而得宜，因而動靜相須相
涵而不相離。其云：「若以天理觀之，則動之不能無動靜，猶靜之
不能無動也，靜之不可不養，猶動之不可不察也。……然敬字工
夫，貫動靜而必以靜為本。」〈答張敬夫〉

　　陸象山認為德性以是非為判準，不必別動靜。認為「若是，
則動亦是，靜亦是，豈有天理物欲之分？若不是，則靜亦不是，
豈有動靜之間哉？」〈語錄〉

　　王陽明之動靜觀扣緊於心，認為「心無動靜，靜為其體，動
為其用。其靜也，常覺而未嘗無，故常應；其動常定而未嘗有，
故常寂；心之體本靜，若復求靜是撓其體，動為心之用，若懼其
動有吉凶而不動，是廢其用。」而若求靜，求靜即是動，動之可
廢。而惡動之心並非是靜，是之動亦動，靜亦動，將迎起伏，相
尋無窮，是以不能寧靜。因此心之寧靜，僅在於去欲存理，以循
理為主，何嘗不寧靜。因此動靜合一而分別不得。德性之展現不
是在於動靜而在於循理去欲而已。

　　明朝遺老悲憤宋明主靜暮氣不振，王船山認為此種「重陰凝
之氣，閉人之生理之致虛守靜之說，以害人心至烈。」〈周易內傳〉
因此力倡主動之說，以為「有情則有動。天下日動而君子日生，

天下日生而君子日動。動者道之樞，德之牖也。」〈周易外傳〉因此「聖賢以體天知化居德行仁，只在一動字上。」〈讀四書大全說孟子〉「惟君子積剛以固其德，而不懈於動。」〈周易內傳〉

　　顏習齋認爲中國歷史上自三皇五帝春秋戰國秦漢唐皆主動，惟晉苟安、佛之空、老之無、周程朱邵之靜坐，從事口筆，總之皆不動也。而人才盡，聖道亡，乾坤降，其嘗言一身、一家、一國、天下動則強。……善身莫善於習動。但說靜息將養，便日就惰弱。」〈言行錄〉因此，反對「宋人好言習靜，吾以爲今日正當習動耳。」〈年譜〉

　　總之，宋明理學家動靜觀偏於以主靜以修養心性以成德性，或思想上造成積弱不振之原因，清初遺老痛定思痛，而以反「動」，主張棄靜主動之說。

　　綜觀中哲史動靜觀之發展，《易》多言萬物物理之動，《老子》、《莊子》、《黃帝四經》多言形上學本體論、宇宙論之道氣陰陽之動靜，道法家《管子》、《荀子》、《韓非子》多言人之治術之動靜。宋、明、清則喜從儒家德仁義論語動靜。

　　再者，動靜觀依主體本有礦、植、動、人動靜之不同。物之動靜本有物理機械之義，植物有生長衰敗之變化，動物有生理之動走飛潛游爬行之動靜，人則有生理與心理之動靜，各種範疇誠如荀子所言水火、草木、禽獸與人各有不同，當有各種不同的動靜之原因與狀態，當是各別分類研究，然而歷史上之在中哲史之動靜觀畢竟較著重在人之行爲動靜之吉凶禍福、德行行爲與統治術上行爲之動靜，而較忽略對物理動靜，生物動靜，動物動靜之探究，直到鴉片戰爭，西洋文化滲入中國之後，學術界始對物理、生物、動物做科學機械數理之探討，不再僅囿限於人之動靜觀而已，此事值得注意。

康有爲《新學僞經考》及其
相關問題之解讀

陳　廣　芬

　　康有爲所著《新學僞經考》是晚清經學今古文論爭火線上的一大起火點，考諸學者於此書所關注之焦點，大抵可約爲三個重點：一、康（有爲）廖（平）之著述抄襲公案；二、《新學僞經考》重《春秋》經、以孔子爲後王，挑戰劉歆重《周禮》、以周公爲制作者[1]；三、《新學僞經考》以東漢以來經學多出劉歆所僞，非孔子「述而不作」之經[2]。然而時至今日，晚清今古文經學爭持當時的緊張、利害早已消失，在學術問題的思考上，學人或當更可冷靜地重新理解相關的問題。

　　從經學詮釋學的背景來看，眾所周知，清代自章學誠提出：「故道者，非聖人智力之所能爲，皆其事勢自然，漸形漸著，不得已而出之」，認爲「周公集治統之成，孔子明立教之極」[3]，差別不在義理之不同，而在所面對之情境不同，因而有「六經皆史」、「六經皆器」之論[4]，反對「離事言理」的經學觀念，從而在清代經學

1　如汪榮祖所著《康有爲》，台北：東大圖書公司，1998，頁 52。
2　湯志鈞著，《康有爲傳》，台北：台灣商務印書館，1997，頁 49。
3　章學誠，〈原道上〉，《文史通義・內篇二》，台北：廣文書局。
4　上引實齋「六經皆器」語見〈易教上〉。實齋「六經皆史」論，其實更可溯自清初之顧炎武，如《日知錄・卷三》〈魯頌商頌〉條云：「《詩》之次序，猶《春

發展上因對《春秋》經的不同定位[5]，突顯了「王制」問題在清朝的時代意義[6]，乾嘉以後之經史考據、疑古辨僞，凡有論述，莫不可視爲於此理之相反或相承[7]。抛開學術立場的視角來看，「六經皆史」，以現代語言分析哲學的方式來表達，實齋此言正明知識之發展史其實乃是不同時空中之語法邏輯建構的過程，是以本文以爲，欲論辨康有爲所著《新學僞經考》一書之意旨，亦宜在時代的語境中，超越以本書爲中心之語言文字而予以解讀，或可以有更爲清晰之理解。

秋》之年月，夫子因其舊文，述而不作者也。……《春秋》書公、書郊禘亦同此義。孟子曰『其文則史』，不獨《春秋》也，雖《六經》皆然。」

5 眾所周知，對《春秋》的不同理解，乃經今古文家之最重要特徵，古文經以《春秋》爲史，重《左傳》而輕《公》、《榖》，今文經學以《春秋》爲經，爲治事之書，今古文家評價之標準不一，但尊《春秋》爲諸經之一，則是今古文家所共通之見。

6 考察清初以來諸學者以經史之學批判朱子與陽明理學，皆不出以探究先王典制、歷代制度沿革爲經學要務之範圍。顧炎武以「《春秋》之義，尊天王，攘戎狄，誅亂臣賊子」（《日知錄》卷七「夫子之言性與天道」）視《春秋》爲先王政典是非所在，等如刑書，與劉逢祿「五經之《春秋》，猶法律之有斷令」（《劉禮部集·卷四》〈釋特筆例〉）的觀點明顯相近，並從歷史與現實多方面探討包括郡縣、封建及各種制度問題，而黃宗羲《明夷待訪錄》於理想的制度變革更多所討論，章學誠也把《春秋》視爲先王政典及行事記錄。
可以看見，當時代變遷的觀念結合到制度沿革的討論中來，在現實政治上是關乎禮制重建的問題，在經學的學術探討中就指向變「王制」與改「王制」的核心問題了，而在此一經世思潮之中，《春秋》之受重視，正是基於其爲孟子所謂「王者之跡」「天子之事」 ── 也就是制度問題的思考。

7 有清一代今古文經學的爭持不休，既涉及複雜的學術史問題，也與清代政治局勢的起伏變化有關，在此自不能細論，但總括而言，面對居乾嘉學術主流之經學考證，今文經學家欲挑戰其權威地位，亦不得不以考據方法與其學術規範而爲之，但如閻若璩《尚書古文疏證》歷三十餘年博考證得古文二十五篇之僞，而惠棟《古文尚書考》更進而論證二十五篇之僞，凡此類疑古學術作爲，於古文經學內部早已有例可循，亦不是今文經學之偏好，因此我們可以認爲，對於清代經學史上今古文的分歧，應有超越於學術傳承之外的歷史聯繫。

關於康、廖著述關係的懸案

　　光緒十四年戊子（1888）五月，康有爲赴京鄉試，時年三十一歲。九、十月間，他感於國勢日蹙，決心上書請及時變法，但因文辭激烈，未能上達，遂轉而「**發古文經之僞，明今學之正，既大收漢碑，合之《急就章》，輯《周漢文字記》，以還《倉頡篇》之舊焉。**」[8]次年九月，他離開北京，經杭州、蘇州、九江、武昌等地，於年底回到廣東。光緒十六年庚寅（1890 年）居於廣州安徽會館，並於一、二月間，與南來廣州參加編撰《國朝十三經疏》的廖平會面[9]。

　　廖平治學善變[10]，他於光緒十二年（1886）著《今古學考》，主張「平分今古」，次年又成《續今古學考》，於 1888 年據《辟劉篇》改成《古學考》。據其自述，1888 年另著成《辟劉篇》和《知聖篇》，轉爲「尊今抑古」，開始了他的所謂「經學六變」中的第二變，但當時並未付梓。

　　光緒二十三年（1896），廖平於所著《經話甲編》中，具陳康

8　康有爲，《康南海自定年譜》（外二種），（北京：中華書局，1992）頁 15-16。
9　參見黃開國，《廖平評傳》，（南昌：百花洲文藝出版社，1996）頁 237-279。
10　廖平治學善變不僅是他人如此說，即廖平亦以此自詡，《經話甲編》云：「爲學須善變，十年一大變，三年一小變，每變愈上，不可限量，所謂士別三日當刮目相待者也。變不貴在枝葉，而貴在主宰，但修飾整齊無益也。……然非苦心經營，力求上進者，固不能一變也。」學術上好學深思，力求創新，固然可嘉，但若爲變而求變，恐怕流於矜奇求異，只圖炫人耳目，置自相矛盾於不顧，甚而在外在壓力之下，自賣其學，進退失據，則又是另一回事了。廖平之孫廖宗澤《六譯先生年譜》記載說：「海內學者略窺先祖之學皆逮一二變而止，三變以後（按：指張之洞對其施壓後的第三變）冥心獨造，破空而行，知者甚少。五變六變語益詭，理益玄，舉世非之，索解人不得，雖心折者不能贊一辭，胡適之至目爲方士。澤以莫測空深，亦不敢苟同。」足供治學者警惕。

有為《新學偽經考》得自《知聖篇》[11]。廖、康的關係問題，自此成為學術史上的一樁公案。

學術史著作如錢穆先生《近三百年中國學術史》、房德鄰《儒學的危機與嬗變：康有為與近代儒學》、朱維錚《求索真文明－晚清學術史論》、黃開國《廖平評傳》等，均曾針對《古學考》與《新學偽經考》、《知聖篇》與《孔子改制考》之異同，進行過基本的梳理，康有為受到廖平的影響和啟發，應可以認為是定論。

按《康南海自編年譜》記載，光緒十六年庚寅（1890 年），陳千秋於三月以客人的身份拜訪康有為，其時康有為「**乃告之以孔子改制之意，仁道合群之原**」，並涉及大同思想，這是《康有為自編年譜》中首次談論孔子改制問題[12]，在時間上晚於廖、康會面。陳千秋、梁啟超分別於同年六月和八月拜於康有為門下。次年秋七月，《新學偽經考》初刻， 1894 年遭清政府毀版，1898年重刻，並呈光緒帝，隨後又遭毀版。《孔子改制考》著成於 1894年，大同譯書局初刻於 1897 年冬，於 1898 年初始面世。

從時間上看，康有為受到廖平的影響，確實極有可能。《康南海自編年譜》首次提及《孔子改制考》一書，是在光緒十八年條

11　《經話甲編·卷一》記此事云：「己丑在蘇，晤俞蔭甫先生，極蒙獎掖，謂《學考》為不刊之書。語以已經改易，並《三傳》合通事，先生不以為然曰：『俟書成再議』。蓋舊誤承襲已久，各有先入之言，一旦欲變其門戶，雖蔭老亦疑之。乃《辟劉》之議，康長素逾年成書數冊，見習俗移人，賢者不免。」又云：「廣州康長素奇才博識，精力絕人，平生專以制度說經。戊己間從沈君子豐處得《學考》，謬引為知己。及還羊城，同黃季度過廣雅書局相訪，餘以《知聖篇》示之，……後訪之城南安徽會館，……兩心相協，談論移晷。明年，聞江叔海得俞蔭老書，而《新學偽經考》成矣。甲午，晤龍濟齋大令，聞《孔子會典》成，用孔子卒紀年，亦學西法耶穌生紀年之意，然則《王制義證》可以不作矣。……長素刊《長興學記》，大有行教泰西之意，更欲于外洋建立孔廟。」文見《廖平學術論著選集》（一），（成都：巴蜀書社，1989）頁 447-448。

12　康有為，《康南海自定年譜》（外二種），（北京：中華書局，1992）頁 19。

下，並云：「是書體裁博大，自丙戌年與陳慶笙議修改《五禮通考》，始屬稿，及己丑在京師，既謝國事，又為之」。另外，在光緒二十年甲午條下也有「著《春秋董氏學》及《孔子改制考》」的記載[13]。按《年譜》所稱丙戌年是爲光緒十二年，即 1886 年，己丑年爲光緒十五年，即 1889，而光緒二十年甲午爲 1894 年。由此可知，《孔子改制考》的寫作，經歷了好幾年的時間。

　　從內容上看，對照《知聖篇》、《古學考》與《孔子改制考》、《新學僞經考》，我們可以清楚發現兩者在許多議題上有相互重疊之處：如「劉歆亂僞」、「孔子素王」、「孔子著六經」、「托古改制」等等，廖、康著述之間的相似之處，確實是一目了然[14]。

　　然而，從不同的角度來看，我們也有理由相信康有爲的《孔子改制考》、《新學僞經考》二書並非完全承襲廖平。

　　廖平《辟劉篇》今不存，但考諸廖平師友有關此段時間往來之記載，均無著成《辟劉篇》和《知聖篇》之任何佐證[15]，而據《辟劉篇》改定的《古學考》刊刻於 1898 年、《知聖篇》刊於 1904年，均比廖平自述成書之 1888 年晚過十年[16]，也在康有爲著作刊印之後始問世，而且《經話甲編》明文提及在廣雅書局出示給康

---

13 康有爲，《康南海自編年譜》（外二種），頁 21、25。

14 關於康廖剽竊一案，較爲系統的考察，可參見黃開國，《廖平評傳》第七章，（南昌：百花洲文藝出版社，1995）頁 237-279。

15 按廖宗澤《六譯先生年譜》（見《廖季平年譜》，成都：巴蜀書社，1985）載光緒十五年（1889 年)廖平自京經天津時謁其師王闓運，「王留宿談今古學，王閱先生《經說》欲通撰九經子史成一家言」，謂其「志大可喜」，但廖平並未向王提起自著《辟劉》、《知聖》二書，而前此赴張之洞電召時，亦未提及此二書，其後在蘇州晤俞樾，俞告以「俟書成再議」，明證其未見書稿。據此可知，同一年中，若廖平《經話甲編》所言至廣州晤康有爲時確曾出示《辟劉》、《知聖》二書，則留宿王府時應帶有此二書在身，何以王闓運不曾見、何以俞樾不曾見、而初次相識之後進康有爲卻得見？廖平之說實不合情理。

16 見陳其泰著，《清代公羊學》，（北京：東方出版社，1997）頁 272。

有爲的是與康氏在 1896 年成書的《孔子改制考》相近的《知聖篇》，但他在《經話甲編》別處又說康《僞經考》祖述《辟劉篇》，不得不令人懷疑廖平有意造成一種迷離印象。因此錢穆先生認爲，若其時《辟劉》、《知聖》已成，「**何以又云『己丑在蘇見俞蔭甫云「俟書成再議」』乎？抑猶為未定稿乎？大抵廖既屢變其說，又故自矜誇，所言容有不盡信者**」[17]。僅僅可以確信的是，《辟劉》、《知聖》這兩部著作的最初版本，均非廖平最早的稿本。

在康有爲的二《考》書中，固然包含了「劉歆亂僞」、「孔子素王」、「孔子著六經」、「托古改制」等與廖平雷同的討論主題，但也不可否認，其中亦包含了廖平不甚注意的「諸子改制」、「以民爲歸」、乃至於「三世說」等等問題。更重要的是，雖然廖平的著作也包含有一定的今文經學特色，但他並無康有爲透過義理實踐，把經學思想和對於時代要求聯繫起來的那種今文學家特具的生命力，也缺少對政治利害的透視和直接的政治動機。

以廖平在其經學上著《今古學考》，主張「平分今古」的所謂「初變」爲例，《四益館叢書》〈四益館經學四變記〉說是因不滿前人區分今古卻不明歸宿，「**乃據《五經異義》所立之今、古二百餘條，專載禮制**」，以禮制之不同判分今古，看來確有好學深思，言之有理。但在所著《何氏公羊春秋三十論》批評孔廣森以「時王說」代何休「王魯說」是「俗學」，而主張以「素王說」取代「王魯說」：

---

17 見錢穆，《中國近三百年學術史》，（台北：台灣商務印書館，1983）頁 645。又房德鄰《儒學的危機與嬗變：康有爲與近代儒學》（台北：文津出版社，1992）也認爲，廖平究竟何時完成《辟劉》、《知聖》二書稿，是否康有爲曾得到過，均不可考。

以經例推之，則魯爲方伯，《春秋》仍君天王而臣諸候也。
且《春秋》改制作，備四代，褒貶當世諸候，皆孔子自主。
魯猶在褒貶中，其一切改制進退之事，初不主魯，則何爲
王魯乎？若以爲王魯，則《春秋》有二王，不惟傷義，而
且即《傳》推尋，都無其義，此可據《經》而證其誤矣。

按「王魯說」是自董仲舒、何休以來今文經學的重要主題，
所謂「王魯」，首先標榜的就是「以《春秋》作新王」，它聯繫的
是「絀夏、故宋、新周」的歷史變易觀，暗喻王朝更迭，政制也
應隨之變革。再進一層，「王魯」也強調「《春秋》撥亂反正，爲
後王立法」的意義，這是今文經學的基本義理。然而廖平的立論
卻從義理層面退回到字面上的訓詁，與今文經家同時代政治聯繫
的活力大相逕庭。

戊戌政變之後，廖平授意其子師慎著《家學樹坊》，內列〈知
聖篇讀法〉澄清四益（廖平自號）之學與康有爲之學的差別，其
文有云：

自某等托之《公羊》，以爲變法宗旨，天下群起而攻《公羊》，
直若《公羊》故立此非常可駭之論，爲教人叛逆專書，遂
云凡治《公羊》，皆非端人正士。嗚呼！何以解於董江都？
18

在政變失敗的環境中，這些話可以解讀成是爲了撇清廖平與
康有爲政治思想的相承關係，但在一定程度上，也具體指明了廖、
康公羊學的基本差異。

事實上，康有爲在更早時期已經開始懷疑劉歆作僞。《教學通
義》〈尊朱第十四〉明確提及儒學變亂始自劉歆，推崇朱子貫通諸

18 引文見黃開國，《廖平評傳》，頁 156-157。

經。足見康有爲在 1886 年對劉歆作僞一事，已有明確的看法。[19]

　　《康南海自編年譜》光緒六年條下，有「是歲，治經及公羊學，著《何氏糾繆》，專攻何劭公者。既而自悟其非，焚去」[20]的記載，表明康有爲早年確曾對今文經學持批判態度。光緒六年亦即 1880 年，康有爲在這年接觸今文學說，而「自悟其非」，但是這並不能證明 1884 年前後他仍然拒斥公羊思想。

　　梁啓超曾說：「有爲早年，酷好《周禮》，嘗貫穴之，著《政學通議》，後見廖平所著書，乃盡棄其舊說。」[21]康有爲早年酷好《周禮》是事實，據《康南海自定年譜》記載，他攻《周禮》、《儀禮》、《爾雅》、《說文》等古文經學的典籍在光緒四年（1878），早於他攻何休並「自悟其非」兩年。這些記錄說明康氏的經學立場並不是始終僵固於今古文之一，細審康所著《政學通義》一書內容即可明瞭。

　　梁任公提及的《政學通義》即《教學通議》，該書著成於 1886 年，康有爲自定《萬木草堂叢書目錄》注此篇云「少作，已佚」，手稿今已發現，刊於 1987 年版《康有爲全集》第一卷中。

　　《教學通議》一面稱頌周公經綸之跡，另一面也以「三世說」和今文經學的若干取向，對古文經學傳統進行明確的批判，這部著作，其實已包含了今文經學的明顯痕跡。關注的問題是以通變的方式傳承孔子學說的普遍價值。以《王制》和《周禮》判分今古，是始於廖平，但從莊存與、劉逢祿起，以今文家的身份而稱引《周禮》者大有人在。在這個意義上，即使如梁啓超所說，康

19 康有爲，《教學通義》，《康有爲全集》（一），（姜義華、吳根梁編校，上海：古籍出版社，1987）頁 137-138。康有爲還說，「孔子曰：『吾從周』。故從今之學不可不講也。」
20 康有爲，《康南海自定年譜》（外二種），頁 10。
21 梁啓超，《清代學術概論》，見《梁啓超論清學史二種》，頁 63。

有爲以《周禮》貫穿《教學通義》，也並不能說明康氏其時並無今文觀點。梁啓超的說法，並不是對其師的如實理解。

《教學通義》〈從今第十三〉議論「清談孔、孟然且不可，況今之清談又在許鄭乎？」對古文學者推崇的許、鄭之學表示厭倦；〈春秋第十一〉貶低《左傳》，抬高《公》《穀》，以爲「今欲見孔子之新作，非《公》、《穀》不可得也」，完全尊公羊學的路徑。

《教學通義》且說：

> 《春秋》者，孔子感亂賊，酌周禮，據策書，明製作，立王道，筆則筆，削則削，所謂微言大義於是乎在。傳之於子夏。……《公羊》、《穀梁》，子夏所傳，實為孔子微言，質之經、傳皆合。《左氏》但為魯史，不傳經義。……而譏世卿、明助法，譏喪昏娶，定百里之封，逮三等之爵，存三統之正，皆孔子製作之微文，與周公之禮絕異。孔子答顏子問『為邦』而論四代，答子張問『十世』而言『繼周』。孟子述舜、禹、湯、文、周公而及孔子，則曰：『王者之跡熄而《詩》亡，《詩》亡而後《春秋》作。』其辟許行，亦以孔子作《春秋》，繼堯、禹、周公之事業，以為天子之事。孔子亦曰，『知我』以之，『罪我』以之。良以匹夫改制，無征不信，故托之行事，而後深切著明。……故自周、漢之間，無不以《春秋》為孔子改制之書。[22]

無論在經典的定位方面，還是在《春秋》的意旨方面，上述所論完全是今文家的論調。

從《教學通義》發現的這些線索表明，康有爲取擇於公羊學的思維轉向，而此時距離廖、康會晤，尚有三年的時間。

---

22 康有爲，《教學通義》，《康有爲全集》（一），頁 124-125。

　　從今文經學的發展來看,「改制」和「素王」的觀念起源於董仲舒之《春秋繁露》。在清代,十三經中僅東漢何休《春秋公羊解詁》爲今文家,隨著清初莊存與、劉逢祿、龔自珍、魏源等經學家的系統詮釋,將今文學的重心從何休轉向董仲舒[23],變革的思想主張逐漸浮出在學術史地表。清代公羊學者從《春秋公羊傳》對有關「受命改制」的討論,逐步擴展爲改革制度的設想,從而「王制」問題成爲經學的中心問題。這一轉向,最早可以追溯到劉逢祿[24],其後宋翔鳳亦有發揮[25],而集中的論述始見於廖平。

　　換句話說,「改制」的問題,是一整個時代的集體意識的產物。在這個意義上,無論是廖平對「王制」的討論,還是康有爲對改制的具體構想,均非憑空而來,討論誰奪了誰之創意,不僅意義不大,甚至顯得作爲時代知識份子缺乏大雅襟懷。從今文經學的變遷脈絡來看,《新學僞經考》和《孔子改制考》中的創制構想,在時代思潮的大結構中正是有跡可尋的。沒有這樣的集體思維的準備,我們很難想像康氏在與廖平會面後,能夠在如此之短的時間內,出版規模如此宏大的《新學僞經考》。

　　鑒於上述原因,下面的討論,將跳脫於廖、康異同及其影響

23　參見陳其泰著,《清代公羊學》,頁 110-111。

24　劉逢祿於所著〈論語述何〉篇中曾指出:「繼周者,新周故宋,以《春秋》當新王」,「(孔子)寓王法於魯,黜杞、故宋、新周,因周禮而損益之,以治百世也」(《劉禮部集》卷二)從歷史經驗明確主張以變革的態度面對歷史現實的制度問題。

25　宋翔鳳於所著《論語發微》(《皇清經解續編》,卷三八九。原題《論語說義》)即以制度問題判分今古云:「今文家者,博士之所傳,自七十子之徒遞相授受,至漢時而不絕。如王制、孟子之書所言制度,罔不合一。自古文家得周官經於屋壁,西漢之末錄之中秘,謂是周公所作……或者戰國諸人,周公之製作,去其籍而易其文,以合其毀壞兼之術,故何君譏爲戰國陰謀之書。……積疑未明,大義斯弊。」又云:「孔子爲言,損益三代之禮,成春秋之制,將百世而不易,何止十世也?……孔子作春秋,以當新王而通三統。」

關係之外，而以《新學僞經考》的基本意旨及其政治寓意作爲討論的焦點。

《新學僞經考》之意旨

　　古文經學以古文、古經相標榜，爲什麼康有爲稱之爲「新學」？按他的解釋，「古學」之名源於諸經出於孔壁，並寫以古文，但如果孔壁的故事是虛假的，「古文」自然亦爲僞撰，「古文」即爲「新文」，從而不應以「古」名之。劉歆爲新莽時代之新臣，從而他的「古經」其實是爲「新學」。依照同一邏輯，後世所謂「漢學」，亦即賈、馬、許、鄭之學，「乃『新學』，非『漢學』也；即宋人所遵述之經，乃多僞經，非孔子之經也。『新學』之名立，學者皆可進而求之孔子，漢、宋二家退而自訟，當自咎其夙昔之眯妄，無爲謬訟者矣。」[26]康有爲對「新學」的批判，很明顯與對「新政」的批判是完全一致的。

　　《新學僞經考》開宗明義，宣稱二千年來之經學爲僞學、二千年來之禮樂制度爲僞法：

> 始作僞亂聖制者自劉歆，布行僞經篡孔統者成於鄭玄。閱二千年歲、月、日、時之綿曖，聚百、千、萬、億衿纓之問學，統二十朝王者禮樂制度之崇嚴，咸奉僞經爲聖法，誦讀尊信，奉持施行，違者以非聖無法論，亦無一人敢違者，亦無一人敢疑者。於是奪孔子之經以予周公，而抑孔子爲傳；於是掃孔子改制之聖法，而目爲斷爛朝報。六經顛倒，亂於非種；聖制埋瘞，淪於霧霧；天地反常，日月

---

[26] 《新學僞經考》，《康有爲全集》（一），頁 572-573。

> 變色。以孔子天命大聖，歲載四百，地猶中夏，蒙難遘閔，
> 乃至此極，豈不異哉。……夫始於盜篡者，終於即真；始
> 稱偽朝者，後為正統。……[27]

《新學偽經考》所內具的摧破廓清的力量，是引起劇烈思想震動的基本原因。

　　然而，康有為抨擊「新學」的目的，並不在於評論一個具體的歷史事件，如果沒有更為明確的政治義涵，《新學偽經考》就不會被視為變法理論的基石，也不至先後於 1894、1898 年兩遭毀版。

　　歷來對於「《新學偽經考》之要點」的討論，集中於梁啟超所作的幾點概括[28]：

　　1.西漢經學，並無所謂古文者，凡古文皆劉歆偽作；

　　2.秦焚書，並未厄及六經，漢十四博士所傳，皆孔門足本，並無殘缺；

　　3.孔子時所用字，即秦漢間篆書，即以『文』論，亦絕無今古之目；

　　4.劉歆欲彌縫其作偽之跡，故校中秘書時，於一切古書多所羼亂。

　　5.劉歆所以作偽經之故，因欲佐莽篡漢，先謀湮亂孔子之微言大義。

　　這是梁任公對乃師學術的理解。但我們可以再進一步思考的問題是：在上述經學主題背後，是否康有為還另有更為具體和深沈的意旨？這就需要從康有為的具體闡釋進一步考察。

焚書與一統問題之關係

27　《新學偽經考》，《康有為全集》（一），頁 572。
28　梁啟超，《清代學術概論》，《梁啟超論清學史二種》，頁 63-64。

康有爲揭露僞經的出發點，首先是證明秦火並未滅絕六經。康有爲從政治、禮儀和語言等層面，重新解釋秦始皇焚書坑儒，復原在那抉擇「封建」與「一統」歷史時刻的激烈衝突，以此作爲論斷經書真僞和傳承關係的切口。

學者饒宗頤的研究指出，「一統」概念出自《史記》的《李斯傳》和《秦始皇本紀》。據前者，李斯入秦說秦皇曰：「會諸侯服秦，譬若郡縣。夫以秦之強，大王之賢，……足以滅諸侯成帝業，為天下一統，此萬世之一時也。」據後者，「議海內賴陛下神靈一統，皆為郡縣。」而《公羊傳》「君子大居正」和「王者大一統」二語很可能亦導源於此[29]。康有爲對於僞經的駁斥，明顯地包含對於「一統」的論證。

《新學僞經考》有關六經未因秦火而亡缺的討論，包含了如下兩個方面：

第一，焚書之令，但燒民間之書，而博士所職（如《詩》、《書》、六藝、百家）未遭秦火[30]。

今古文問題始於秦火，因此重新解釋焚書坑儒成爲無法迴避的問題。在這裏，表層的問題只涉及六國之書是否盡焚，而深層的問題，則關涉究竟應該以「一統」（郡縣）、還是以「封建」作爲政治制度的前提這一政治性問題。因此，論證焚書問題，其實是與「一統」問題密切相關的。秦「以吏爲師」，設立學官，廢除私學，是以統一帝國的法令和禮儀制度爲前提的。如果秦一統時代，先儒之學未廢，則「一統」時代本身的合法性也就仍然可以

---

29 參見饒宗頤，《中國史學上之正統論 —— 中國史學觀念探討之一》，（香港：龍門書店，1977）頁3。

30 相關考證可參見崔適：《史記探源》卷三，鄭樵：《通志校讎略》，以及王國維：《漢魏博士考》（《觀堂集林》卷四）等著作。

成立。

　　第二，在文字層面，康有爲攻擊劉歆僞造「古文」。他引用《說文解字序》解釋說：

> 秦始皇帝初兼天下，丞相李斯乃奏同之，罷其不與秦文合者。斯作《倉頡篇》，中車府令趙高作《爰曆篇》，太史令胡母敬作《博學篇》，皆取《史籀》大篆，或頗省改，所謂「小篆」者也。「小篆」與《史籀》相同，但頗省改，而《倉頡》、《爰曆》、《博學》俱小篆，猶可考，則籀、篆及漢儒文字無異也。是時秦燒滅經書，滌除舊典，大發隸卒，興役戍，官獄職務繁，初有『隸書』，以趣約易，而古文由此絕矣。[31]

斷言先秦籀、篆雖有承變，但無大異。又云：

> 《史籀》說見前，爲周史官教學僮書。孔子書六經，自用籀體，自申公、伏生、高堂生、田何、胡母生以來之文字，未有云變，非如歆所僞古文也。左氏不傳《春秋》，《傳》爲歆僞……《中庸》爲子思作，云：『今天下書同文。』則皆用籀體，安得文字異形？此古學家僞說。鍾鼎字雖多異，不知皆僞作者。[32]

按照這一語法解釋，則今文直承孔子，無有變異，更無別體。秦火未滅絕六經，西漢經學因此具有正統地位，後世增刪的文本必須排斥，從而確立了經學詮釋學的唯一的「正確文本」。

　　康有爲特別指出，「文字異形」是爲「諸侯異政」的一種表達方式：

> 孔子手寫之經，自孔鮒、孔襄傳至孔光十餘世不絕，別有

31　《新學僞經考》，《康有爲全集》（一），頁784。
32　《新學僞經考》，《康有爲全集》（一），頁784。

秦、魏之博士賈山、伏生及魯諸生手傳之本，師弟親授，
父子相傳，安得變異？則漢儒之文字即孔子之文字，更無
別體也。子思謂『今天下書同文』，則許愼『諸侯力政，不
統於王，分為七國，文字異形』，江式表謂『其後七國殊軌，
文字乖別，暨秦兼天下，丞相李斯乃奏罷不合秦文者』，
衛恒《四體書勢》謂『及秦用篆書，焚燒先典而古文絕』，
皆用劉歆之僞說，而誕妄之響言也。[33]

因爲古文學者承認「文字異形」的前提是「諸侯力政，不統於王」
或「七國殊軌」，許愼等古文經學者的批判，不僅是文字學上的批
判，而且也是政治理念和歷史理解上的批判。

　　依此邏輯而推，如果孔子時代並無「文字異形」的局面，那
麼先儒的正統豈不正是「一統」的局面，而諸侯封建反而是「篡」、
「攝」之僞政嗎？以一種隱喻的方式，康有爲有關秦火的討論，
直接關涉郡縣與封建、一統與分封的政治判斷：歷史上的秦火之
厄，實起於郡縣與封建的衝突。

　　在康有爲之前，廖平《知聖篇》已經論定了「秦改郡縣，正
合經義，為『大一統』之先聲。禮制，王畿不封建，惟八州乃封
諸侯。中國於『大統』為王畿，故其地不封諸侯。」[34]然而，廖
平所關注討論的是集中在經學層面的問題，並不關心封建與郡縣
的政治寓意。那麼，在康有爲來看，秦一統實行郡縣，符合六經
嗎？《新學僞經考》則從這一點出發，在各個不同的層面展開一
統（至尊）與封建（並列）的關係，用繁複的例證論證皇權中心
主義和孔子的至尊地位，從而爲大一統體制或郡縣國家體制提供
義理的基礎。

33　《新學僞經考》，《康有爲全集》（一），頁687。
34　廖平，《知聖篇》，《廖平學術論著選集》（一），頁188。

六經與孔子之關係

　　從同治到光緒兩代皇帝的四十七年間，慈禧攝政，實行獨裁統治。在這樣的時空環境中，康有為運用經學義理，一面宣導大一統和郡縣制度，另一面猛烈抨擊「居攝」、「篡位」和封建，清楚地顯示了他的政治寓意。康有為說：「當時諸侯皆祭天地，孔子定為天子祭天地。孔子之義在立差等，全從差等出；佛法平等，即無義也。」[35]一方面，孔子以立差等的方式確定了皇權的絕對地位，但另一方面，這一絕對地位是以孔子立教和孔子為聖王的形式確立的，因此皇權中心不僅是一種政治關係，而且也是一種法統秩序，皇權的合法性是建立在禮法制度的前提之上：

> 孔子言天道也，陰陽齊舉；人道也，並為於陽。故國只有一君，家只有一主，妻亦從夫之姓。……孔子以元統天，作天為一小器皿，有元以統之。……天者，萬物之本；祖宗，類之本；君、師，治之本，禮之本。孔子一切制度，皆從夫婦、父子始。[36]

　　從 1861 年北京政變到 1875 年兩宮太后「垂簾聽政」，朝廷內部有關攝政、繼嗣、繼統等問題發生過一系列事件和爭論，除了實際的政治權力鬥爭之外，也還涉及皇帝權威的基礎和規則等禮法原則問題。1861 年 8 月 22 日，英法聯軍入侵北京之後一年，咸豐帝卒；同年 8 月 24 日皇長子宣佈繼承大統。由於皇帝年幼，圍繞太后攝政的問題，朝廷內部以肅順為中心的八位御前大臣與

35　《萬木草堂口說》「春秋繁露」條，《康有為全集》（二），（姜義華、吳根梁編校，上海：古籍出版社，1990）頁 386。

36　《萬木草堂口說》「春秋繁露」條，《康有為全集》（三），（姜義華、吳根梁編校，上海：古籍出版社，1992）頁 425-427。

后黨勢力發生衝突，至十一月北京政變，肅順等被革職、處死，太后以皇帝名義宣佈「垂簾聽政」。

　　英國學者巴斯蒂對此段歷史的分析指出，奏請太后攝政的監察御史董元醇對於太后攝政的倡議，包含了三個相互關聯的方面，即：皇權實體的化身、維繫臣民尊崇皇帝的紐帶，以及政治慣例對形勢變化的適應。皇帝的權威不能是抽象的，如皇帝年幼無法親政，太后必須以攝政的方式維持皇帝的實質地位。1875 年元月十二日，同治帝駕崩，死後無子，慈禧太后以「訓諭」為名，選立年僅三歲的同治的表弟載湉為皇太子及咸豐養子。兩天之後，諭旨即宣佈太后「垂簾聽政」。

　　圍繞「攝政」的合法性問題，清廷內部有關皇權性質爭論的分歧點是：支持太后攝政者把皇位理解為統治權的實際需要，因而攝政是必要的；反對太后攝政者認為君主政體是一種制度，皇位和帝制本身就是國家存在的保障，「攝政」既無先例，也無必要。巴斯蒂指出，「1879 年與 1898 年之間，官員們被迫表達了他們對於皇權的施行的觀念，而未涉及它的本質或地位。隨著時間的推移，經過慈禧與光緒的爭權，出現了事實上分擔皇帝權力的現象，這一分權逐漸被接受並進一步加劇。」[37]

　　1886 年十二月起，光緒開始親自朱批奏章，1889 年三月四日正式親政，但慈禧仍然有權過問包括所有奏摺、呈報、決策，和高官的任命。清室皇權實際上處於一種分裂和分立的狀態。巴斯蒂評論說：「正如皇權可以像政府職位一樣分割已為人接受，君主

---

37 以上所述見巴斯蒂：《晚清官方的皇權觀念》，《開放時代》，2001 年 1 月號。譯自 Bastid, Marianne: "Official Conceptions of Imperial Authority at the End of the Qing Dynasty", Stuart.R.Schram ,ed. Foundations and Limits of State in China, School of Oriental and African Studies, University of London, 1987, pp.147-186.

政體自 1898 年面臨威脅以來，也純粹被作爲一種理性的政治制度
來捍衛，而未涉及它的神聖本質及宗教功能。這標誌著那種將帝
制的地位等同於任何政府高官趨勢的繼續。因而 1898 年對於維新
派觀點的理論上的反駁，來自於地方紳士及職位較低的省級官員
而非朝廷大臣。」[38]

這樣的歷史語境分析，爲我們重新理解康有爲的經學著作提
供了重要的線索：康有爲一方面以批駁盛推周公的古文經學爲
名，重新確認皇權中心主義，確認王位的神聖地位，完全否定了
「攝政」在皇權行使過程中的合法性；另一方面，他以標榜孔子
改制，將先王、後王、素王、聖王、制法之王等神聖範疇，加諸
於孔子而非皇帝，這樣便將孔子法統的神聖性拉高成爲皇權制度
的神聖性的前提。如此一來，便爲形成一種類似西方國家的政教
分離的社會體制，提供了內在於儒學的根據。康有爲對皇權中心
主義的論證，包含了對攝政的正統性的排斥，他採用推尊孔子遺
教的方式，顯然預設了在皇權之上的禮法權威。

《新學僞經考》強調六經的內涵和次序爲《詩》、《書》、《禮》、
《樂》、《易》、《春秋》，康有爲指出：

> 六經之序，自《禮記》、《王制》、《經解》、《論語》、《莊子·
> 徐無鬼》、《天下》、《列子·仲尼》、《商君書勿農戰》、《史
> 記·儒林傳》，皆曰《詩》、《書》、《禮》、《樂》、《易》、《春
> 秋》，無不以《詩》爲先者。《詩》、《書》並稱，不勝繁舉，
> 辨見卷二者，無疑義矣。自歆定《七略》，改先聖《六經》
> 之序，後世咸依以爲法，則無識也。[39]

康有爲認爲，六經之序所以不能淆亂，原因是「《詩》以道志，

---

38 同上註。
39 《新學僞經考》，《康有爲全集》（一），頁 792。

《書》以道事，《禮》以道行，《樂》以道和，《易》以道陰陽，《春秋》以道名分」，各經各具特殊功能。他批判劉歆〈六藝略〉中《易》、《書》、《詩》、《禮》等古文經家的排列順序，並將後世列為「經」的若干著述 —— 如《論語》、《孝經》、《王制》、《經解》、《學記》等，以至小學 —— 一概貶低為傳注[40]，確保六經的絕對的、神聖的地位。

　　《史記》列孔子於「世家」，康有為因此論證了六經的唯一根源和孔學的至尊地位，斷言：「言『六藝』者皆出於夫子，可謂至聖」，「六經筆削於孔子，禮、樂製作於孔子，天下皆孔子之學，孔子之教也」[41]。六經與孔子的無上地位，是相互支撐的，然而劉歆「於《易》則以為文王作上、下篇，於《周官》、《爾雅》以為周公作」，「舉文王、周公者，猶許行之托神農，墨子之托禹，其實為奪孔子之席計，非聖無法」[42]。為確立孔子作為聖王的絕對的和唯一的地位，康有為在指控劉歆作偽之餘，更技巧地貶低文王、周公的地位。

　　此外，康有為並以先秦諸子之老、墨、名、法、農、兵各家均與孔子分庭抗禮，論證孔子的崇高地位。蓋因諸子並存、諸教相雜，正表明大一統的時代尚未來臨，如此便在學術源流上貶低了諸子的位置，認定諸侯各國同樣尊崇孔子之教，從而將列國之勢納入孔子的一統天下：

> 七十子各散游諸侯，大者為師傅卿相，小者友教士大夫，雖以七國之無道，蓋無不從孔子之教矣。

這一九流並立的局面，要到漢武帝時代董仲舒請「諸不在『六藝』

40　《新學偽經考》，《康有為全集》（一），頁 692。
41　《新學偽經考》，《康有為全集》（一），頁 692。
42　《新學偽經考》，《康有為全集》（一），頁 692。

之科、孔子之術者，絕勿進」始告終結[43]。

　　綜合上述所論，可以看出，康有為闡述六經根源和孔子至尊地位，仍然是以去封建、大一統為中心。

史學體例與政治意涵之關係

　　康有為以孔子為聖王，即須以六藝為法。與章學誠一樣，康有為對於歷史編纂學和知識分類學的理解，是建立在編纂體制與歷史的互動關係之上，但他們對「七略」分類的態度截然相反。

　　依康有為來看，對於歷史編纂體制和知識分類體制的批評，其實包含著複雜的政治寓意。在康有為的敘述中，學術思想上的九流並置與孔子之一統共主的地位的對峙，對應著一種政治現實，即諸侯（封建）與一統（郡縣）的對峙、周邊（夷）與帝國（夏）的衝突。只有準確地體現了上述關係的歷史變化的歷史學體例和知識分類，才是正確的體例和分類。

　　依康有為所見，歷史變化是史學體例和知識分類的基本尺度，同時，審定史學體例和知識分類又是澄清歷史關係的必由之路。例如，《史記》列有《儒林傳》，並列諸子，這一「以儒列於六家」的敘述策略，恰好體現了「其時未絕異教」的歷史特點，從而《史記》「以儒與道、墨班，猶逴、夏之人樂與宋並稱，夜郎欲與漢比，亦其宜耳。」[44]漢代以後，孔教獨尊，歷史關係發生了重大變化，但自漢至明，各史仍因循舊制，列《儒林傳》，不但不能體現歷史的演化，而且徹底顛倒了歷史關係。

　　歷史編纂學和知識分類學既是歷史－政治關係的體現，因而對於知識分類（如劉歆之「七略」）和歷史編纂學（如班固《漢書》）

43　《新學偽經考》，《康有為全集》（一），頁 693-694。
44　《新學偽經考》，《康有為全集》（一），頁 694。

的內在矛盾的揭示，必然涉及對歷史－政治關係的理解和重新詮釋。史學體例和知識分類有著特定的政治寓意，決非孤立的學術史問題。在戊戌前後的語境中，康有爲迫切地需要形成一種皇權中心主義，力圖以帝制爲依託進行改革，對於攝政或分權之議持有批評態度。他的這一政治立場同時表現爲他的經學觀和歷史觀。

例如，他批判劉歆臆造三皇、變亂五帝，認爲「蚩尤為古之諸侯，而少皞亦古之諸侯，與蚩尤同。非五帝，更非黃帝之子甚明」[45]。這是對於帝位秩序的重申。

又如，《漢書·王莽傳》記載莽引《尚書·康誥》：「王若曰：『孟侯，朕其弟，小子封。』」康有爲指出這是周公居攝稱王之文，並論證說：

> 《春秋》：『隱公不言即位，攝也。』此二經，周公、孔子所定，蓋為後法。觀此，知歆之僞撰《左傳》書法，所以翼成王莽居攝而篡位者也，不聞《公》、《穀》有是義。[46]

清楚地呈現了康有爲肯定《公》、《穀》，排斥《左傳》的政治含義，即排斥「居攝」、「篡位」，並要求「正位」。

結　論

綜合上述，我們可以得到康有爲面對所處歷史時空的一個基本結論，孔子之學，才是分裂亂世中體現統一的唯一力量。所謂「《春秋》作新王」的意義正在於此。所謂「述而不作，信而好古」的方式本身，就是對「禮樂征伐自諸侯出」的針砭。

康有爲詮釋說，孔子生於「禮樂征伐自諸侯出」的時代，不得不應聘於諸侯。但是，孔子學說並不代表諸侯的利益，恰恰相

45　《新學僞經考》，《康有爲全集》（一），頁612。
46　《新學僞經考》，《康有爲全集》（一），頁613。

反,它體現的是先王之教。《新學偽經考》云孔子:

> 究觀古今之篇籍,迺稱曰:「大哉,堯之為君也!唯天為大,
> 唯堯則之。巍巍乎其有成功也,煥乎其有文章也。」又曰:
> 「周監於二代,鬱鬱乎文哉!吾從周。」於是敘《書》則
> 斷《堯典》;稱《樂》則法《韶舞》;論《詩》則首《周南》;
> 綴周之《禮》;因魯《春秋》,舉十二公行事,繩之以文、
> 武之道,成一王法,至獲麟而止。蓋晚而好《易》,讀之韋
> 編三絕,而為之傳。皆因近聖之事,以立先王之教。[47]

　　同樣的道理,七十子無論散游諸侯,抑或隱而不見,仍然是
天下並爭的局面中的一種內在的統一力量。康有為費盡心力證明
孔子學術未亡於秦火,反復說明齊魯之間儒學未絕,漢代學術正
是孔學正傳,原本即不是在為秦皇辯解,而是將孔子之學視為一
種克服天下並爭之勢的內在的統一力量。

　　值得注意的是,康有為除了通過崇奉孔子一統之學來表達大
一統(或反對分封制)的政治構想外,他的經學論述與政治論述
的結合為一,也包含對皇權發展過程中的正統性的論證。他對偽
經的揭露即是對偽政的揭露,通過對王莽篡漢與劉歆篡孔的意象
聯繫,實際上觸及的問題,正是光緒時代由於西太后攝政所導致
的皇權危機。這才是康氏一切論述背後所關連的歷史現實處境的
問題。

　　康有為說:

> 王莽以偽行篡漢國,劉歆以偽經篡孔學,二者同偽,二者
> 同篡。偽君、偽師、篡君、篡師,當其時,一大偽之天下,

---

47 《新學偽經考》,《康有為全集》(一),頁703。

何君臣之相似也！[48]

《新學僞經考》對於劉歆篡孔、王莽篡漢的抨擊，正是對皇權正統的論證。在慈禧攝政的語境中，重新擬定正統、端正皇位，正包含對清朝政治的針砭。沒有結合政治與學術的雙重關係，也就難以解釋康有為揭露僞經的動力：

> 然歆之僞《左氏》在成、哀之世，僞《逸禮》、僞《古文書》、僞《毛詩》，次第為之，時莽未有篡之隙也，則歆之畜志篡孔學久矣。遭逢莽篡，因點竄其僞經，以迎媚之。歆既獎成莽之篡漢矣，莽推行歆學，又徵召為歆學者千餘人詣公車，立諸僞經於學官，莽又獎成歆之篡孔矣。篡漢，則莽為君，歆為臣，莽善用歆；篡孔，則歆為師，莽為弟，歆實善用莽；歆、莽交相僞也。至於後世，則亡新之亡久矣；而歆經大行，其祚二千年，則歆之篡過於莽矣。而歆身為新臣，號為『新學』，莽亦與焉，故合歆、莽二傳而辯之，以明新學之僞經云。[49]

在康有為看來，王莽篡漢以劉歆篡孔為根據，劉歆篡孔則為王莽篡漢作佐證，二者互為君師，相須而行。[50]參照《春秋董氏學》中有關「天子不臣母后之黨」的文字來看：

> 《春秋》立義，天子祭天地，諸侯祭社稷，諸山川不在封內不祭。有天子在，諸侯不得專地，不專封，不得專執天

---

48 康有為：《新學僞經考》，《康有為全集》（一），頁 723。

49 康有為：《新學僞經考》，《康有為全集》（一），頁 723。

50 「歆作僞經，移孔子為周公，又移秦、漢為周制，微文瑣義，無一條不與孔子真經為難，而又陰布其書於其黨，借莽力徵求天下學者讀之，與向來先師之說相忤，無一可通者，學者蓋無不疑之，人人皆積怨於心矣。歆又以其新說作《周禮》，莽用以變易漢制，天下苦其騷擾，莫不歸咎於國師之策……」《新學僞經考》，《康有為全集》（一），頁 743-744。

子之大夫，不得舞天子之樂，不得致天子之賦，不得適天
子之貴。君親無將，將而誅。大夫不得世，大夫不得廢置
君命。立嫡以長不以賢，以貴不以長。立夫人以嫡不以妾。
天子不臣母后之黨。(《王道》)[51]

康有爲對皇權的論證，最終沒有落實在皇權本身之上，而是落實
在孔子的特殊地位之上，正是基於他獨特的政治分析眼光。

再從經學的層面看，《七略》獨尊「六藝」爲一略，統冠群書
以崇孔子，體現了孔子的正統地位的歷史局面已經確立。在這個
歷史意義上，以六藝爲一略，是時代之中的一種敍事形式，它與
《漢書》尊高祖爲《本紀》、《宋史》尊太祖爲《本紀》的含義是
完全一樣的。

然而，如果孔子的地位如同漢高祖、宋太祖，那麼，從編史
體例的角度說，七十子後學就應該同列《本紀》，享有漢之文、景、
武、昭，宋之真、仁、英、神一樣的地位，退一步，也至少應該
是「宗室諸王」的地位；與此相應，名、法、道、墨諸家的地位
約略僅相當於「漢之有匈奴、西域、宋之有遼、夏、金、元」，從
而應該列爲《傳》的範疇。

正是從這樣的思維出發，康有爲指責《七略》未能將諸子列
於「異學略」的範疇，反而以儒與名、法、道、墨並列，「目為諸
子，外於六藝，號為九流」，從而把大一統的歷史局面，等同於「陳
壽之《三國志》、崔鴻之《十六國春秋》、蕭方之《十國春秋》」所
描述的列國並爭之勢，其荒謬如同「光武修漢高之實錄，而乃立
《漢傳》、《匈奴傳》、《西域傳》、《西南夷傳》並列……」[52]一般
令人噴飯。

---

51 《春秋董氏學》卷一，《康有爲全集》(二)，頁 639。
52 《新學僞經考》，《康有爲全集》(一)，頁 695。

　　如此，不難發現康有爲《新學僞經考》的核心論點是在於，漢代以降的知識分類和歷史編纂體例，在根本上明顯顛倒了傳承統序的關係，將一統之勢混同於諸侯封建的局面。重建孔子的聖王地位同時，也正是康氏對政治領域的「篡位」、「攝政」現象的強烈譏評，是以在這個思維的關鍵處，《新學僞經考》否定劉歆《七略》，與康有爲重建孔子的聖王地位之間，也就明顯具有密切的、不可分割的連繫[53]。

53　康有爲說：「歆每事必與（劉）向反，而最惡《春秋》之誅亂賊，至其所尊者則周公也。」「周公踐天子之位，皆歆杜撰以媚莽者，不足信。」《新學僞經考》，《康有爲全集》（一），頁 992，1011。

孤獨美學：現代主義裡的古典文學情愫
── 以鄭愁予為範式

"The Aesthetics of Loneliness: The Classical Mood in the Modernist Zheng's Poems."

蕭蕭（明道管理學院助理教授）

Hsiao, Hsiao（Assistant Professor, Mingdao University, Taiwan）

摘　要

　　鄭愁予詩中所鋪陳的「美學」，源自於亙古以來文學藝術所獨具的「孤獨」心靈，其與傳統詩學交疊相映者，有以下五種端緒：隱逸思想裡的孤獨情境，邊塞風塵中的孤苦情思，閨怨懷春時的孤寂情愛，飄浪行旅間的孤絕情愁，書齋神馳下的孤高情懷，本文由此加以探索，並與馬斯洛《動機與人格》書中所提到的「意動需要」（Cognitive needs）加以類比。在「書齋神馳下的孤高情懷」裡，鄭愁予自己早已邁向包含認知需要、審美需要的自我實現中，並藉此期待他的讀者，廣大的華語世界，也邁向更高的階層，完全實現自我。

Abstract

The aesthetics of Zheng Chouyu's poems is originated from a kind of "loneliness" unique for literature, and is closely related to the traditional poetics. Starting from this point, this essay compares Zheng's poetry with the cognitive needs suggested by Maslow in Motivation and Personality. With the "haughtiness cultivated in his study", Zheng has been going towards the self-actualization of cognitive needs and aesthetic needs, and is expecting his readers, the Chinese speaker community, to move towards a higher level.

關鍵詞：鄭愁予　台灣新詩　孤獨美學

Keywords

Zheng Chouyu New poetry of Taiwan Aesthetics of Loneliness

第一節　前言：孤獨感是文學生發的源頭、成長的脈絡

朱光潛（1897-1986）在《文藝心理學》裡提到，對於同一事物，我們可以用三種不同的方式去「知」它，其先後順序是：

1. 直覺（Intuition）：見形相而不見意義
2. 知覺（Perception）：由形相而知意義
3. 概念（Conception）：超形相而知意義[1]

---

[1] 朱光潛（1897-1986）：〈美感經驗的分析（一）：形相的直覺〉，《文藝心理學》（台北：台灣開明書店，1994），頁 4-5。

　　換句話說，人與外物的觸探、連結、往復、感動，最初的相應點就是「直覺」，直覺是我們看到（聽到、觸到、聞到、嚐到）某種事物時，這種事物在我們心中對應的一個「無沾無礙的獨立自足的意象」，毫不旁遷，絕無他涉。朱光潛引述義大利美學家克羅齊（Bendetto Croce，1866-1952）對知識的兩種判定，一是直覺的（Intuitive），一是名理的（Logical），名理的知識兼指知覺與概念，所以，直覺的知識是「對於個別事物的知識」（Knowledge of individual things），名理的知識是「對於諸個別事物中的關係的知識」（Knowledge of the relations between them）[2]。他們都認為「美感的」和「直覺的」意義相近，形相的直覺就是一種美感。

　　這是就我們所認知的對象而言，形相本身毫無依附地呈現，獨立的、立即的、直覺的感應，就是一種美感。

　　但是，就認知的主體——「人」而言，人在美感產生的那一刹那，也是獨立的、毫無依傍的、立即反應的一種直覺，這時認知的個體是孤獨的（Solitude），與外界沒有任何訊息用以溝通，沒有任何意見可以交換，不依賴外人，不憑藉外物，是心與物的單純感召與呼應，是心與物的即席交流與互動，是心與物的臨場回饋與報償。所以，美學產生的那一刹那，心與物都是孤絕而獨立的，自主而尊嚴的。

　　因為孤獨，所以才有美學。

　　因此，朱光潛繼續分析美感經驗時，談到物我同一的移情作用，雲之所以飛、泉之所以躍，山所以鳴、谷所以應，「詩文的妙處往往都從移情作用得來」。他舉例說：「天寒猶有傲霜枝」句的「傲」，「雲破月來花弄影」句的「弄」，「數峰清苦，商略黃昏雨」

---

2 朱光潛：〈美感經驗的分析（一）：形相的直覺〉，《文藝心理學》，頁 5-6。

句的「清苦」和「商略」,「徘徊枝上月,空渡可憐宵」句的「徘徊」、「空渡」、「可憐」,「相看兩不厭,惟有敬亭山」句的「相看」和「不厭」,「都是原文的精采所在,也都是移情作用的實例」[3]。

不過,如果我們從「孤獨」的角度來看,這些詩句之所以精采,不都是來自孤獨的心靈與孤獨的情境?惟有孤獨的心靈才可以領會這種美,惟有孤獨的情境才可以沉澱煩囂,呈現這種美。

「我發現大半時間保持獨處是有益身心的。與人為伍,即便是與最好的夥伴在一起,也會很快覺得煩膩且浪費。我喜歡獨處,而且發現再沒有比孤獨更友善的夥伴了。當我們走出戶外,置身在人群中的時候,多半是比我們留在斗室時,更覺得寂寞。一個正在思考或工作的人,無論身在何處總是獨處的。」[4] 這是「孤獨的巨人」梭羅(Henry David Thoreau,1817-1862)的生活哲學,這也是《湖濱散記》(*Walden*,1854)第一篇文章〈孤獨〉("Solitude")的主要精神所在。梭羅是美國文學史上最著名的自然主義者,信奉個人主義、神秘主義,宣揚「不服從的權利」,主張對政府不公正的法規「消極抵抗」,這樣的信仰正是來自堅守「孤獨」此一信念。

加拿大學者科克(Philip Koch,1942-　)即以梭羅〈孤獨〉一文作為引子,寫成探究「孤獨」的專書 ──《孤獨》(*Solitude*)。其中第一部分指出「孤獨」的三項特徵:

一是獨處

二是意識中沒有別人的涉入

---

3 朱光潛:〈美感經驗的分析(三):物我同一(移情作用)〉,《文藝心理學》,頁 38。

4 梭羅(Henry David Thoreau,1817-1862):〈孤獨〉("Solitude"),《孤獨的巨人:梭羅的生活哲學》(林玫瑩譯,台北:小知堂文化公司,2002),頁 20-21。

　　三是帶有反省性[5]

　　強調「孤獨」的核心成分，是「意識中沒有別人的涉入」。因為第一項的「獨處」是身體外在的孤獨，有時身在鬧市反而更襯出內心的孤寂，所以「意識中沒有別人的涉入」才是內心真正的孤獨。至於第三項的「反省性」則爲自主的反思行爲，有時默默享受孤獨，不加回應，仍然保有孤獨的氛圍。

　　那麼，歸根究柢，「孤獨是什麼？」科克（Philip Koch）指出：「那是一種持續若干時間、沒有別人涉入的意識狀態。有了這個核心的特徵，孤獨的其他特徵也就跟著源源而出了：孤身一人；具有反省性的心態；擁有自由；擁有寧靜；擁有特殊的時間感和空間感。」[6]

　　國立台灣藝術大學教授何懷碩（1941-）深入體會孤獨，認爲獨處的美妙在於思想可以如野馬馳騁，他所品嚐的「孤獨的滋味」有四：

　　一是沉思：孤獨中才能沉思，孤獨才可能醒著作夢。

　　二是書：喜愛安靜獨處的人必定喜歡讀書，書是孤獨的另一良伴。

　　三是夜：夜是孤獨最佳的舞台。

　　四是酒：酒可能是孤獨者打開靈感的閘門之鑰。[7]

5　科克（Philip Koch，1942-　）：《孤獨》（*Solitude*，梁永安譯，台北：立緒文化公司，2004），頁 20-21。科克（Philip Koch），生於美國威斯康辛州麥迪遜市，先後求學於康乃爾大學、加州大學（柏克萊校區）和華盛頓大學，現爲加拿大公民，愛德華王子島大學哲學系副教授。

6　科克（Philip Koch）：〈孤獨的本質〉，《孤獨》，頁 40。

7　何懷碩（1941-　）：〈孤獨的滋味〉，《孤獨的滋味》（台北：立緒文化公司，2005），頁 328-336。此文寫於 1997 年，並以此爲書名，作爲懷碩三論中的《人生論》，後又增寫數節文字，援引爲科克（Philip Koch）《孤獨》的序文，見於該書之頁 3-10。

　　如果以這四種滋味來反思李白（701-762）、鄭愁予（1933-）的詩作，必有會心一笑之處，他們的作品竟是同樣來自深沉的孤獨心靈，迴游於書、酒、月、夜的沉思裡。

　　在國外，除了梭羅的《湖濱散記》以〈孤獨〉為首篇，濟慈（John Keats，1795-1821）發表的第一首詩也就叫〈「哦，孤獨」〉（"O Solitude! If I Must with Thee Dwell"），在在證明「孤獨感」是文學的生長酵素，可以循著這一脈絡發現文學豐美的水草。

〈「哦，孤獨」〉（"O Solitude! If I Must with Thee Dwell"）

> 哦，孤獨！假若我和你必需
> 　　同住，可別在這層疊的一片
> 　　灰色建築裏，讓我們爬上山，
> 到大自然的觀測台去，從那裏——
> 山谷，晶亮的河，錦簇的草坡，
> 　　看來只是一搾；讓我守著你
> 　　在枝葉蔭蔽下，看跳縱的鹿麋
> 把指頂花盅裏的蜜蜂驚嚇。
> 不過，雖然我喜歡和你賞玩
> 　　這些景色，我的心靈更樂於
> 和純潔的心靈（她的言語
> 是優美情思的表象）親切會談；
> 　　因為我相信，人的至高的樂趣
> 是一對心靈避入你的港灣。 [8]

　　濟慈在這首詩中的最後結語是：人的至高樂趣是一對心靈避

---

8 濟慈（John Keats，1795-1821）:〈「哦，孤獨」〉（"O Solitude! If I Must with Thee Dwell"），《濟慈詩選》（*Selected Poems of John Keat*，查良錚（1918-1977）譯（台北：洪範書店，2002），頁 16-17。

入孤獨的港灣，享受寧靜。無法達到這樣的理想，那就與孤獨同住吧！與孤獨同住的最好方法，則是遠離灰色建築，親近山河自然，其中有草坡、樹蔭、麋鹿、蜜蜂。如果以濟慈詩中的山河自然，樹蔭麋鹿，回頭看待鄭愁予的詩篇，其迷人處仍然是錦簇自然、純潔心靈。甚至於有時還拔高於山河之上、眾人之上，有著更高的視野，頗似尼采（Friedrich Wilhelm Nietzsche，1844-1900）〈松與閃電〉（"Pine and Lightning" 1882）所寫的不勝寒的、「沒有人可以共言」的高處：

　　〈松與閃電〉

　　我高出眾人與野獸；

　　我欲說話 —— 卻沒有人可以共言。

　　我太孤高，拔群獨立 ——

　　守候：我究竟在等候什麼出現？

　　我太靠近雲的席位 ——

　　我等待第一道閃電。 [9]

　　「松」之拔群獨立，靠近雲與閃電，說明了尼采的詩與哲思的孤高位置。鄭愁予詩作在台灣詩壇所顯現的孤高特質，可以用這首詩的意象清楚映現。

　　愛因斯坦（Albert Einstein，1879-1955）曾經這樣描述過自己：「我不屬於任何國家或任何朋友，我甚至於不屬於自己的家人。外在的人事物，我始終漠然以對。然而，我想封閉自己的願望卻與日俱增。這種孤絕的狀態，有時確實很難熬，但我從不後悔活

---

9 陳懷恩（1961-）：《第七種孤獨 —— 以尼采之名閱讀詩》（台北：果實出版，2005），頁103。

在人群之外的邊緣世界裡。我知道自己失去了什麼，但也從中獲得了行動和思想上的獨立，不需在他人的偏見中苟延殘喘。我不會爲了區區幾個脆弱的理由就放棄自己精神上的平靜。」[10]危岩上的孤松，詩壇上的愁予，其實都具有這樣的心志，這也是「孤獨美學」最優雅的身姿。愛因斯坦的描述是孤獨心靈的追求，是另一種心神專注的自我期許，是對「詩」的宗教性的虔敬。這樣的孤獨信仰，從鄭愁予寫於一九五四年的〈偈〉可以得到完全的印證：

〈偈〉

不再流浪了，我不願做空間的歌者，

　　寧願是時間的石人。

然而，我又是宇宙的遊子，

　　地球你不需留我。

這土地我一方來，

　　將八方離去。[11]

　　「空間的歌者」是在固定的時間裡轉移空間，作無謂的應酬，「時間的石人」則是以凝神專注的心自我省視，在變動不居的時間裡永恆而持續著。「這土地我一方來，將八方離去。」則是愛因斯坦所描述的：「我不屬於任何國家或任何朋友」，我甚至於不屬於地球。〈偈〉這首詩採用巨大的對比，首行說「不再流浪」，末

---

10 轉引自米雅斯（Juan José Millás）：〈孤獨，永不滅絕的瘟疫〉，《這就是孤獨》（*This Was Solitude*，范湲譯，台北：圓神出版社，2005），頁 18。

11 鄭愁予詩集經他自己整編爲兩冊：《鄭愁予詩集 I，1951-1968》（台北：洪範書店，2003），含《夢土上》、《窗外的女奴》、《衣缽》；《鄭愁予詩集 II，1969-1986》（台北：洪範書店，2004），含《燕人行》、《雪的可能》、《刺繡的歌謠》。一九八六之後的作品則集結爲《寂寞的人坐著看花》（台北：洪範書店，2004）。本文所引詩作，以此三冊爲準。

行卻是「將八方離去」；「八方離去」又跟「一方來」相對；「空間」
與「時間」，「歌者」與「石人」都是實質的相對，對映出行旅的
巨大的孤獨感。這首詩寫於一九五四年，是鄭愁予二十二歲的作
品，「孤獨美學」最剔透瑩亮的結晶，本文將循此探索鄭愁予詩作
與中國傳統詩學裡古今會通的孤獨情愫，並以日本心理學家土居
健郎（DOI Takeo，1920-　）的「依愛」（amae）之說，美國馬斯
洛（Abraham. H. Maslow，1908-1970）的人本心理學，作爲交疊
映證，互爲發明。

第二節　孤獨美學：古典詩學的情愫追索

　　科克（Philip Koch）所著《孤獨》一書的第二部爲〈評價孤
獨〉（ "Evaluating Solitude" ）。他認爲「孤獨」最常爲人所熱烈
頌揚的價值是：「它可以爲那些在社會生活中備受折騰蹂躪的人提
供一處療傷止痛之所。」[12]但就作者、作品、讀者三者之間的關
係而言，這句話的真正意義應該是：「作者因孤獨情境所創作出來
的作品，可以爲那些在社會生活中備受折騰蹂躪的人提供一處療
傷止痛之所。」鄭愁予與瘂弦（王慶麟，1932-）的作品，最足以
證述這樣的觀念。科克指出「孤獨」有五德（所謂「德」是指一
樣事物所獨有的功能或最大的功能）：

　　第一德：自由
　　第二德：回歸自我
　　第三德：契入自然

---

12 科克（Philip Koch）：〈孤獨之德〉，《孤獨》，頁 139。

第四德：反省的態度

第五德：創造性 [13]

這五種功能是詩人創作時心境的最佳寫照，若非進入「孤獨」之境，無法企及。創作是在進入全然的孤獨之中，始能獲得完整的思想的自由，不受任何干預，這時才有可能放鬆身心，回歸自我，契入自然，終而反身檢討自己，發揮創造性的能量。傅佩榮（1950-）在〈序〉中將此歸納爲「孤獨三昧」，也頗可視爲創作美學的重要意涵：

> 首先，孤獨使心靈趨於寧靜。外在的安靜可以帶來內心的平靜，在平靜中可以觀照歷歷往事，明辨成敗得失，由此接受現狀，處之泰然，得到心靈的寧靜。
>
> 其次，孤獨使思想更爲深刻。人的思想有三種作用，一是尋找因果關係，由此明白人情事理，二是向內考慮自身言行，以求表現通情達理，三是向上提昇，以求領悟人生意義，對此，孤獨是必要的機緣。
>
> 第三，孤獨使生命恢復完整。何謂完整？完整有兩層意思：一是回到自我身上，與自己契合；二是回到自我的根源，求得身心安頓。[14]

因此，這種孤獨是創作時的孤獨，是莊子（莊周，約前 365-前 290）〈逍遙遊〉所說的「鵬之徙於南冥也，水擊三千里，摶扶搖而上者九萬里」[15]的創作孤獨，不是劉勰《文心雕龍・知音篇》所感嘆的「音實難知，知實難逢，逢其知音，千載其一乎！」[16]的

---

13 科克（Philip Koch）：〈孤獨之德〉，《孤獨》，頁 137-184。

14 傅佩榮（1950-）：〈孤獨三昧〉，科克（Phiiip Koch）《孤獨》，頁 11-15。

15 莊子（莊周，約前 365-前 290）：《莊子集解》（王先謙[1842-1918]集解，台北：漢京文化公司，1988），頁 1。

16 劉勰（約 465-522）：《文心雕龍註》（范文瀾[1893-1969]註，台北：明倫出

知音孤獨。雖然鄭愁予也曾慨嘆知音難逢：「一般詩評人多半流為巧俏文字的鑑賞家，鮮有能從我的氣質上感知而又在技巧上發其微者。」[17]弔詭的是：從鄭愁予的氣質上感知其詩，在技巧上發其微，這就是創作心靈的「逆知」，這種創作心靈正是本文所要指陳的「孤獨美學」，鄭愁予對於這種「知音」難遇的惆悵，卻是後設於此的另一種孤獨。

鄭愁予詩中所鋪陳的「美學」，源自於亙古以來文學藝術所獨具的「孤獨」心靈，其與傳統詩學交疊而相映者，大約有以下五種端緒，值得抉探其微：

一是隱逸思想裡的孤獨情境，

二是邊塞風塵中的孤苦情思，

三是閨怨懷春時的孤寂情愛，

四是飄浪行旅間的孤絕情愁，

五是書齋神馳下的孤高情懷。

分論如次：

第三節　隱逸思想裡的孤獨情境

儒家思想容許在去就之際有所依違，可以在出處之間有所選擇，孔子（前 551-前 479）說：「天下有道則現，無道則隱。」（《論語・泰伯篇》）[18]、「邦有道則仕，邦無道則可卷而懷之。」（《論

版社，1970），頁 713。

17 鄭愁予：《鄭愁予詩集 II》，頁 5-6。

18 謝冰瑩（謝鳴崗，1906-2000）等編譯：《新譯四書讀本》（台北：三民書局，1983），頁 124。

語‧衛靈公篇》）[19]、「隱居以求其志，行義以達其道。」（《論語‧季氏篇》）[20]。孟子（前 385-前 304）也說：「得志，與民由之；不得志，獨行其道。」（《孟子‧滕文公篇下》）[21]、「得志，澤加於民；不得志，修身見於世。窮則獨善其身，達則兼善天下。」（《孟子‧盡心篇下》）[22]。這些言論聽起來似乎頗為達觀理性，其實，進退仕隱的抉擇衡鑑，大部分操之於人，由不得自己快意決定。而且，天下邦國有道時少，無道時多；世間君子得志者寡，失意者眾。所以連孔子都有周遊列國之行，乘桴浮海之嘆，這種踽踽而行、落落寡歡、終歸於「隱逸」的場景，在歷史的長途裡絡繹不絕。

　　即使得意，真正的君子仍然有其操守上的堅持：「自反而縮（正直），雖千萬人，吾往矣！」（《孟子‧公孫丑篇上》）[23]，這是當仁不讓、見義勇為，「有所為」的孤獨。「堂高數仞，榱題數尺，我得志弗為也；食前方丈，侍妾數百人，我得志弗為也；般樂飲酒，驅騁田獵，後車千乘，我得志弗為也。」（《孟子‧盡心篇下》）[24]，這是「有所不為」的孤獨。得志而孤獨，終究會造成實質上、或心理上的「隱逸」，形成隱逸思想裡的孤獨情境。所以，儒家的「孤獨感」或許可以解釋為：「得意不忘形，失意不落魄」的一種生命情操的堅持。

　　儒家如此，道家思想以自然的追求為宗，老子要「復歸於嬰

---

19 謝冰瑩等編譯：《新譯四書讀本》，頁 197。
20 謝冰瑩等編譯：《新譯四書讀本》，頁 213。
21 謝冰瑩等編譯：《新譯四書讀本》，頁 342。
22 謝冰瑩等編譯：《新譯四書讀本》，頁 479-480。
23 謝冰瑩等編譯：《新譯四書讀本》，頁 286。
24 謝冰瑩等編譯：《新譯四書讀本》，頁 516-517。

兒」、「復歸於無極」、「復歸於樸」[25]，　這是人生最基本、最透徹、最完整的回歸，徹頭徹尾的隱逸之行。其後的莊子曾以低層次的寓言，嘲笑在朝當官者有如藏之廟堂之上的神龜，不如「生而曳尾塗中」；嘲笑惠子在梁國的相位就像鴟鳥口中的腐鼠，自比為「非梧桐不止，非練實不食，非醴泉不飲」的鵷鶵，是不可能去搶奪那臭腐的相位[26]。　司馬遷（約前 145-前 86）《史記・老子韓非列傳》也記載楚威王以千金的重利，卿相的尊位，遣使迎接莊周，莊子說：「我寧遊戲污瀆之中以自快，無為有國者所羈，終身不仕，以快吾志焉。」[27] 但在更高層次的哲學義理中，莊子超脫了這種狹隘的仕宦意識，而以「化解生命的有限性，發現生命的獨立性，實現生命的絕對性」，達成逍遙的生命境界，[28] 超越了人世間的歸逸思想。鄭愁予的某些詩篇其實也超脫陶淵明（陶潛，372-427）、王維（701-761）的隱逸思想，接近莊子這種「生命絕對性」的逍遙境界。

　　最簡單的例子，如〈卑亞南蕃社 ── 南湖大山輯之二〉：「我底妻子是樹，我也是的；/而我底妻是架很好的紡織機，/松鼠的梭，紡著縹緲的雲，/在高處，她愛紡的就是那些雲」[29]，鄭愁予所企圖衝破的就是人與其他生物間的藩籬。如〈雨說〉：「我來了，我走得很輕，而且溫聲細語地/我的愛心像絲縷那樣把天地織在一起/我呼喚每一個孩子的乳名又甜又準/我來了，雷電不喧嚷，

25 吳怡（1939-）：《老子解義》（台北：三民書局，2002），頁 192-193。

26 莊子：〈秋水篇〉，《莊子集解》，頁 148。

27 司馬遷（約前 145-前 86）：〈老子韓非列傳〉，《史記》（台北：天工書局，1985），卷六十三，頁 2145。

28 葉海煙（1951- ）：《莊子的生命哲學》（台北：東大圖書公司，1999），頁 185-210。

29 鄭愁予：〈卑亞南蕃社 ── 南湖大山輯之二〉，《鄭愁予詩集 I》，頁 158-159。

風也不擁擠」[30]。這不僅是擬人法的使用,而是人與天象、萬化的冥合,成人之美與赤子之心的融洽。如〈厝骨塔〉:「幽靈們靜坐於無疊蓆的冥塔的小室內/當春風搖響鐵馬時/幽靈們默扶著小拱窗瀏覽野寺的風光/我和我的戰伴也在著,擠在眾多的安息者之間/也瀏覽著,而且回想最後一役的時節」[31],鄭愁予藉幽靈而發聲,他所撤除的就是生命裡生死的界線。〈生命中的小立〉最後寫到墓碑上刻著「殞星美麗/笑著殞落的星星更美麗」,這時,「我底靈魂撫著我底墓碑小立」[32],鄭愁予的詩衝破拘圍生命的有限肉體。甚至於〈殞石〉一詩,先寫殞石來自天上,羅列在故鄉的河邊,接著寫的是「我常走過,而且常常停留/竊聽一些我忘了的童年」,可見我也是殞石啊!「而且回憶那些沉默/那藍色天原盡頭,一間小小的茅屋/記得那母親喚我的窗外/那太空的黑與冷以及回聲的清晰與遼闊」[33]。 最後一句「太空的黑與冷」、「回聲的清晰與遼闊」,正以空間、時間、溫情的遼闊與流逝,襯出巨大的孤獨感。

這些詩作,鄭愁予潛入其他生命之內,不受物種的限制,不受生死的隔絕,化解了生命的侷限性,承認眾生各有生命的獨立價值,因而可以實現生命的絕對性。所謂隱逸,鄭愁予詩作所表現的,已經不只是遠離宦場、遁隱山林而已,而是從這種生命隱逸到另一種生命,是從「人」的身分中隱逸而去!

鄭愁予曾自我檢視,縱的方位他發現:生平的第一首詩,與每次間歇之後再出發的第一首詩,都是人物,「詩中的人物都是我

---

30 鄭愁予:〈雨說〉,《鄭愁予詩集 II》,頁 234-237。
31 鄭愁予:〈厝骨塔〉,《鄭愁予詩集 I》,頁 152-153。
32 鄭愁予:〈生命中的小立〉,《鄭愁予詩集 I》,頁 252-253。
33 鄭愁予:〈殞石〉,《鄭愁予詩集 I》,頁 54-55。

移情的替身，帶有我對生命一種無可奈何的悲憫。」橫的方向他
發現：「無論是哪一類的素材，都隱含我自幼就懷有的一種『流逝
感』。究之再三，這即是佛理中解說悟境的『無常觀』了。」[34]鄭
愁予稍後認爲，他的詩集之所以流傳極廣，詩中氣質所表現的「無
常觀」是主因之一：「『氣質』非常近似佛經中講說的『心』；悲憫
之心即是『菩提心』。據《大乘觀無量壽經》說：『菩提心』是『至
誠心、深心、回向發願心』。我對詩的至誠與深注是出自自然的，
然而我獨缺回向發願的心志。換言說，我之作爲一個單純詩人的
現實是小乘自我密封的行事，只在一隅默默『修行』；自許所謂的
單純詩人，原是對廣大讀者群的背義。」[35]前段提到初發寫詩，
總是源於對「人物」的悲憫，後段卻又自責獨缺回向發願的心志，
二者間的矛盾正可以用「隱逸思想」加以解釋，因爲古今中外的
隱逸之士對「人」採取退避的態度，並不妨害他的悲憫之心俯近
人群。法朗士（Peter France，1935-　）《隱士：透視孤獨》（*Hermits：
The Insights of Solitude*）一書曾引述隱者牟敦（Thomas Merton，
1915-1968）的書 "Notes for a Philosophy of Solitude"：

> 從人群中退隱，可以是對他們一種特殊形式的愛。那絕不
> 應該是對人類或對社會的一種否定。[36]
>
> 一個真正的孤獨者……會在他的孤獨中體認到孤獨是一個
> 基本而無法逃避的人類現實。因此他的孤獨會讓他對其他
> 人產生更深、更純、更柔情的通感，而不管這些其他人有

---

34 鄭愁予：〈借序〉，《鄭愁予詩集Ⅱ》，序頁 2-3。
35 鄭愁予：〈借序〉，《鄭愁予詩集Ⅱ》，序頁 8。
36 Thomas Merton（1915-1968）："Notes for a Philosophy of Solitude"，Disputed
　　Questions（New York：Farrar, Straus and Giroux, 1961），pp.192-193.轉引自
　　法朗士（Peter France，1935-　）：《隱士：透視孤獨》（*Hermits：The Insights
　　of Solitude*，梁永安譯，台北：立緒文化公司，2004），頁 338。

沒有能夠意識到自己的困境。[37]

沒有經歷過若干程度的孤獨，人就不會邁向成熟。除非人
能夠變得虛己和孤單，否則就不可能在愛中付出自己，因
為沒有經歷過孤獨的人是無法擁有自己的『深我』（deep
self），而只有擁有這個『深我』的人，才具有愛別人的能
力。[38]

這種隱逸的觀念，中國詩評家沈奇（1951-）稱之為美的逃逸，
精神的「錯位」：「錯開以意識型態為中心的所謂『時代大潮』」，「逃
向自然（與精神家園同構），寄情山水（與詩性生命空間同構）」，
尋找本真自我[39]。他認為：「『錯位』即是『消磁』，亦即對存在之
非詩非本我非詩性/神性生命部分的剝離與重構。」[40]所以，就像
傳統的「隱逸詩」必定會跟「山水詩」、「田園詩」、「自然詩」全
然疊合，鄭愁予的詩作也大量在山水間迴旋，早期作品如《鄭愁
予詩集Ⅰ》裡的第八輯〈五嶽記〉，後期作品如《寂寞的人坐著看
花》中的〈紐英崙畫卷〉、〈散詩記遊〉、〈猜想黎明的顏色〉、〈烏
蘭察布盟〉、〈寂寞的人坐著看花〉等五輯詩作，腳印遍及台灣三
千公尺以上的玉山、雪山、南湖大山、大霸尖山，外國的佛芒特
山、鱈魚角、華盛頓峰、阿拉斯加、瑞尼耳峰、布拉格，中國的
咸陽、西安、嘉峪關、大戈壁，甚至於東台灣、南台灣的小品山
水。不論何處山水，鄭愁予足之所履、目之所歷、心之所及，都

---

37 法朗士（Peter France）：《隱士：透視孤獨》（ *Hermits：The Insights of Solitude* ），
　　頁 331。
38 法朗士（Peter France）：《隱士：透視孤獨》（ *Hermits：The Insights of Solitude* ），
　　頁 340。
39 沈奇（1951-）：〈美麗的錯位 —— 鄭愁予論〉，《台灣詩人散論》（台北：爾雅
　　出版社，1996），頁 258-259。
40 沈奇：〈美麗的錯位 —— 鄭愁予論〉，《台灣詩人散論》，頁 264。

在驗證「擁懷天地的人／有簡單的寂寞」[41]。

　　是以攀登台灣百岳為樂的自然寫作者劉克襄（1957-），曾經有著比較樂觀的觀點，認為鄭愁予〈五嶽記〉諸作「唯因詩人的浪漫，這些山巒也添增了許多非寫實的璀璨色彩，瞻前顧後，現代詩從未跟台灣的山如此纏綿過，個人相信，這一組創作會是早年自然志裡重要的文學意象，繼續承傳下去。」[42]這裡的「璀璨色彩」不是山水本然的色澤，而是指詩作在讀者心中留存的意象；此節小論最該注意的，其實是「非寫實」三字，透露了詩人「心象」的寂寞，鄭愁予從未以直接呈現的方式模山範水，往往將自己生命的原神圓圓融融化入山水之中：

　　　〈靜的要碎的漁港〉
　　　我穿著白衫來
　　　亦自覺是衣著白雲的仙者
　　　而怎忍踏上這白色的船
　　　她亦是白衫的比丘
　　　正在水面禪坐著
　　　而她出竅的原神坐在水的反面
　　　卻更是白的真切

　　　我也坐下　在碼頭的木樁上
　　　鄰次的每一木樁上
　　　都有白衫者在坐定

41　鄭愁予：〈寂寞的人坐著看花〉，《寂寞的人坐著看花》（台北：洪範書店，2004），頁 120。
42　劉克襄（劉資愧，1957-）：〈你所不知道的鄭愁予〉，《中國時報‧人間副刊》1995 年 10 月 22 日。

　　我知道他們是一種白衣的鳥
　　他們知道我是一種白衣的人

　　藍天就印出這種世界
　　我與同座的原神都是
　　衣冠似雪　而我的背景 ──
　　蓮白的屋舍　骨白的燈塔
　　都是月亮的削片搭成的

　　港灣弱水
　　靜似比丘的心
　　偶逢一朵雲
　　就撞碎了[43]

　　鄭愁予在《聯合文學》一系列〈談自己的詩〉的專文中，以〈白是百色之地 ── 色（一）〉為題，自承：「『刻意』用『白』來表現我『無意』間踏入的『靜』」[44]。所以用孤獨、隱逸的情境來看待這首詩，最為正確，「衣著白雲的仙者」、「白衫的比丘」、「出竅的原神」、「偶逢一朵雲」，皆非實有之境，亦非實際摹寫，而是刻意以白裝扮自己，以白設計場景，藉以逸入純白天地，隱匿其中。這種藉山水以隱逸自己，業已超脫傳統山水詩、隱逸詩只為遠離凡塵俗世而寫的作法，邁向哲理、天機的探尋。這也證明：

　　越是隱匿在天地更深處的人，越是有著更趨簡單的寂寞。
　　天地越大，白越大，── 而寂寞越深。

---

43 鄭愁予：〈靜的要碎的漁港〉，《寂寞的人坐著看花》，頁 4-5。
44 鄭愁予：〈鄭愁予談自己的詩・白是百色之地 ── 色（一）〉，《聯合文學》214
　　期，2002 年 8 月，頁 13-14。

第四節　邊塞風塵中的孤苦情思

　　自古以來即有「匈奴之北，地之邊陲」的講法，因此，所謂「邊塞」，通常是指中國陸塊的西北方向，沿長城而迤邐；所謂「邊塞詩」，是指以塞北蒼茫爲背景，以征戰戍守爲內容的詩作。所以，代表中國北方詩歌藝術的《詩經》，有〈采薇〉、〈六月〉這種可以視爲邊塞詩類型的作品，代表中國南方詩歌藝術的《楚辭》則無。

　　「邊塞詩」的構成要件有二，一是邊塞，一是詩。以漢（前202-220）與元（1260-1368）而言，漢朝雖武威遠播，但賦體大盛而詩體格律尚未養成，邊塞之作數量不多；元朝疆域廣闊，但不重詩文，所以付之闕如。以詩重理趣、詞偏卑靡的兩宋（960-1279）而言，國勢萎弱，偏安江左，自無邊塞詩可言。至乎唐朝（618-907）則有所不同，內有文治，外耀武功，邊塞用兵頻仍，皇帝大力獎賞幕府，而詩風之盛達至歷朝顛峰：「甚矣！詩之盛於唐也：其體則三、四、五言，六、七、雜言，樂府、歌行、近體、絕句，靡弗備矣！其格則高卑、遠近、濃淡、淺深、巨細、精麤、巧拙、強弱，靡弗具矣！其調則飄逸、渾雄、沉深、博大、綺麗、幽閑、新奇、猥瑣，靡弗詣矣！其人則帝王、將相、朝士、布衣、童子、婦人、緇流、羽客，靡弗預矣！」[45]這樣的強國盛朝，這樣的詩風文氣，邊塞詩不能不盛於唐，唐不能不興起邊塞詩。若是，邊塞詩的定義可以歸納爲三：

　　一、就「歷史」而言，邊塞詩的黃金時代是盛唐，特別是開

45　胡應麟（1551-1602）：《詩藪》（外編卷三，上海：上海古籍出版社，1979），頁163。

元（413-741）、天寶（742-756）年間。

二、就「地域」而言，邊塞詩所描寫的主要是指沿長城這一長線，河西隴右這一長帶的邊塞地區。

三、就「內容」而言，邊城征戍之功，荒漠遼夐之嘆，征夫思鄉之情，思婦深閨之怨，凡此親臨實地，涉及邊塞題材，就是邊塞詩。

就這個觀點來看，地處東南海域的台灣，發展八十年的新詩場域，當然不可能出現邊塞詩，但在鄭愁予的詩篇中，現代主義影響下的作品裡，「類」邊塞詩卻成為台灣詩壇的異域風景。山水詩〈霸上印象 —— 大霸尖山輯之三〉就有這樣的句子：「不能再東怕足尖蹴入初陽軟軟的腹」、「不能再前　前方是天涯」[46]，說的雖是山的尖簪、險峻，卻也是面對邊陲的那種孤獨的感覺，再踏出去是天涯、是異國，無故人、無親朋。

以「地」而言，鄭愁予詩中彷彿永遠沒有「中央」、「中心」的感覺，「邊陲意識」非常強烈。喜歡「海」，海是大地向遠方推進的邊陲；喜歡「山」，山是大地向天空逼近的邊陲；喜歡「浪子」、「情婦」，因為那是塵世生活、社會倫理的邊陲；喜歡「向晚」，那是日與夜的邊陲；喜歡「馬蹄」，農業文明的邊陲；喜歡寂寞的「城」，傳統最後的邊陲。《鄭愁予詩集Ⅰ》中的這幾輯：〈邊塞組曲〉、〈山居的日子〉、〈五嶽記〉、〈草生原〉、〈燕雲集〉，都可視為「邊陲意識」的呈露，甚至於〈衣缽集〉要傳下革命的衣缽，不也是瀕臨邊陲的憂懼？[47]

〈邊塞組曲〉輯中的〈殘堡〉是邊地的殘堡，背景是沙丘一

---

46 鄭愁予：〈霸上印象 —— 大霸尖山輯之三〉，《鄭愁予詩集Ⅰ》，頁 175。
47 蕭蕭（蕭水順，1947-）：〈情采鄭愁予〉，《國文天地》13 卷 1 期，1997 年 6 月號，頁 58-65。

片，「怔忡而空曠的箭眼／掛過號角的鐵釘／被黃昏和望歸的靴子磨平的戍樓的石垛」，這是老了、抹上「風沙的鏽」的殘堡 —— 荒涼的景。「這兒我黯然地卸了鞍」、「我的行囊也沒有劍」、「趁月色，我傳下悲戚的『將軍令』／自琴弦……」[48]這是沒有英雄、壯士的殘堡，沒有兵、沒有劍的將軍，而且沒有真正的號令，只有琴弦上悲戚的樂曲 —— 蒼涼的心。〈殘堡〉不是家，是蒼老的歷史，孤獨的情境；〈野店〉也不是家，是無奈的命運，孤獨的旅程：「有寂寞含在眼裡的旅客」、「有人交換著流浪的方向……」[49] —— 悲涼的情。

　　〈草生原〉輯中的〈邊界酒店〉「一步即成鄉愁」，那鄉愁「伸手可觸及」[50]，不是隔著海峽、隔著墳頭、隔著船票、郵票的余光中（1928-）的鄉愁，鄭愁予將心的疆域推至盡頭，將新的鄉愁推至眼前，直直逼視 —— 那是孤獨的極至。即使〈旅程〉中曾經有親人，結果「妻被黃昏的列車輾死了」、「嬰兒像流星那麼胎殞」，曾經夫過、父過，仍然是孤獨走向世界的盡頭；曾經夫過、父過，就是不曾「走到過」[51]。就像白萩（1937-）的〈雁〉，前途：只是一條地平線，而「地平線長久在遠處退縮地引逗著我們」，「感覺它已接近而抬眼還是那麼遠離」[52] —— 那是孤獨的極至無止盡的延伸。

　　鄭愁予的邊塞不一定是真實的長城塞外，卻是具有臨場感的「非寫實」的生命的荒涼。

　　盛唐邊塞詩人以雄奇之風取勝，以健偉之骨見長，鄭愁予的

48 鄭愁予：〈殘堡〉，《鄭愁予詩集 I》，頁 20-21。
49 鄭愁予：〈野店〉，《鄭愁予詩集 I》，頁 22-23。
50 鄭愁予：〈邊界酒店〉，《鄭愁予詩集 I》，頁 198-199。
51 鄭愁予：〈旅程〉，《鄭愁予詩集 I》，頁 200-201。
52 白萩：〈雁〉，《天空象徵》，台北：田園出版社，1969，頁 16-17。

類「邊塞詩」也多風骨之作，他在受訪的紀錄中對於「婉約詩人」
的稱號頗多微辭，相反，他認爲「影響我童年和青年時代的，更
多的是傳統的任俠的精神，如果提升到革命的高度，就變成烈士、
刺客的精神。這是我寫詩主要的一種內涵，從頭貫穿到底，沒有
變。」「我的這種傳統的情操，就是任俠精神，我在詩裡表現的敦
厚、任俠這種情操，是屬於傳統的。」[53]這種情操在一九五二年
「軍校入伍期滿對鏡而作」的〈武士夢〉中初步發現，在〈衣缽〉
長詩裡積極發威，在邊塞類型詩中長期發酵，即如近期詩作〈草
原歌〉，任俠風骨依舊，孤獨依舊：

> 大戈壁沿著地表傾斜
>
> 有馬臥在天際昂首如山
>
> 忽然一顆礫石滾來腳下
>
> 啊　豈不就是那風化了的童年[54]

　　現代主義時期的鄭愁予總是將自己推至生命的邊緣地區思考
生命，這樣的作品反而成爲詩壇關注的中心。後現代主義「去中
心論」的觀點，「邊緣即是中心」的論述，竟然在現代主義時期就
有了先期性的驗證。

第五節　閨怨懷春時的孤寂情愛

　　人既是情愛動物，伴隨邊塞詩而生的必定是閨怨之作，男子
邊疆戍守，女子空閨獨守，孤寂之情，總是讓人心惻，唐人作品
如是，鄭愁予的重要抒情作品也以閨怨情節設計而成。邊塞與閨

---

53 彥火（1947-）：〈揭開鄭愁予一串謎〉，《中報月刊》，1983 年 4 月，頁 63。
54 鄭愁予：〈草原歌〉，《寂寞的人坐著看花》，頁 90-91。

怨詩二者之間，因而可以互爲印證。也就是說，鄭愁予的〈錯誤〉、
〈媳婦〉、〈情婦〉、〈最後的春闈〉、〈騎電單車的漢子〉既可以視
同唐朝的閨怨詩，則其邊塞類型詩必有盛唐邊塞詩的陽剛之氣；
反之，鄭愁予的邊塞類型詩既有唐詩風骨，則其閨怨詩必不至於
婉約柔弱如宋詞[55]。此種類型的閨怨詩因與邊塞詩相關，鄭騫
（1906-1991）特名之曰「閨怨邊塞詩」[56]。此一名稱之確立，可
以爲鄭愁予這一類型的詩作找到勁健的理解方向。

　　〈錯誤〉是這一類型詩作的代表，也是台灣現代詩可以爲全
民所接受、信服的經典之作：

　　　〈錯誤〉
　　　我打江南走過
　　　那等在季節裏的容顏如蓮花的開落

　　　東風不來，三月的柳絮不飛
　　　你底心如小小的寂寞的城
　　　恰若青石的街道向晚
　　　跫音不響，三月的春帷不揭

---

55 黃維樑（1947-）：〈江晚正愁予 —— 鄭愁予與詞〉（曾焯文譯），《中外文學》
　　21 卷 4 期（總 244 期），1992 年 9 月，頁 88-104。此文對鄭愁予的詩與詞
　　的婉約有頗多繫連與評比，資料豐富，但將〈錯誤〉一詩解讀爲大男人沙文
　　主義，視女子爲奴爲婢；在《怎樣讀新詩》（香港：學津書店，1982）中又
　　說：「本詩以『我』的動作開始，以『我』的聲明作結。這個『我』君臨全
　　詩，控制了女子感情的起伏。」引來郭鶴鳴撰文批駁：〈只有美麗，何嘗錯
　　誤？ —— 從文理詩情的解析談鄭愁予的《錯誤》〉，《人文及社會學科教學通
　　訊》15 卷 4 期，2004 年 12 月，頁 92-102。
56 何寄澎（1950-）：《落日照大旗‧導論》（台北：月房子出版社，1996），頁
　　25。文中略謂：「女子思念良人之詩通常稱爲閨怨詩，但如果思念的對象在
　　邊地，便應列入邊塞詩，它雖屬閨怨，但與一般閨怨性質又實有不同，鄭師
　　因百名爲『閨怨邊塞詩』（永嘉室札記，《書目季刊》七卷二期），至爲允當。」

你底心是小小的窗扉緊掩

我達達的馬蹄是美麗的錯誤
我不是歸人，是個過客……[57]

〈錯誤〉，典型的現代閨怨詩，推薦、解說的專文超過百篇，均不離此論。就中以沈謙（1947-2006）將此詩與唐宋詩詞的閨怨作品相比，論其情節與技巧，最為周全：「鄭愁予〈錯誤〉所呈現的惆悵悽惋的愁情，正是唐宋詩詞中常見的閨怨：從王昌齡（698-757）〈閨怨〉的『春日凝妝上翠樓』，劉禹錫（772-842）〈春詞〉的『深銷春光一院愁』，到溫庭筠（812-約 870）〈望江南〉的『過盡千帆皆不是』，乃至於柳永（約 978-1053）〈八聲甘州〉的『想佳人，妝樓顒望，誤幾回，天際識歸舟』，鄭愁予羽化出來美麗的〈錯誤〉，古今詩人的靈氣飛舞，流動在文學傳統的血脈中。至於鄭愁予的時空處理，焦點層遞的手法，其實早在兩千年前漢代〈古詩十九首〉中即已見端倪：『青青河畔草，鬱鬱園中柳，盈盈樓上女，皎皎當窗牖。』遠景、中景、近景，鏡頭的移轉，如出一轍。」[58]其後，林綠（1941-）雖以「訊契」（傳達詩內容的記號，或稱語碼 code）解讀此詩，終究回到「閨怨」與「等待」的傳統思想來：「〈錯誤〉有許多『象徵訊契』（Symbolic Code）及『文化訊契』（Cultural Code），兩者都可以帶出主題及意義格式。『閨怨』和『等待』，即是中國文化的一部份，此訊契可謂貫穿全詩，仔細讀之，當可發現。」[59]

---

57 鄭愁予：〈錯誤〉，《鄭愁予詩集 I》，頁 8。
58 沈謙（1947-2006）：〈從何其芳到鄭愁予 —— 比較評析《花環》與《錯誤》〉，《中國現代文學理論》第一期，1996 年 3 月，頁 57。
59 林綠（1941-）：〈鄭愁予《錯誤》的傳統訊契〉，《國文天地》13 卷 1 期，1997 年 6 月，頁 67-68。文末註明 Symbolic Code 及 Cultural Code，參見 Robert

　　沈奇〈美麗的錯位〉更將此詩當作浪漫主義與現代主義交疊，暨現代詩歌感應古典輝煌的重要徵象：「在適逢浪漫主義餘緒與現代主義發軔的紛爭之中，鄭愁予選擇了一條邊緣性的，可謂『第三條道路』的詩路進程。一方面，他守住自己率性本真的浪漫情懷，去繁縟而留絢麗，去自負而留明澈，去浮華而留清純，且加入有控制的現代知性的思之詩；另一方面，他自覺地淘洗、剝離和熔鑄古典詩美積澱中有生命力的部分，經由自己的生命心象和語感體悟重新鍛造，進行了優雅而有成效的挽回。由此生成的『愁予風』，確已成爲現代詩歌感應古典輝煌的代表形式：現代的胚體，古典的清釉；既寫出了現時代中國人（至少是作爲文化放逐者族群的中國人）的現代感，又將這種現代感寫得如此中國化和東方意味，成爲真正『中國的中國詩人』（楊牧[王靖獻，1940-]語）。」[60]

　　但是，值得再進一步思索的是：「閨怨」是一個失落在古典文學中的主題，在現代社會的生活情境裡出現這首詩，不免有突兀的感覺，何以鄭愁予再三設計這種題材？何以二十世紀、二十一世紀的人仍然爲此而癡迷？有評者將此詩背景替作者、讀者設想爲抗戰時期[61]，有評者說這是白話的古典詩[62]，其實都不甚允當。因爲，抗戰時期會有這樣的情意，清（1644-1911）末民初、明（1368-1643）末清初，現在或未來的世紀，也會有這樣的情意；使用的語言不論是文言或白話，使用的體裁不論是古詩、舊詞或

Scholes ：*Structuralism in Literature：An Introduction* （New Haven：Yale UP 1974），pp.154-155。

60 沈奇：〈美麗的錯位 —— 鄭愁予論〉，《台灣詩人散論》，頁 251。

61 陳大爲（1969-）：〈《錯誤》的誤讀及其他〉，《明道文藝》2000 年 1 月號，頁 150，持此見解。

62 林綠：〈鄭愁予《錯誤》的傳統訊契〉，頁 66-68，持此見解。

新詩，都會出現這樣的情意。鄭愁予詩中與〈錯誤〉相似的情意、
情節還包括〈賦別〉（1953）、〈牧羊女〉（1951）、〈媳婦〉（1957）、
〈情婦〉（1957）、〈窗外的女奴〉（1958）、〈最後的春闈〉（1961）、
〈右邊的人〉（1961）、〈寄埋葬了的獵人〉（1955）、〈騎電單車的
漢子〉（1953）等等，均勻分布在不同時期、不同輯別的作品中，
甚至於一九九三年出版《寂寞的人坐著看花》，其中「南台灣小品
之三」的〈窗前有鳳凰木〉，仍保有〈錯誤〉一詩的閨怨精神與飄
浪特質：

> 鳳凰火化了　　鳳凰木
> 餘火如花
> 那倚窗少女的望眼點燃了
> 而騎摩托的少年繞樹來
> 風鼓起水色的紋衫
> ── 嶄！火花在水上開[63]

〈錯誤〉與〈窗前有鳳凰木〉顯示不同的設計：東風、柳絮
圍繞下的江南古城／二十世紀的台灣府城（也是台灣的古城）。達
達的馬蹄聲／二十世紀摩托車的喧囂。冷色系統的春柳的綠、街
道青石的青／暖色系統的鳳凰花的火紅。春帷不揭、窗扉緊掩（不
曾出現的你）／倚窗的少女。

即使時空、色彩有著這樣巨大的轉換，但不變的，是「少女
的望眼」，逐漸遠去的「達達的馬蹄」或逐漸遠去的「風鼓起的水
色的紋衫」。不變的，是女性的臨窗遠望，男性的奔赴遠方。

鄭愁予這一系列的情詩所傳達的是東方人含蓄的愛，日本精
神醫學專家土居健郎（Takeo Doe，1920-）[64]曾以日語的「甘え」

---

63 鄭愁予：〈窗前有鳳凰木〉，《寂寞的人坐著看花》，頁 118。
64 土居健郎（Takeo Doe，1920-），醫學博士，一九二〇年生於東京，東京大學

（amae）解釋日人的基本心性，分析日本社會與西洋社會生活模式的相異。「甘え」（amae）依其音義翻譯爲「依愛」，或許正可以解釋鄭愁予這一系列的情詩何以能夠得到大家喜愛。土居健郎認爲：「依愛的原型，是乳兒依稀知道媽媽和自己是個別的存在，而渴望緊緊依偎媽媽身上。」「依愛的心理可以定義爲：企圖否定人類存在本來不可分離的部分（結果卻）分離的事實，以解除分離的痛苦。」[65]這種依愛是被動的、溫柔的一種索愛的行爲，類近於撒嬌，甚至於是小狗搖尾乞憐（憐就是愛）的動作，可見這是人類共同的行爲模式，但在西方語言系統中缺乏相對應的詞彙，更足以說明鄭愁予詩中臨窗「望眼」的那種期盼，是含蓄的愛的表現，是東方人心中共同的盼望。鄭愁予掌握了這種含蓄的特質，成功傳達了大家共同的心聲。那種臨窗望著逐漸遠去的「達達的馬蹄」、逐漸遠去的「風鼓起的水色的紋衫」，心中所升起的孤獨感，卻也是古今交相疊映、不必言說的心情。

第六節　飄浪行旅間的孤絕情愁

　　就如同閨怨詩不可與邊塞詩切割一樣，閨怨詩的孤寂情愛也難以跟飄浪行旅間的孤絕情愁分離。

醫學院畢業，美國緬寧格（Menninger）精神醫學院研究，舊金山精神分析學會研究，曾任美國國立精神衛生研究所研究員，日本聖路加國際醫院神經科主任，東京大學醫學院教授，日本國際基督教大學教授，日本國立精神衛生研究所所長。著有《日本式的「愛」》、《「依愛」雜稿》、《「依愛」與社會科學》等書。
65 土居健郎：《日本式的「愛」》（《「甘え」の構造》，黃恒正譯，台北：遠流出版公司，1986），頁 86。

〈留了短柬〉

在床上正躺著你的耳環

像留下的一束短柬

「我的家其實是我的天涯……」

　竟這麼淒婉的寫著

我拾起耳環放在掌心上

掛念你又回到無奈的地方

「我把你的姐妹留在浪子的手上了……」

　對那另一隻耳環你必會這麼傷感地述說著 [66]

　　耳環的短柬在訴說:「我的家其實是我的天涯……」,這是閨怨。你傷感地訴說:「我把你的姐妹留在浪子的手上了……」,那是飄浪者的自我調侃。典型的閨怨懷春跟飄浪行旅間的短暫相聚,寫的卻是別後的無奈與傷感。

　　鄭愁予自承「我的無常觀與詩俱來」,他說:「『無常觀』對我是一種自識後的了悟。終於可以從我的心理歷程中覆按出原生的氣質。從筆名、書名、時而躍然紙面的語彙和暗喻,我發現由『無常觀』衍生的主題,涵蓋了我大多數的篇章,特別是國殤烈士的情懷。……對生命的悲憫,加之對大自然『仁和』的體念,使我的『山水詩』、『愛情詩』,以及『詠懷詩』,在迥異的藝術形式背後,卻沉潛著一個由同一氣質形成的內層世界。」[67]

　　就「筆名」而論,鄭愁予原名鄭文韜,取「愁予」為筆名,典出二詩,其一是屈原(約前 343-前 277)〈九歌〉中的〈湘夫人〉:「帝子降兮北渚,目眇眇兮愁予,嫋嫋兮秋風,洞庭波兮木葉下。」

---

66 鄭愁予:〈留了短柬〉,《鄭愁予詩集Ⅱ》,頁 331。
67 鄭愁予:〈借序〉,《鄭愁予詩集Ⅱ》,序頁 3。

正是傳統詩學裡為國事而憂、為君王而愁的詩篇。其後又有「沅
有芷兮澧有蘭，思公子兮未敢言，慌惚兮遠望，觀流水兮潺湲。」
[68] 可以視為〈錯誤〉這種遠望而未敢言的閨怨詩基型，呼應著前
節所論。其實更應注意的是《楚辭》的香草之為君子，美人之為
君主，正是鄭愁予「國殤烈士情懷」的暗喻，不僅是單純的閨房
之私而已。

　　愁予筆名之典，其二是來自辛棄疾（1140-1207）〈菩薩蠻〉
（書江西造口壁）：「鬱孤台下清江水，中間多少行人淚。西北望
長安，可憐無數山。　青山遮不住，畢竟東流去，江晚正愁予，
山深聞鷓鴣。」[69] 這闋詞之所以愁，是因為鷓鴣的鳴叫聲「行不
得也哥哥」，行不得也卻仍要行，是「愁予」的緣由；而詞一開始
的「清江水，行人淚」，則呼應本節的飄浪行旅，孤絕情愁。如是，
「愁予」二字的典故由來，既呼應閨怨詩，又呼應行旅之作，再
度證明鄭愁予所言：「迥異的藝術形式背後，沉潛著一個由同一氣
質形成的內層世界。」屈原、辛棄疾兩人同為傳統詩學中具足強
烈而深摯的愛國情操的詩人，「愁予」筆名典出二人之詩，其實也
可以輔證鄭愁予閨怨詩、行旅詩的設計，只是「面具」的應用，
不可輕忽他胸口燃燒的烈火，孤獨邁步的夐異天姿。

　　至於「書名」，最早的詩集《草鞋與筏子》（1949）與最近的
詩集《寂寞的人坐著看花》（1993）[70]，也一樣顯豁地明示著行旅

68　姚鼐（1732-1815）：《古文辭類纂》（王文濡評註，台北：華正書局，2004），
　　頁 1796。

69　辛棄疾（1140-1207）：《辛棄疾詞選》（劉斯奮[1944-]選注，台北：遠流出版
　　公司，2000），頁 16-17。

70　鄭愁予詩集的出版序：《草鞋與筏子》（湖南：燕子出版社，1949），《夢土上》
　　（台北：現代詩社，1955），《衣缽》（台北：商務印書館，1966），《長歌》
　　（自印，1968），《窗外的女奴》（台北：十月出版社，1968），《燕人行》（台
　　北：洪範書店，1980），《雪的可能》（台北：洪範書店，1985），《刺繡的歌

的孤獨。

　　焦桐（1956-）論述《鄭愁予詩集》，說：「他的山水詩多具現為一種浪子情懷」，強調：「鄭愁予的詩有一種流浪情意結，一種被空間固著的恐懼，他的陳述者因此是永恆的浪子，到處飄泊，甚至自我放逐。」「鄭愁予詩裡的浪子雖然故作瀟灑，卻總是神色憂鬱，進行一趟又一趟的感傷之旅。他佈置的場景經常是黃昏，是海洋，是邊城，是陳述者在旅途上，或準備離別、想像返回的時候。這樣的情境，不僅是單純的描山繪水，也擔負了另一層次的任務。」[71]也就是說，鄭愁予的山水詩、隱逸詩、閨怨邊塞詩，訴說的都是一方來八方去的宇宙遊子的情懷。鄭愁予認為自己的作品受古典詩詞影響的並不多，影響最深的是〈古詩十九首〉所表現的「人生的無常」，人生無常，其實就是人生從出生到死亡都在流浪，這是詩中表現的最基本精神。早期名詩〈歸航曲〉、〈夢土上〉、〈鄉音〉、〈賦別〉、〈貝勒維爾〉、〈水手刀〉、〈如霧起時〉、〈燕人行〉，近期隱逸山水之作，都是生命流浪的悲歡曲，隱約的孤獨心境。

　　無常的生命觀，漂泊的宿命論，因此成為〈古詩十九首〉之後綿綿不絕的那股動人的弦音，繼續在鄭愁予的詩作中嗡嗡作響，成為現代詩壇最美好的旋律。一九七三年楊牧即指出：「新詩運動以來，愁予是最能把握這個題材（浪子意識的變奏）的詩人。」[72]「愁予當然是浪子，……新詩人中最令人著迷的浪子。」[73]十五

謠》（台北：聯合文學社，1987），《寂寞的人坐著看花》（台北：洪範書店，1993）。

71　焦桐（葉振富，1956-）：〈建構山水的異鄉人 ── 論鄭愁予《鄭愁予詩集》〉，文建會主辦、聯合報副刊承辦「台灣文學經典學術研討會」，1999，頁 1-3。

72　楊牧（王靖獻，1940-）：〈鄭愁予傳奇〉，台北：《幼獅文藝》38 卷 3 期（總237 期），1973 年 9 月，頁 20。楊牧這篇論文成為論述鄭愁予詩作的經典之

年後，孟樊（1959-）讀鄭愁予的詩，仍然歸結爲〈浪子意識的變奏〉：「如果鄭愁予的詩有中國傳統的古典風味的話，則流浪的美和因流浪而造成的浪漫情懷，無疑是構成此種古典風味的最重要素質。」[74]所以，哲學上佛教的無常觀，具現爲飄浪行旅的孤絕情愁，就成爲現代主義與古典詩學交疊的重要憑藉，長年旅居國外的鄭愁予自己就曾以美學上的「距離」解說這種成就好詩的因子：「『距離』是產生好詩的因子，空間變遷則又是產生『距離』的因子，詩人不遨遊，難能寫得出出色的作品來。……我所說的『宇宙的遊子』是詩人的原型，時間只是載具，居住海外易於利用這個載具，變換空間造成距離，乃能網獲豐富的詩的因子。」[75]

　　這種「變換空間造成距離」的漂泊感，如果有一天自己定靜下來，仍然會將萬物推向極遠的海天線，將自己置入無限大的空曠中，用以保持距離、保持孤絕：

　　畫自己走入湖水
　　蕭髮爽然如一管洗淨的彩筆

　　畫情日送客
　　白雲之消散[76]

　　盡褪彩衣，盡散白雲，鄭愁予的〈自畫相〉畫的不是圖「像」，而是外在情境所塑造的一種理想的實現之「相」，空白之至極，接

作，後出的論點大約都以此爲中心旋生而出。
73 楊牧：〈鄭愁予傳奇〉，《幼獅文藝》38 卷 3 期（總 237 期），頁 41。
74 孟樊（陳俊榮，1959-）：〈浪子意識的變奏：讀鄭愁予詩〉，《文訊雜誌》30 期，1987 年 6 月，頁 151。
75 鄭愁予：〈詩人生命中的距離〉，《散文的創造（上）》（瘂弦編，台北：聯經出版公司，1998），頁 70。
76 鄭愁予：〈自畫相〉，《寂寞的人坐著看花》，頁 153。

近就中無何物的禪。

第七節　書齋神馳下的孤高情懷

　　從《燕人行》（1980）開始，鄭愁予的詩集中總會出現「書齋生活」這樣的一輯詩，好像要從飄浪行旅間穩下心思，定靜自己。其實卻更能見證出孤獨美學在鄭愁予詩中的完整演出。

　　首先，「書齋生活」的篇章一直在不同的詩輯中進出、更換：

　　《燕人行》（1980）：〈書齋生活〉（內含〈易經〉等七首）、〈十月有麗日候其人至日暮未至〉、〈讀信〉，共九首。

　　《雪的可能》（1985）：〈excalibur〉、〈hologram〉、〈曇花〉、〈曇花再開〉等十六首。

　　《刺繡的歌謠》（1987）：無書齋專輯。

　　以上三書合集為《鄭愁予詩集Ⅱ》（2004）時，第十輯即為「書齋生活」，但此輯僅收入〈疊衫記〉、〈搬書運動〉、〈書齋生活〉（棄去第七首）、〈踏青即事〉、〈守墓人偶語〉五詩。其中〈踏青即事〉、〈守墓人偶語〉來自《燕人行》第四輯「踏青即事」；〈疊衫記〉來自《雪的可能》第二輯「窗外春」。《燕人行》、《雪的可能》中原屬「書齋生活」的僅保留〈書齋生活〉、〈搬書運動〉二詩；其他《燕人行》中的〈十月有麗日候其人至日暮未至〉、〈讀信〉，《雪的可能》裡的十五首分別散入下面三輯：「談禪與微雨」、「蒔花剎那」、「一碟兒詩話」。如此費心搬遷，或許可以承認所謂「書齋生活」其實是「書與冥想」交疊了窗外、春、踏青、禪、微雨、蒔花、詩話……。再看《寂寞的人坐著看花》（1993）第五輯仍舊保有「書齋生活」，從收入的七首詩的篇名〈淵居〉、〈棄筆〉、〈蘭亭

序註〉、〈夜〉、〈推窗見塔〉、〈仙錄〉、〈火煉〉，或可證明前面所述書齋與生活的多重交疊輝映，其言不虛，又可見晚近三十年鄭愁予以書齋生活作爲「不可不孤獨」的生活態勢，亦不待細數。

　　書齋生活自然會跟「書」相關，「多少與讀閒書有些關聯……」「書上的文字能看得進的，若不是紙上山水作喻的，便是紙上的城闕風雲，非幽邃即雄渾。」[77]不過，如果只跟書相關，就不會牽繫那麼多相異的輯名，鄭愁予曾自言《雪的可能》這本詩集只有兩個類型：由心靈外射世界的便是「書齋生活」，由外象向內觸及心中隱藏的「戚悚或欣喜」便是「散詩記遊」[78]。如此，書只是觸媒，只是載具，甚至於，書齋只是提供玄想的平台，藉由書、書齋，心靈可以無止境地漫遊於六合之內、六合之外。若是，鄭愁予所謂「書齋生活」其實類近於莊子的「逍遙遊」、心與神的「逍遙遊」，超越形體的限制。

　　遊必有方，方必有所限，不論推及到多遠的邊陲，延續到多久的年歲，只有書齋裡的「神遊」才可以真正逍遙不墜。《莊子》內篇所提到的「遊」幾乎都是這種心的「逍遙遊」、神的「逍遙遊」：

> 若夫乘天地之正，而御六氣之辯，以遊無窮者，彼且惡乎待哉？故曰：至人無己，神人無功，聖人無名。[79]
> 乘雲氣，御飛龍，而遊乎四海之外。其神凝，使物不疵癘而年穀熟。[80]

---

77 鄭愁予：〈鄭愁予談自己的詩・書齋生活（壹）〉，《聯合文學》222 期，2003 年 4 月，頁 112。

78 鄭愁予：〈鄭愁予談自己的詩・書齋生活（壹）〉，《聯合文學》222 期，頁 115。

79 莊子：〈逍遙遊〉，《新譯莊子讀本》（黃錦鋐註釋，台北：三民書局，1981），頁 52。

80 莊子：〈逍遙遊〉，《新譯莊子讀本》，頁 53。

乘雲氣，騎日月，而遊乎四海之外。[81]

無謂有謂，有謂無謂，而遊乎塵垢之外。[82]

自其異者視之，肝膽楚越；自其同者視之，萬物皆一也。
夫若然者，且不知耳目之所宜，而遊心乎德之和。[83]

孰能登天遊霧，撓挑無極，相忘以生，無所終窮？[84]

彼方且與造物者為人，而遊乎天地之一氣。[85]

予方將與造物者為人，厭，則又乘夫莽眇之鳥，以出六極
之外，而遊無何有之鄉，以處壙埌之野。[86]

汝遊心於淡，合氣於漠，順物自然而無容私焉。[87]

　　所謂「四海之外」、「塵垢之外」、「六極之外」，所謂「無何有
之鄉」、「壙埌之野」，唯有書齋神馳才能達至，唯有心靈神思才能
造就。所謂「合氣」，所謂「遊心」，唯有人與至人神人相會晤才
能盡其興，唯有心與天地自然相感應才能暢其神。

　　〈逍遙遊〉的「遊」，徐復觀（1904-1982）認為是由具體遊
戲中所呈現出的自由活動昇華上去的，以作為「精神狀態得到自
由解放的象徵」[88]。「逍遙」或作「消搖」，「遊」或作「游」，徐
復觀以字質詮釋法分析這三個字：「消者，消釋而無執滯，乃對理
而言。搖者，隨順而無抵觸，乃對人而言。游者，象徵無所拘礙
之自得自由的狀態。總括言之，即形容精神由解放得到自由活動

81　莊子：〈齊物論〉，《新譯莊子讀本》，頁 65。
82　莊子：〈齊物論〉，《新譯莊子讀本》，頁 65。
83　莊子：〈德充符〉，《新譯莊子讀本》，頁 96。
84　莊子：〈大宗師〉，《新譯莊子讀本》，頁 109。
85　莊子：〈大宗師〉，《新譯莊子讀本》，頁 109。
86　莊子：〈應帝王〉，《新譯莊子讀本》，頁 120。
87　莊子：〈應帝王〉，《新譯莊子讀本》，頁 120。
88　徐復觀（1904-1982）：《中國藝術精神》（台北：學生書局，1979），頁 64。

的情形。」[89]這時的精神狀態應該是不由自主的、「不能不孤獨」的「凝神」狀態，這樣的神馳之思，是詩最動人心弦的地方，最不經意的完美境界。所以，有人以莊子〈逍遙遊〉作爲「遊」意識的經典，認爲〈逍遙遊〉反映出人們心靈深處對於自由的根本性、普遍性的嚮往，指出〈逍遙遊〉的原創性表現於三個方面：「一、跨越了當時文化語境的『天下』意識，提出了『遊於方之外』的另類哲思。二、觸及人之存在的根本問題，『遊』作爲精神性的轉化昇華，體現詩意存有的自由境界。三、創造了一種詩意道說，以意象傳移意涵，以情境體現哲思 —— 遂輻射其影響二千餘年，成爲許多知識份子精煉其世界觀和價值觀的重要支點，也在理解和詮釋之中蛻化各種新的理論型態，開展出不同的意蘊內涵。」[90]鄭愁予近三十年書齋神馳的孤高情懷，正是其前四十年「形體」之遊的轉化、昇華，以爐火純青的詩作體現莊子〈逍遙遊〉自得而無所求無所待、自由而無需依無需傍的精神境界。現以其「書齋生活」前、中、近三期的三首詩作爲例證：

　　「書齋生活」的第一首詩是《燕人行》的〈易經〉，《易》是傳統文化二位元最原始的構圖，一切生機相互激發的源頭，這樣的巧合不是機緣的偶然，而是現代主義隱隱約約確有傳統文化的倒影顯映。

　　〈易經〉的遠背景是開闊、朗潤的：「雨潤過/飛白/藍天在/裱褙」，中背景是悠閒而往復的：「整張下午/柳枝老是寫著/一個燕字」，特寫的是生與死兩極共存的凡常場景：「而青蟲死命地讀

---

89 徐復觀：《中國人性論史・先秦篇》（台中：中央書局，1963），頁393。

90 鄭雪花：《非常的行旅 —— 〈逍遙遊〉在變世情境中的詮釋景觀》（台灣：成功大學中國文學研究所博士論文，2005年6月），頁17。

/蛛網那本/線裝的易經/生門何在/卦象平平」[91]，彷彿以遠距離在看宇宙萬象的生存鬥爭，有著了悟後的淡然。

　　至乎〈曇花〉，觀者是盲者，袪除五色，所以能更接近事物的本質：「此際我是盲者/聆聽妻女描述一朵曇花的細細開放/我乃向聽覺中回索/曾錄下的花瓣開啓的聲音」，甚而推向六合之外「且察得星殞的聲音/虹逝的聲音/（那朵花又突然萎謝……）/我又反覆聽見/月升月沒」。這種拔高到以聲音描述天體之星殞、虹逝、月升、月沒，已可以跟莊子〈逍遙遊〉的鯤鵬怒飛「摶扶搖而上者九萬里」相比擬。最後，「我起身/徐徐轉動我的盲睛/追尋那潛入食花的牧神/這些事/妻女和曇花/如何知道」[92]的孤獨感，或已勝過「之二蟲又何知」的慨嘆！

　　最後以目前出版的詩集中「書齋生活」輯最末一首的〈火煉〉，欣賞鄭愁予如何以火煉火、以自己煉自己，那種龐大、虛無而絕對的孤獨：

　　　　焚九歌用以煉情
　　　　燃內篇據以煉性
　　　　煉性情之為劍者兩刃
　　　　而煉劍之後又如何？
　　　　就煉煉火的自己吧

　　　　煉自己成為容器
　　　　不再是自己而是
　　　　大實若虛
　　　　此所謂爐火純青

91　鄭愁予：〈易經〉，《燕人行》（台北：洪範書店，1980），頁81-82。
92　鄭愁予：〈曇花〉，《雪的可能》（台北：洪範書店，1985），頁37-38。

　　是容飛蛾即興闖入

　　過癮而不……

　　焚身[93]

　　依修辭學「借代法」的原則，九歌用以指稱屈原、《楚辭》的精神，內篇則指《莊子》〈逍遙遊〉以降的思想內涵。以火煉火、以自己煉自己，最後的正果是「大實若虛」，虛空而可以容實，飛蛾撲火（火已不是火）──過其癮而不焚其身。那種龐大、虛無而絕對的孤獨，實存而不存，不存而無所不存。

　　這三首詩都選擇了冷色系統的「青」──〈易經〉的藍天、柳枝、青蟲，〈曇花〉的盲者（台語：盲者稱為「青冥」），〈火煉〉的爐火純青。「青」是一種遠遁而離別的顏色，一種清冷而消逝的孤獨。鄭愁予如是完成他詩中隱逸遁離的孤獨美學。

第八節　結語：孤獨感在台灣詩學裡的追摹與穿梭

　　如果以「孤獨感」追索詩人的心路歷程，或許會發現自古以來文學正是苦悶的象徵，詩人敏銳的神經尤其容易受到震顫，怪不得古人常以「詩窮而後工」作為立論基礎。但「窮」有二義，一是曲弓其身處於穴中的窮困現象，一是屈身斗室的窮究精神，因此，所謂「孤獨感」不是單單指著「曲弓其身處於穴中」、被動的「不得不孤獨」，更應該是「屈身斗室」、主動的「不可不孤獨」。

　　因此，「我怕孤獨」，可以成就好詩；「我不怕孤獨」，更可以成就好詩。

---

93 鄭愁予：〈火煉〉，《寂寞的人坐著看花》（台北：洪範書店，199）3，頁 106-107。

　　歸結前面各節所論，此文將透過傳統詩人的孤獨感、國外心理學家的探索，確立台灣詩學中孤獨美學的傑異峰極。

　　首先，傳統詩人的孤獨感或許可以解讀爲四種情境：

一是自然派的空間孤獨

　　天地至大而我至小，如柳宗元（773-819）〈江雪〉：

　　　千山鳥飛絕，萬徑人蹤滅；

　　　孤舟簑笠翁，獨釣寒江雪。[94]

二是社會派的時間孤獨

　　歷史長流萬古綿延而人生卻短暫如電光石火，代表性的作品是陳子昂（661-702）〈登幽州臺歌〉，有舉世皆濁唯我獨清、眾人皆醉唯我獨醒的沈痛：

　　　前不見古人，後不見來者。

　　　念天地之悠悠，獨愴然而涕下。[95]

三是抒情派的人情孤獨

　　眾弦俱寂，你是唯一的高音，如李白的送別詩、還鄉詩，不論憂喜，都可能外鑠爲高聳的兩座青山之間一條綠水逶邐來去：

　　　天門中斷楚江開，碧水東流至此回。

　　　兩岸青山相對出，孤帆一片日邊來。（〈望天門山〉）[96]

　　　朝辭白帝彩雲間，千里江陵一日還。

　　　兩岸猿聲啼不住，輕舟已過萬重山。（〈早發白帝城〉）[97]

　　　故人西辭黃鶴樓，煙花三月下揚州。

　　　孤帆遠影碧空盡，惟見長江天際流。（〈黃鶴樓送孟浩然之廣陵〉）

---

94 柳宗元（773-819）：〈江雪〉，《唐詩新賞》第 10 輯（張淑瓊主編，台北：地球出版社，1989），頁 209。

95 陳子昂（661-819）：〈登幽州臺歌〉，《唐詩新賞》第 1 輯，頁 167。

96 李白（701-762）：〈望天門山〉，《唐詩新賞》第 5 輯，頁 205。

97 李白：〈早發白帝城〉，《唐詩新賞》第 5 輯，頁 213。

98

四是哲理派的意境孤獨

如王維的〈竹里館〉：「他並不想脫逃這世界，他的希望是寄託在『大自然母親』的懷抱中。他的〈竹里館〉顯出同大自然孤獨在一起的時候，他是多麼的舒適自在：

　　獨坐幽篁裏，彈琴復長嘯；

　　深林人不知，明月來相照。

明月能窺見他，他已是心滿意足了；他較孟浩然（689-740）更依戀大自然，單獨的時候他就彈琴自娛，像一個嬰孩在母親的膝上嬉戲那般自得。這母親說：『看，看，我的孩子，月亮在覷著你！』這孩子也就歡喜。」[99]

台灣新詩作者踽踽獨行的孤獨感，大約也要從這四種孤獨中描摩、摸索。

相對於此，西方心理學家對於「孤獨」的理解，投入相當多的心力，約略而言，可以析分為幾個不同的方向，台灣新詩作者也有幾許作品可以做為呼應：

一、人天交流是心境的清澈、靈魂的舒暢

信賴天人可以相互交流而獲得清明超脫，相當於古典詩人的自然派。

紐約大學應用心理學系教授艾絲特・布赫茲（Ester Schaler Buchholz，1933-2004）就認為：「愛默生（Ralph Waldo Emerson，1803-1882）所講的對自然的愛好，代表一種更深入的獨處。對他

---

98 李白：〈黃鶴樓送孟浩然之廣陵〉，《唐詩新賞》第 5 輯，頁 417。

99 吳經熊（1899-）：《唐詩四季》（徐誠斌[1920-1973]譯，台北：洪範書店，1980），頁 34-35。

及其他十九世紀二、三〇年代的超驗主義者（transcendentalist）
來說，若想要獲得內在的清明超脫，與自然交流是極其重要的。
池湖、原野、流水、石岩、山巒、樹林、海洋，都能給我們帶來
耐心、平靜與滿足。這些開闊的空間充滿著某種神秘，人的心靈
本來就是可以領悟它的。」[100]

　　自古以來強調意象創造的詩人，要以天地日月、風雨雷電、
山川草木、蟲魚鳥獸，作為情感的寄託，都可以說是此一類型的
服膺者。鄭愁予的山水之作、抒懷之篇，絕大多數都以自然為興
懷寄情的客體，藉自然以療己之傷、止人之痛，將自然的神秘引
入詩中，成為鄭詩特有的神秘，在山窮水盡的地方，看見人生的
風起雲湧。以余光中（1928-）而言，他不是台灣的自然主義詩人，
如果連他都有這種類型的作品，那就可以看出此類作品繁多而無
法備載：

　　〈空山松子〉
　　── 〈山中暑意七品〉之一

　　一粒松子落下來
　　沒一點預告
　　該派誰去接它呢？
　　滿地的松針或松根？
　　滿坡的亂石或月色？
　　或是過路的風聲？
　　說時遲
　　那時快

---

100 赫茲（Ester Schaler Buchholz，1933-2004）：《孤獨的呼喚》（*The Call of Solitude*，傅振焜譯，台北：平安文化公司，1999），頁44。

　　一粒松子落下來

　　被整座空山接住[101]

　　〈空山松子〉頗有王維「人閒桂花落，夜靜春山空。月出驚
山鳥，時鳴春澗中。」（〈鳥鳴澗〉）的幽趣。山之所以為空，夜之
所以為靜，不就是因為人的孤獨嗎？所以，桂花落或者松子落，
月亮出或者山鳥鳴，微細的變化都足以引起心靈的驚覺。

二、流離孤絕是歷史的衝激、文化的創傷

　　傳統詩歌的亂離、流放、邊塞、閨怨、傷逝、悼亡，都屬於
這一類型的作品。

　　美國心理分析師魏蘭-波斯頓（Joanne Wieland-Burston）在討
論孤獨之苦時指出：「另外還有一種孤絕的體驗，也是自洪荒以來
便始終是人類縈懷不去的：因貶謫或是流放而生的孤絕。」「和親
朋好友、熟悉的鄉土、文化，乖隔兩地，於人心所引發的創痛，
眾所周知是既深且鉅；所以，不論古人、今人，都喜歡以此作為
嚴刑峻法。遠古文獻裡的流放，泰半是將人驅離所屬的土地或是
文化。聖經裡亞當和夏娃被逐出伊甸園的故事，便是『存在遺棄』
（existential abandonment）的原型。」[102]

　　一九四九年以後，台灣詩壇湧進一群遠離母土的詩人，他們
的孤絕的體驗成為台灣現代詩最重要的衝擊力，在漂流、亂離的
孤絕處，找尋「逢生」的機會，在歷史的隙縫中，聚沙為土，塑
造「遺棄的存在」，要讓他人看見他們的存在。這一線孤獨的清冷，

101　余光中（1928- ）：〈空山松子 —— 山中暑意七品之一〉，《紫荊賦》（台北：
　　　洪範書店，1986），頁 62-63。

102　魏蘭 —— 波斯頓（Joanne Wieland-Burston）：《孤獨世紀末》（*Contemporary
　　　Solitude*，宋偉航譯，台北：立緒文化公司，1999），頁 41。

包括以鄭愁予、瘂弦爲代表的現代派、藍星、創世紀詩社同仁，
都流著流浪者的血液，有著異鄉人的悲愁與堅毅，因此，「創傷」
的必然處偶爾也催生「創生」的或然。以辛鬱（宓世森，1933- ）
的詩〈青色平原上的一個人〉第一節爲例：

> 〈青色平原上的一個人〉
>
> 如果你們說它是一種人的聲音，就讓它像是一種人的聲音
> 吧：
>
> 我要哭了。在沒有水草的大路上走著我是什麼東西？是貓
> 頭鷹不屑一顧的白晝裏那一抹一抹淡淡的煙雲呢？或者我
> 是一行一行清泉在一張瘦乾的臉膛上。或者我是一隻喝空
> 了的汽水瓶，在海灘上那麼充滿哲學意味的那麼道德的沉
> 思？我要哭了。沒有人理睬我彷彿我是日常死去了的一些
> 事件一樣我是攤開的手掌一樣的貧乏。
>
> 我要哭了。
>
> 歷史在那裏呢？
>
> 有沒有迴響？
>
> 喂，擺正你的腳趾別只顧走向你自己！啊！那要說多可怕
> 就有多可怕說多髒就有多髒說多棘手就有多棘手的人的生
> 命這種東西；這種跌進時間絕谷就翻不轉身來的頂頂不是
> 東西的東西。啊，一個小紅球似的一個肉質太陽順著時針
> 方向滑溜溜地滾了過來。汪汪。我哭出了這種聲音。
>
> 在青色平原上，汪汪汪汪。[103]

　　汪汪汪，青色平原上的一個人所哭出來的聲音，多麼無助、
卑微！

---

103 辛鬱（宓世森，1933-）：〈青色平原上的一個人〉，《辛鬱‧世紀詩選》（台
　　北：爾雅出版社，2000），頁 36-38。

　　鄭愁予詩中所呈現的大苦難時代裡小人物的悲歡曲、流離圖，「小說企圖」式的表達方式，久久觸動讀者的心弦，多屬於這種創傷後的沈澱。

三、靜心觀察是感覺的觸探、情意的張揚

　　日人土居健郎提出的「依愛」觀，說明人對情愛的依附與渴求，來自嬰兒時期和母親的共生關係。但隨著年歲增長，人們早已經掙脫子宮包覆、臍帶供養的親密關係，因此，人必須學會獨處。布赫茲（Ester Schaler Buchholz）甚至於提出「大自然將獨處列在第一順位」的說法，他說：「大自然建立了一個提醒生物睡眠/清醒的機制，稱爲『晝夜生理節奏』（circadian rhythms），這種生理時鐘有助於調節我們的晝夜週期，影響我們很多行爲，包括不睡眠與失眠的行爲。睡眠是大自然保證我們可以獲得獨處時間的方式。」[104]因此，非睡眠時間我們也必須創造身靜、心靜，類近於睡眠的、免於受干擾的獨處時間，或私密空間。這時，我們是清醒的觀察者，詩人則從中沈澱情緒，理清情愁，獲取意象，創造意境。

　　所以，近七十歲的隱地（柯青華，1937-）從日常生活中看見一萬種寂寞：「等不到風/樹寂寞。等不到眼睛/畫寂寞。劇場沒有觀眾/椅子寂寞。思想沒有性慾/夜寂寞。書籍布滿灰塵/知識寂寞。創作者等不到欣賞者/靈魂寂寞。主人老了/鏡子寂寞。沒有光亮的顏面/歡笑寂寞。看不見船/河寂寞。等不到情人的撫摸/乳房寂寞。」[105]當然，他也看見人生的對待關係。

---

104 布赫茲（Ester Schaler Buchholz）：《孤獨的呼喚》，頁 21。
105 隱地（柯青華，1937-）：〈寂寞方程式〉，《一天裡的戲碼》（台北：爾雅出版社，1996），頁 102-104。另收入隱地：《七種隱藏‧隱地詩選》（*Seven Kinds*

　　三十歲的李長青（1975-）則從「落葉」的飄零看見寂寞的可能：「色澤的明滅之一／樂音的繞樑之一／思慮的雛型之一／夢想的顛倒之一。草原的恐懼之一／文句的轉品之一／天涯的想像之一／詩人的心跡。」「行旅的反覆之一／自然的傾慕之一／微風的心事之一／黃昏的布幕之一。玫瑰的相異之一／飄搖的平衡之一／歸去的憧憬之一／此生的命題。」[106]當然，他也看見詩人所追摹的孤獨是一輩子的命題。

　　在孤獨中，詩人更能自由張望，更敢大膽張狂。鄭愁予《寂寞的人坐著看花》「書齋生活」輯中，有幾句「又當如何」，張揚了儒者卻有飲者的狂放！如〈淵居〉詩，自比為龍在淵居，當陽光洩下有如深淵清澈，即使讀線裝書，「不裸泳又當如何」！如〈棄筆〉詩，自許為「造物者之筆」，以寫美女為樂，美女寫盡，「不棄筆又當如何」！如〈蘭亭序註〉詩，飲宴蘭亭本為雅事，但與鑑湖女俠相比，自嘲「俗如鵝輩」，雖然「俗如鵝輩」，依然是「不鵝步而去，又當如何」！[107] 這是情義孤獨的另一種真精神。

四、凝神冥想是人性的徹悟、智慧的增長

　　如果我們把詩人自我的孤獨要求，提高到宗教的情操，就可以發現偉大的宗教家都瞭解孤獨的力量，躬親實踐孤獨。他們以閉關、遁離的手段，遠避人群，期望從此得到開示、啟悟，然後再返回人群，分享智慧、福份。

　　英國精神醫學醫師史脫爾（Anthony Storr, 1920-）在《孤獨》

---

of Hiding，唐文俊譯，台北：爾雅出版社，2002），頁 98-100。

106　李長青（1975-）：〈落葉 27〉，《落葉集》（台北：爾雅出版社，2005），頁64-65。這冊詩集六十四首詩都在書寫不同樣式的落葉。

107　鄭愁予：〈淵居〉、〈棄筆〉、〈蘭亭序註〉三詩，《寂寞的人坐著看花》，頁94-99。

（*Solitude*）一書中，遍舉宗教領袖從孤獨中得到智慧的經過，提醒大家惟有藉助孤獨，才能學習、思考、創新，與自己的內在世界保持接觸：「關於釋迦牟尼（Shakyamumi Buddha，566BC-486BC）雖然有各種傳說，但是我們可以說，當他在那伊朗雅那河畔的樹下冥想，並且豁然大徹大悟時，他對人類處境的長期思考就已達到最高點，也是最終點。根據〈馬太福音〉（"Matthew"）和〈路加福音〉（"Luke"），耶穌（Jesus）在曠野裡度過四十天，並且遭受魔鬼的試探，然後才回來宣示懺悔與救世的信息。穆罕默德（Muhammed，571-632）在每一年的齋月期間，都會避隱到希拉山的洞窟裡。西恩那的聖加德琳（St. Catherine of Siena，1347-1380，羅馬天主教的聖者）開始她教書與佈道的活躍生涯之前，曾在貝寧加撒街的小房間裡隱居三年，並且在這段期間歷經一連串神秘的經驗。」[108]如此看來，詩人必要保持孤獨的心靈，才可以接納感動，經歷神秘，開啟靈智。

　　鄭愁予自一九四九年出版詩集《草鞋與筏子》以來，對詩有著宗教般的虔敬。六十年凝神專注於詩，交疊著傳統古典詩的空間孤獨、時間孤獨、人情孤獨、意境孤獨於其詩作中。他又跟台灣其他詩人一樣，受到西學東漸的影響，隨處流露人天交流的山水情境，令人心境清澈、靈魂舒暢，特別是一九四九年的世紀大流離，造成詩人巨大的孤絕感，而〈衣缽〉一詩在歷史的衝激、文化的創傷下，仍然昂揚而行。詩人隨處靜心觀察，自在地以感覺觸探人生，自得地張揚人我共通的情意，「生為造物者之筆」，以天賦氣質，如風之流行，如雲之飄然，遊走天下，成為華語世界最讓人傾心的詩人。近三十年書齋的凝神冥想，洞澈人性，洞

---

108 史脫爾（Anthony Storr，1920- ）：《孤獨》（Solitude，張嚶嚶譯，台北：知英文化公司，1999），頁43。

見智慧，彷彿從某一石窟冥思後走出的智者。這正是美國人本心
理學者馬斯洛（Abraham. H. Maslow，1908-1970）所述的「自我
實現者」。[109]如果以此反思鄭愁予詩中所鋪陳的「美學」，那些源
自亙古以來文學藝術所獨具的「孤獨」心靈，且與傳統詩學交疊
而相映者：隱逸思想裡的孤獨情境，邊塞風塵中的孤苦情思，閨
怨懷春時的孤寂情愛，飄浪行旅間的孤絕情愁，竟是馬斯洛《動
機與人格》（*Motivation and Personality*）中所提到的「意動需要」
（Cognitive needs）中的第三層次「歸屬與愛的需要」
（Belongingness and love need）。鄭愁予詩中所配置的人物「如果
這一需要得不到滿足，個體就會產生強烈的孤獨感、異化感、疏
離感，產生極其痛苦的體驗。」[110]大苦難時代下的人物，鄭愁予
所悲憫的人生，或許只能在「歸屬與愛的需要」、「尊重的需要」
中掙扎，但在「書齋神馳下的孤高情懷」裡，鄭愁予自己早已邁
向包含認知需要、審美需要的自我實現中，期待他的讀者，廣大
的華語世界，也邁向更高的層次，完全實現自我。

109馬斯洛（Abraham. H. Maslow，1908-1970），人本心理學之父，美國威斯康
　　辛大學心理學博士，他擷取完形心理學的整體論與精神分析學的動力論精
　　華，形成他著名的整體動力論（wholistic-dunamic theory），著有《動機與人
　　格》（*Motivation and Personality*）、《人性的極致》（*The Farther Reaches of Human
　　Nature*）等書。他所提的「自我實現」，可以參閱莊耀嘉編譯：《馬斯洛》第
　　三章、五章、六章（台北：桂冠圖書公司，2004）。呂明、陳紅雯譯《第三
　　思潮：馬斯洛心理學》第三章（台北：師大書苑，1992）。
110彭運石（1964-）：《走向生命的顛峰 —— 馬斯洛的人本心理學》（台北：貓頭
　　鷹出版社，2001），頁 139。馬斯洛在《動機與人格》書中將人的需求分為
　　三大互相重疊的類別：意動需要、認知需要、審美需要。在意動需要中他又
　　分為由低到高的五個階層：生理的需要（Physiological need）、安全的需要
　　（Safety need）、歸屬與愛的需要（Belongingness and love need）、尊重的需
　　要（Esteem need）、自我實現的需要（Self-actualization need）。《走向生命的
　　顛峰》有完整的介紹。

本章參考書目

◎中文書目（依作者姓氏筆畫排列）

朱光潛：《文藝心理學》，臺北：臺灣開明書店， 1994。

吳怡：《老子解義》，臺北：三民書局，2002。

沈奇：《臺灣詩人散論》，臺北：爾雅出版社，1996。

沈謙：〈從何其芳到鄭愁予 —— 比較評析《花環》與《錯誤》〉，《中國現代文學理論》1 期，1996 年 3 月，頁 39-60。

何寄澎：《落日照大旗》，臺北：月房子出版社，1996。

何懷碩：《孤獨的滋味》，臺北：立緒文化公司，2005。

辛棄疾：《辛棄疾詞選》，劉斯奮選注，臺北：遠流出版公司，2000。

林綠：〈鄭愁予《錯誤》的傳統訊契〉，《國文天地》145 期，1997 年 6 月，頁 66-68。

孟樊：〈浪子意識的變奏：讀鄭愁予的詩〉，《文訊月刊》30 期，1987 年 6 月，頁 150-163。

姚鼐：《古文辭類纂》，王文濡評註，臺北：華正書局，2004。

徐復觀：《中國藝術精神》，臺北：學生書局，1979。

徐復觀：《中國人性論史·先秦篇》，臺北：臺灣商務印書館，1988。

莊子：《新譯莊子讀本》，黃錦鋐註釋，臺北：三民書局，2003。

莊子：《莊子集解》，王先謙集解，臺北：漢京文化公司，1988。

陳大為：〈《錯誤》的誤讀及其他〉，《明道文藝》286 期，2000 年 1 月，頁 148-154。

陳懷恩：《第七種孤獨 —— 以尼采之名閱讀詩》，臺北：果實出版，2005。

郭鶴鳴：〈只有美麗，何嘗錯誤？ —— 從文理詩情的解析談鄭愁予的《錯誤》〉，《人文及社會學科教學通訊》88 期，2004 年 12

月，頁 92-102。

焦桐：〈建構山水的異鄉人：論鄭愁予《鄭愁予詩集》〉，《幼獅文藝》545 期，1999 年 5 月，頁 35-42。

彭運石：《走向生命的顛峰 —— 馬斯洛的人本心理學》，臺北：貓頭鷹出版社，2001。

黃維樑：〈江晚正愁予 —— 鄭愁予與詞〉，《中外文學》21 卷 4 期，1992 年 9 月，頁 88-104。

楊牧：〈鄭愁予傳奇〉，《幼獅文藝》237 期，1973 年 9 月，頁 18-42。

葉海煙：《莊子的生命哲學》，臺北：東大圖書公司，1999。

劉勰：《文心雕龍》，范文瀾注，臺北：明倫出版社，1970。

鄭愁予：《鄭愁予詩集 I》，臺北：洪範書店，2003。

鄭愁予：《鄭愁予詩集 II》，臺北：洪範書店，2004。

鄭愁予：《寂寞的人坐著看花》，臺北：洪範書店，2004。

鄭愁予：〈鄭愁予談自己的詩：色（一）白是百色之地〉，《聯合文學》214 期，2002 年 8 月，頁 10-15。

鄭愁予：〈鄭愁予談自己的詩：色（二）青，是距離的色彩〉，《聯合文學》216 期，2002 年 10 月，頁 24-27。

鄭愁予：〈鄭愁予談自己的詩：色（三）三色旗〉，《聯合文學》216 期，2002 年 10 月，頁 28-29。

鄭愁予：〈鄭愁予談自己的詩：色（四）藍 VS.綠〉，《聯合文學》218 期，2002 年 12 月，頁 10-14。

鄭愁予：〈鄭愁予談自己的詩：書齋生活（1）〉，《聯合文學》222 期， 2003 年 4 月，頁 112-116。

鄭愁予：〈鄭愁予談自己的詩：書齋生活（2）〉，《聯合文學》223 期，2003 年 5 月，頁 86-89。

鄭雪花：《非常的行旅 ——〈逍遙遊〉在變世情境中的詮釋景觀》，

臺灣：成功大學中國文學研究所博士論文，2005 年 6 月。

蕭蕭：〈情采鄭愁予〉，《國文天地》145 期，1997 年 6 月，頁 58-65。

謝冰瑩等編譯：《新譯四書讀本》，臺北：三民書局，1983。

◎中譯書目（以原作者姓名字母為序）

布赫茲（Buchholz, Ester Schaler）：《孤獨的呼喚》（*The Call of Solitude*），傅振焜譯，臺北：平安文化公司，1999。

法朗士（France, Peter）：《隱士：透視孤獨》（*Hermits: The Insights of Solitude*），梁永安譯，臺北：立緒文化公司，2004。

濟慈（Keats, John）：《濟慈詩選》（*Selected Poems of John Keats*），查良錚譯，臺北：洪範書店，2002。

科克（Koch, Philip）：《孤獨》（*Solitude*），梁永安譯, 臺北：立緒文化公司，2004。

米雅斯（Millás, Juan José）：《這就是孤獨》（*This Was Solitude*），范湲譯，臺北：圓神出版社，2005。

史脫爾（Storr, Anthony）：《孤獨》（*Solitude*），張嚶嚶譯，臺北：知英文化公司，1999。

梭羅（Henry David Thoreau）：《孤獨的巨人：梭羅的生活哲學》，林玫瑩選譯，臺北：小知堂文化公司，2002。

土居健郎（DOI Takeo）：《日本式的「愛」》（「甘え」の構造），黃恒正譯，臺北：遠流出版公司，1986。

魏蘭 —— 波斯頓（Wieland-Burston, Joanne）：《孤獨世紀末》（*Contemporary Solitude*），宋偉航譯，臺北：立緒文化公司，1999。

劉若愚及其比較詩學體系

詹杭倫

内容提要 劉若愚是美籍著名華裔比較詩學研究家，他平生寫作了八部與中國詩學有關的專著并發表了大量的研究論文。他的比較詩學理論體系在西方漢學界產生了重大的影響，同時對中國文藝理論走向國際化也有不可忽略的借鑒意義。本文在全面研讀劉氏專著及其論文的基礎上，對其建構的比較詩學體系作了整合性的描述。

關鍵詞：劉若愚 國際漢學 比較詩學

James J.Y. Liu's System of Comparative Poetry

Zhan Hang-lun

Abstract: James J.Y. Liu is a famous American scholar of Chinese origin. whose profession is Comparative Poetry. He has eight monographs and a lot of papers on Comparative Poetry between China and Occident. His System of Comparative Poetry not only influences the Sinology of Occident, but also leads Chinese literature theory to the world. The paper analyses James J.Y. Liu's system of Comparative Poetry based on most of his works.

Keywords: James J.Y. Liu International Sinology Comparative Poetry

劉若愚（James J.Y. Liu，1926-1986），美國著名華裔中英比較詩學研究學者。1948 年畢業于北京輔仁大學西語系，又在清華研究院英文所攻讀一學期，兼任英籍教授威廉·燕蔔蓀（William Empson）的助教。1952 年在英國布裏斯托爾大學（University of Bristol）獲碩士學位，指導教授爲牛津大學著名詩學家包勒（C.M.Bowra）。其後，長期在美國斯坦福大學（Stanford University）擔任中國文學和比較文學教授，曾任該校亞洲語言學系主任。[1]

劉若愚具有深厚的漢學功底，同時精通西方文學研究的理論和方法，他長期生活在西方學術語境中，形成他觀察中國文學及其理論的獨特角度，通過兼采中西兩種文學批評的特長，創造出理解與闡釋中國文學思想的系統理論。他有關中國文學研究的主要著作有八種（《中國詩學》1962，《中國之俠》1967，《李商隱的詩》1969，《北宋六大詞家》1974，《中國文學理論》1975，《中國文學藝術精華》1979，《語際批評家：闡釋中國詩歌》1982，《語言·悖論·詩學：一種中國觀》1988），這些著作總結歸納他的理論思考，是他融會貫通中西文學批評主張的具體實踐，他的多種著作被列爲西方漢學的必讀書。除了理論專著外，劉若愚還有大量的中國文學研究論文和中國古典詩詞的英譯作品。當前活躍在美國漢學界的學者大多在不同程度上受到劉若愚學術思想的影響。

1　《東夏悼西劉》[美]夏至清，臺北《中國時報》1987 年 5 月 25 日《人間副刊》。

　　中國學術界對劉若愚及其學術成就雖早聞其名，但未知其詳，通常提及的劉氏著作僅限于《中國詩學》和《中國文學理論》等少數幾種。本文在全面研讀劉氏專著及其論文的基礎上，擬對其所建構的比較詩學體系作出整合性的描述。

一、研究中國文學的三個路向

　　劉若愚的比較詩學體系在其 1962 年發表的英文著作《中國詩學》已見端倪，這本書在英語國家和西方世界享有盛名，成爲西方漢學名著。作者在潛心研究各種流派的中國傳統詩論的基礎上，通過中西結合的方式，形成自己新的詩學觀念及其評詩方法，然後用西方讀者易于接受的術語介紹和闡釋中國傳統詩學，既讓西方讀者感覺通俗易懂，又以其飽含西方學術素養的系統批評方法爲習慣于中國傳統文論術語和思維方法的東方讀者拓展了視野。全書分爲三篇，概括了劉若愚研究中國文學及其批評理論三個路向的思考。

　　上篇"作爲詩之表現媒介的中文"，是向西方讀者介紹中國的語言文字在詩歌創作、分析與鑒賞中的功用與特徵。劉若愚在《中文版序》中指出其書的撰寫目的是"爲了幫助西方讀者瞭解中國古典詩歌而作的"，所以自謙地說明上編"在中國讀者看來，會覺得很幼稚"。[2]其實這一方面的知識 不僅對大多數西方讀者瞭解和欣賞中國古詩具有重要的意義，而且對中國青年讀者掌握古代詩歌基礎知識也會有所幫助。

　　中篇"中國的傳統詩觀 "，是對古代中國各派批評家的詩學觀念加以梳理剔抉，他將中國傳統詩學的理論歸納成四種頗具

2　《中國詩學》[美]劉若愚著、杜國清譯，臺北幼獅文化公司 1977 年版，第 1頁。

代表性的詩學觀念，即“道學主義詩觀”（the didactic view），“個性主義詩觀”（the individualist view），“技巧主義詩觀”（the technical view）和“妙悟主義詩觀”（the intuitionalist view）等，分別加以闡釋。這部分的內容稍嫌單薄，後來在其《中國文學理論》一書中得到擴大和深入的闡發。

下篇“朝向一個綜合的理論”，是作者在綜合中西詩觀的基礎上建構自己的詩學觀念和評詩方法。劉若愚認為：“詩是不同的境界和語言的探索。”[3]所謂“境界的探索”，劉若愚定義為“生命之外面與內面的綜合”，前者不只包括自然的事物和景象，而且包括事件和行為，後者不只包括感情，而且包括思想、記憶、感覺、幻想；換言之，詩中的“境界”，同時是“詩人對外界環境的內省與整個意識的表現”。所謂“語言的探索”，是指一首詩不是過去經驗的僵死記錄，而是“把過去的經驗跟讀寫詩歌的現在體驗融合起來的活的過程”，而這一過程不外乎是“尋找適當的聲調格律和意象次序”以表現 “境界”。在此基礎上，劉若愚建立起自己的兩個評詩標準：一是：“這首詩是否探索它獨有的境界？”二是：“在語言的使用上，它是否開創新的局面？”[4]由此判斷這首詩是真的還是假的，是好的還是壞的，是偉大的還是平庸的。

《中國詩學》雖然是劉若愚的早期著作，某些觀點也許尚不够成熟，但它代表了劉若愚置身西方學術語境中研究漢學三個路向的思考：

第一、西方漢學家首先需要處理的是兩種文化背景之間，具體而言，是兩種語言之間的問題。對這一方面進一步的思考，形

---

3 同上，第 147 頁。
4 同上。

成劉若愚後來的另外兩部著作：《語際批評家》（The Interlingual Critic, 1982）和《語言‧悖論‧詩學：一種中國觀》（Language-Paradox-Poetics: A Chinese Perspective,1988）。

第二、從西方學術理論觀念出發，中國傳統的文學理論需要加以系統化，只有系統化之後，中國傳統文學理論才能够爲西方讀者所理解，幷且逐漸融入世界文學理論之林。對這一方面的進一步思考，形成了劉若愚的另一部著作《中國文學理論》（Chinese Theories of Literature, 1975）。

第三、研究中國詩學理論的目的是融會西方與中國傳統的詩學觀念，從而建立起自己的詩學觀念，幷理論聯繫實際，把自己的詩學觀念落實到對中國傳統文學作品的解讀之中。對這一方面的進一步思考，形成劉若愚的另外三部著作：《李商隱的詩》（The Poetry of Li Shang-yin,1969）、《北宋六大詞家》（Major Lyricists of the Northern Sung, 1974）和《中國文學藝術精華》（Essentials of Chinese Literature Art ,1979）。爲了更廣泛地瞭解中國傳統社會，劉若愚還撰寫了一部《中國之俠》（The Chinese Knight-errant，1967）。

我們可以按照上述這三個路向來把握劉若愚的比較詩學體系。

二、跨語種的批評家

在《語際批評家》一書中，劉若愚指出，在西方漢學界存在著兩種身份的中國文學批評家：

> 第一種是在中國出生及受教育，幷以中文爲母語，而現在身處英語國家或至少在以英文爲教學語言的機構中任職的批評家。第二種則是以英語或其它歐洲語種爲母語，而視

中文爲學術科目，并以教授或研究中國文學爲專業的批評
家。[5]

顯然，劉若愚本人是第一種身份的批評家，而哈佛大學東亞
系的宇文所安（Stephen Owen）則顯然是第二種身份的批評家。
作爲跨民族、跨語言、跨文化的批評家，他們都要思考置身于不
同語言和文化之間的批評角度和方法問題。

劉若愚明確地申明他的觀點是：

> 我一方面不贊成不加區別地運用現代西方的批評術語、概
> 念、方法和標準來研究中國詩歌，另一方面也不同意走向
> 另一極端，堅持認爲只有采取中國的傳統方法才能研究這
> 種詩歌。[6]

顯然，劉若愚所要尋找的是一種中西結合的研究中國文學的
方法，一條真正具有比較文學性質的途徑。劉若愚不斷地思考"普
遍的文學性質和特點、普遍適用的文學作品評價標準是否存
在"？[7]他心中憧憬著美好的未來："綜合中西文學理論、批評概
念和批評方法，以便爲中國文學研究提供一個理論基礎和一個實
用的方法論。"[8]在《中國詩學》一書中，他寫了《朝向一個綜合
的理論》一章；在《中國文學理論》一書中，他又寫了《朝向中
西文學理論的綜合》一章，積極探討怎樣綜合中西文學理論的問
題。

他所提出的綜合的方法主要有三種：

---

5 《語際批評家》[美]劉若愚（James J.Y. Liu，*The Interlingual Critic: Interpreting Chinese poetry*, Indiana University Press, 1982）導言，p.ix。

6 同上，p.xi。

7 《近來西方中國文學研究的發展、趨勢和前景》[美]劉若愚，[美]《亞洲研究》
第 35 卷第 1 期 1975 年 10 月版，第 28 頁。

8 同上，第 29 頁。

其一、不同文本幷列比較。劉若愚認爲："只有通過將兩種不同傳統的文本幷列，我們才可看出各自的特色。"[9]例如，他曾經將老子與拉崗進行比較："老子强調陰柔的一面而不是剛强的一面，拉崗（Lacan）可能會將'超越意指'與陽物連在一起。老子則似乎會將之聯繫到女性器官。這種作法與陽物中心主義正好相反，也許可以稱之爲陰性中心主義。"[10]又如，他曾經將劉勰的"心生而言立，言立而文明"說與席德尼（Sir Philip Sydney,1544-1586）"言語次于理性，是人類最大的天賦"說幷列比較，認爲兩種之同，皆認爲"語言是人類獨特的才能"；兩者之异，顯出儒家與基督教人文主義者之差异："對劉勰而言，語言是人類心靈的自然顯示，這本身也是宇宙之道的自然顯示；對席德尼而言，語言和理性都是上帝賜予人類的天賦。"[11]

其二、綜合中西文論的某些元素。劉若愚認爲："當我說中西文論綜合之時，幷不意味著綜合所有的中西文論，而是某些中西可靠的文論元素的綜合。"[12]劉若愚主張綜合中西文學理論中的某些可靠元素，其目的在于建立適應西方讀者理解中國文學的新理論。例如，他的詩觀"詩是不同的境界和語言的探索"，便是在綜合若干中西文論元素的基礎上形成的。又如，他關于"意象"的見解（詳下"詩歌意象分析法"），也是中西文論綜合的産物。

9　《語言·悖論·詩學》[美]劉若愚　（*Language-Paradox-Poetics: A Chinese Perspective*, Princeton University Press, Princeton, New Jersey ,1988）導言，第 xi-xii 頁。

10　同上，第 21 頁。

11　《中國文學理論》[美]劉若愚著，杜國清譯，臺北聯經出版社 1981 年版，第 89-91 頁。

12　《語際批評家》[美]劉若愚，第 105-106 頁。

其三、注重不同語言各自的特點。在《中國詩學》一書中，劉若愚以較大篇幅解說六書造字，指出西人無視漢字內有表音因素是錯誤的，爲漢語的特性正本清源。劉若愚認爲，某些中國詩句主語的省略的結果是："與西方眾多以自我爲中心、以入世爲依歸的詩歌相比，中國詩歌常常有一種無關個人、融于宇宙的普遍性質。"[13]例如，英國詩人華滋華斯（Wordsworth）的詩句："我曾孤獨地漂泊如一朵雲。"（I wandered lonely as a cloud）中國詩人也許只寫成："漂泊如雲。"（Wander as cloud）前者記錄下受空間和時間限制的一種個人經驗，而後者呈現出具有普遍適應性的一種存在狀態。

香港學者朱耀偉在《從西方閱讀傳統中國詩學：三個范位》一文中曾經對劉若愚詮釋中國傳統文論的位置提出批評，指出："從劉若愚的例子，我們可發現'語言之間'并不是一個中性地帶，而批評家也無可能超越兩種語言文化而以超然的角度去檢視及比較兩種不同之文化系統。"[14]不過，他也承認劉若愚爲我們閱讀傳統中國詩學提供了新的角度和視點。

三、中國文論的系統化

美國英語教育學者艾布拉姆斯（Meyer Howard Abrams, 1912-）在《鏡與燈—浪漫主義理論批評傳統》（*The Mirror and the Lamp: Romantic Theory and Critical Tradition*）一書中提出了作品、藝術家、世界、欣賞者等文學四要素的說法[15]，并且建立起

---

13 《中國詩學》[美]劉若愚（*The Art of Chinese Poetry*, The University of Chicago Press, Chicago,1962，p.41）。

14 《後東方主義 —— 中西文化批評論述策略》[香港]朱耀偉，臺北，駱駝出版社 1994 年版，第 198 頁。

15 《鏡與燈 —— 浪漫主義理論批評傳統》[美]艾布拉姆斯著，袁洪軍等譯，中

以作品爲中心的三角形文學理論架構，圖示于下：

宇宙（world）

作品（works）

藝術家（artist）　　　　　　　　　　欣賞者（audience）

　　艾布拉姆斯從作品與宇宙的關係導出"模仿理論"，從作品與欣賞者的關係導出"實用理論"，從作品與藝術家的關係導出"表現理論"，從作品本身導出"客觀理論"，并對西方文學理論批評史中上述四大理論的盛衰演變情況有清晰的說明。[16]

　　中國傳統的文學理論，除了《文心雕龍》等少量著作外，大部分缺乏外在的、顯性的理論體系。劉若愚的《中國文學理論》借鑒艾布拉姆斯的理論，又根據研究對象中國古代文論的特點加以改造，建構起中國詩學的系統理論。他以"作家"（writer）取代"藝術家"，以讀者（reader）取代"欣賞者"，而"宇宙"、"作品"二項則維持不變，并將這四要素重新排列成兩個反向圓環，圖示如下：

宇宙（world）

讀者（reader）　　　　　　作家（writer）

作品（works）

　　劉氏以爲，文學審美循環系統分成四個階段：在第一階段，宇宙影響作家，作家反映宇宙。由此導出兩種理論：文學爲宇宙的顯示 —— 形上理論。文學是政治和社會的反映 —— 決定理論。在第二階段，作家創造作品，亦可導出兩種理論：文學是人的情感的表現 —— 表現理論。文學是以語言爲材料的精心製作 —— 技

国社會科學出版社 1991 年版，第 9-10 頁。
16 同上，第 11-44 頁。

巧理論。在第三階段，讀者閱讀作品，通過鑒賞作品產生美感，導出“審美理論”。最後在第四階段，讀者對宇宙的反應，因閱讀作品而企圖對自然社會有所改變，由此而產生“實用理論”。

　　參考劉氏建構的文學理論系統，結合現代美學觀念進行分析，可以看出，文學審美系統是一個大整體，四個層次或四個主要環節緊密相連，相互作用，共同構成兩個相反方向的大回環。在這一系統之中，每兩者之間存在著互相交換的雙邊關係。首先，就“宇宙”與“作家”兩者之間而言，一方面存在著反映與被反映的關係，即審美客體“宇宙”被審美創作主體“作家”所反映；另一方面，發生著“人的本質力量的對象化”[17]，即主體在反映客體的同時，已向客體貫注了自己的本質力量。人同世界的這種關係早經馬克思所指出：“勞動首先是人同自然之間的過程，是人以自身的活動來引起、調整和控制人和自然之間的物質變換過程。”[18]這種“物質變換過程”自然是雙向而不是單向進行的藝術創作也是一種生產勞動，中國古典美學的“心物交融說”，正是對這一藝術生產中的“物質變換過程”的形象說明。其次，就審美創作主體“作家”與審美藝術結晶“作品”之間來看，作家既創造了作品，又能從自己所創造的世界裏觀照自身。第三，在審美欣賞主體“讀者”與審美藝術結晶“作品”之間也是這樣，讀者既受到作品的影響，又能根據自己的審美經驗對作品進行形象的再創造，第四，在審美欣賞主體“讀者”和審美客體“宇宙”之間同樣如此，欣賞者既從“宇宙”中獲取審美生活經驗，又將自己的審美感受通過各種方法施加于社會，從而文藝

17　《1844 年經濟學 —— 哲學手稿》[德].馬克思，人民出版社 1983 年版，第 79 頁。
18　《資本論》[德]馬克思，人民出版社，1953 年版，第一卷，第 171 頁。

才能產生它的社會效果，總之，整個系統逐層推進，遵循著有機性或有序性的原理運行，周而復始，循環往復，生產出五光十色的文藝世界。

臺灣學者黃慶萱在《劉若愚〈中國文學本論〉架構方法析議》一文中曾經對劉若愚的文學理論系統架構和方法提出批評，認爲劉氏系統在"宇宙"與"作品"之間沒有連綫與箭頭，因而取消了中國文學中的"模仿理論"，是一個重大的失誤。同時劉氏在研究方法上也有"强調歸納，實屬演繹"、"選擇資料，武斷矛盾"、"輾轉引用，未據原典"等瑕疵。[19]不過，黃氏也承認，正是因爲讀劉氏之書而使自己對文學理論的見解有所長進。

四、詩歌意象分析法

"意象"一詞的英文是"image"，源自拉丁文"imago"。"意象"是什麼？根據劉若愚的觀點，它不僅指詩人在詩中描狀自然物象的詞語，而且是詩人表達抽象意念的媒介。西方學術界歷來非常重視詩歌的意象描寫，認爲"用意象描寫，這本身就是詩歌的頂峰和生命"。[20]西方漢學家認爲中國傳統詩學也有許多關于"意象"的論述，只是歧异甚多，難以統一定義。針對中國傳統詩學的具體狀況，劉若愚建議，最好按照意象的種類，分別加以界定。在《中國詩學》中，劉氏把中國古典詩歌裏的意象分作基本的兩類：

"單純意象"和"複合意象"

他說："單純意象是喚起感觀知覺或者引起心象而不牽涉另

19　《與君細論文》[臺灣]黃慶萱，臺北東大圖書公司 1999 年版，第 276-378頁。
20　引自《詩歌意象》[美]劉易斯著，[英]牛津出版社 1958 年版，第 20 頁。

一事物的語言表現；複合意像是牽涉兩種事物的并列和比較，或者一種事物與另一事物的替換，或者一種經驗轉移爲另一種經驗的詞語表現。"[21]

　　單純意象在詩中只起描述作用，如"草"、"木"、"蟲"、"魚"、"山"、"河"、"雨"、"露"等詞語出現在詩中，往往構成單純意象。謝靈運詩"池塘生春草，園柳變鳴禽"，其中的"池塘"、"春草"、"園柳"、"鳴禽"都可視爲單純意象。

　　複合意象比較複雜，其下還包括四種亞類：并置意象（Juxtapositiong）、比擬意象（comparison）、替代意象（substitution）和轉移意象（Transference）。并置意象貌似兩個獨立的單純意象，彼此不做明顯的比較，一般是將自然之物和人平列放置，建立一種類同或對照關係。如《詩經》中的《桃夭》詩雲："桃之夭夭，灼灼其花。之子于歸，宜其室家。"把"桃"與"新娘"的意象并置在一起，構成并置複合意象。比擬意象是將一物比作另一物，藉以得到鮮明、生動、深入淺出的效果。有的本體、喻體和比喻詞一應俱全，如韋莊《菩薩蠻》"爐邊人似月"，便是這種比擬複合意象。替代意象是本體不說出，僅以喻體代之的複合意象。這類意象衍生出了許多套語，如"秋波"代"眼光"、"紅雨"代"桃花"之類即是顯例。轉移意象是將不屬于某物的特性賦予該物。如在杜甫《月》詩句"四更山吐月"中，"山吐月"即是轉移意象：月亮冉冉上升，仿佛被環繞的群山"吐"出來一般。很明顯，這裏將動物的吞吐特性轉移給了山峰。

21　《中國詩學》[美]劉若愚著，杜國清譯，臺北幼獅文化公司 1977 年版，第152 頁。

總起來看，劉氏爲意象種類建立了如下體系：

　　　　　　　　單純意象

意象類型：

　　　　　　　　複合意象（幷置意象、比較意象、替代意象、
　　　　　　　　轉借意象）

　　這一體系既不完全等同于西方常見的意象類型，又與我國傳統的辭格類型互异其趣，爲欣賞和研究中國詩歌意象開闢了一條新路。

　　劉氏還指出，研究意象應該特別關注"顯示詩人之個性的意象，因爲'文如其人'（Style is the man himslfe），在一個人文體（風格）的形成中起重要作用的意象，時常提供了瞭解這個人的綫索"。[22]這爲通過詩人運用的特殊意象分析其風格特點提供了直接的途徑和方法。他認爲，如果關于某一詩旨的複合意象一再出現，便會引起讀者的注目和思索，他以蘇軾詞爲例做了說明。蘇軾經常說"世事一場大夢"（《西江月》）、"人間如夢"（《念奴嬌》）、"古今如夢"（《永遇樂》）、"十五年間真夢裏"（《定風波》）、"人生如寄"[23]、"人生如逆旅"（《臨江仙》）等。這些意象一再出現，便突顯了東坡對人生短暫而虛幻的感受。[24]

22　同上，第 199 頁。

23　《二老堂詩話》[宋]周必大著："蘇文忠公詩文，少重複者。惟'人生如寄耳'，十數處用，雖和陶詩亦及之，蓋有感于斯言。此句本起魏文帝樂府。厥後《高僧傳》王羲之《與支道林書》祖其語爾。朱翌新仲《猗覺寮雜志》，乃引高僧及高齊劉善明，似未記魏樂府。余爲太和蕭人杰秀才作《如寄齋說》，引文忠公詩甚詳。"見于何文煥編《歷代詩話》，[北京]中華書局 1981 年版。

24　參見《西方文論與中國文學》周發祥著，江蘇教育出版社 1997 年版，第六章《意象研究》。

　　意象類型中還有一個特例，那就是“象徵”。由于象徵與複合意象極易混淆，劉若愚對此也做了辨析。他說，第一，複合意象只有局限意義，而象徵具有普遍意義；如說“我的戀人是一朵紅紅的玫瑰”（按：此爲英國詩人羅伯特·彭斯 Robert Burns 的詩句），則屬前者，若以玫瑰代表普遍的愛情，它就變成了象徵。第二，象徵是一種選來表現抽象意念的實物，包括一個具象的實體和一個抽象的意念，複合意象却并不總是一實一虛，它們常常僅爲兩種實物或兩種實際的體驗。如說“鑽石是財富的象徵”，“他有一顆金子般的心”，前者是象徵，後者是複合意象。第三，複合意象所包含的兩種元素— “喻體” （vehicle） 和 “喻旨”（tenor），一般說來比較明顯；但對于象徵（尤其是個人所用的象徵），人們却常常難以具體指明何爲喻旨。例如，許多人都認爲詩句“老虎，老虎，亮亮地燃著”（英國詩人布萊克 William Blake 的名句）是象徵，但它究竟在象徵什麼，迄今并無定論。不過，有時候，某些複合意象、甚至單純意象，由于獲得了較寬泛的意義可以轉變爲象徵，因此很難在兩者之間劃出一條明確的界綫；他的目的只是在于分清藝術效果有所不同的兩種詩語表達的過程。[25]

　　劉若愚的英文著作《北宋六大詞家》探討北宋詞壇上最重要的六位大家，即晏殊、歐陽修、柳永、秦觀、蘇軾和周邦彥，的詞學成就。他選取各家最具代表性的作品，一方面就其文字、句法、音韵、格律等作精細研究；同時，集中分析了六位詞人筆下的種種意象。他說，就單純意象而言，晏殊多以大自然爲采擷的對象，尤其是自然界中性屬陰柔的景物，以及詞人周圍的建築、

25　《中國詩學》[美]劉若愚著，杜國清譯，第 153-156 頁。

擺設等等。柳永常常通過視覺積累意象，柳詞裏的單純意象明顯有三個不同的種類：第一類取自大自然，用之組成廣闊、迷茫的景色，爲人生之旅提供肅穆闊大的背景；第二類取自家庭生活，如亭閣、簾幕、衾被、燈燭之類，藉以製造親切的家庭氣氛；第三類爲寫美婦而設，如寫她們的眉眼、服飾。這三類意象一方面傳達詞人在人生之途上的孤寂心情，一方面透露他對幸福家庭的企盼和對女人誘惑的沉迷。[26]

複合意象本身宛如一個小小的藝術世界。在它的內部，兩種成分須要選擇、搭配，必要時還需要托物言志；而在外部，它與其它意象之間則需要鄰接、呼應、比照、映襯，共同組成一個諧和的整體。這一切，無不是意匠馳騁的場所，無不是作品特色、詩人風格的體現。在《北宋六大詞家》中，劉若愚也分析了六詞人筆下的多姿多彩的複合意象。

當代中國學者輾轉援用劉氏意象理論分析詩人詩作者爲數不少。不過，仔細思考可以發現，劉氏的意象理論其實相當細碎，未能很好地貫徹他在《中國文學理論》一書中建構的文學理論四要素觀點；如果將劉氏的意象理論與中國傳統文論中有關意象的論述加以對讀，便會發現相當多的矛盾抵牾之處。其實，中國傳統的意象理論自有內在脉絡，可以表現在“宇宙”、“作者”、“作品”、“讀者”等各個階段。筆者有鑒于此，曾經撰寫《中國古典審美範疇的系統分析》一文進行論述[27]，有興趣的讀者可以參看。

---

26 《北宋六大詞家》[美]劉若愚著，王貴苓譯，[臺北]幼師文化出版社 1986 年版，第一至四章。
27 《中國古典審美範疇的系統分析》詹杭倫，《四川師大學報》1987 年版，第 2 期。

五、悖論語言和詩學悖論

　　劉若愚去世後，由其門生林理彰整理出版《語言·悖論·詩學：一種中國觀》一書。此書以中國傳統思想與文學觀念界定"悖論詩學"的內涵，認爲"悖論"源出中國道家早期文本中的"明言愈少，含意愈多"的觀念，這意味著語言的運用可以闡明文本中超越語言的含義。書中引用中西詩歌和詩學的許多實例，指出中西文學作品在運用語言形成概念方面存在著明顯的差异，但兩者都可以對文本的涵義實現深刻的理解。

　　劉若愚認爲，我國古代詩人早已懂得如何運用悖論，以深化感情，加强詩歌的感染力。不僅如此，在中國文學批評史上，悖論也占有舉足輕重的地位。他指出，詩學悖論以語言悖論爲基礎，而語言悖論有正反兩種表述形式：一種是人們認爲語言是交流思想的必要工具，但又說它不能勝任其職；一種是有人斷言至深、至美之物是難以用言詞來傳達的，然而立論者却用言詞做出了這一判斷。老子的名言"知者不言，言者不知"[28]、"信言不美，美言不信"[29]等，即是一種悖論。莊子不僅承襲其說，如雲"終身言，未嘗言；終身不言，未嘗不言"[30]，而且企圖進一步闡明他這一思想，指出"語之所貴者，意也，意有所隨。意之所隨者，不可以言傳也。"[31]這可視爲後來魏晉時期"言、意之辯"的發端。

　　這種思想滲入到文學批評領域以後，便形成了一種悖論詩學。劉若愚認爲，陸機在《文賦·序》中已瞭解到詩學的悖論特質，

28　《老子》，臺北先知書局影印本，1976 年版，第五十六章。
29　同上，第八十一章。
30　《莊子》[臺北]先知書局影印本，1976 年版，《雜篇·寓言》第二十七。
31　同上，《外篇·天道》第十三。

指出："意不稱物，文不逮意。"寫詩難以盡善盡美，因爲現實有不可描述的一面。陸機又以"操斧伐柯"爲喻，指出："隨手之變，良難以辭逮。"因爲這觸及到寫詩用詞難以盡述所思、所想的問題。在《文心雕龍·神思》中，劉勰一方面應和陸機，同樣承認"方其搦翰，氣倍辭前，暨乎篇成，半折心始"，因爲"意翻空而易奇，言征實而難巧"；另一方面，他也指出"至精而後闡其妙，至變而後通其數"，大有"知其不可而爲之"的兩難狀況。正是在這裏，劉若愚透過其間的辯證關係，看到了中國悖論詩學的真諦，他說：

> "認識語言、詩歌和詩學的悖論性質，幷非要順理成章地放弃語言、詩歌和詩學，恰恰相反，這一認識引導著悖論詩學的發展。"[32]

但這種悖論詩學幷非純粹關乎悖論的運用，也幷非等同根據布魯克斯"一切詩語皆具悖論性"之說而建立起來的詩學：

> "這種悖論詩學可以概括爲言少而意多的原則，其極端形式則是無言而言盡的原則。"[33]

唐代及其後諸代，不斷有人對悖論詩學做出新的闡發，例如司空圖說"不著一字，盡得風流"（《詩品》）、嚴羽說"言有盡而意無窮"（《滄浪詩話·詩辨》）等等。甚至詩人也深通此理，李白說："問余何事栖碧山，笑而不答心自閑。桃花流水杳然去，別有天地非人間。"（《山中問答》）詩人以不答而答，顯然其感染力比明確回答更强些。[34]

---

32 《語言·悖論·詩學》[美]劉若愚，p.126。
33 同上，p.126。
34 參見《西方文論與中國文學》周發祥著，南京，江蘇教育出版社 1997 年版，第七章第四節《詩意悖論與悖論詩學》。

　　劉若愚在研究中國傳統悖論詩學詩，也許有一種過于專注于建構新術語而導致原本簡單問題複雜化的傾向。例如，劉若愚建構了"元悖論"（metaparadox）一詞，中國學者容易望文生義。周發祥便指出："'元'的英文 'meta'是 '超越'、'後設'之意，但一般譯作 '元'。由此可見，'元語言'（metalanguage）是 '關于語言的語言'，即用來涉及或描述另一種語言的語言；'元批評'（metacriticism）是 '關于批評的批評'，即試圖對批評實踐進行分類、進行剖析而爲之建立普遍適用之原則的文學理論。例如，劉若愚在研究文學悖論時說：'如果詩歌是一種悖論，那麼詩學就是一種元悖論，而我的關于詩學的著作就是元元悖論。誰試圖解構我的著作，誰就要從事元元元悖論的工作了。'這段話無疑近似文字游戲，但從中可看到關于 '元'的用法。" [35]

　　另外，劉若愚在《中國詩歌中的時間、空間和自我》一文中，比較中西"時態" 觀念，提出讀者面對詩歌作品，需要確定作者和讀者自身的時空方位的主張，并結合詩例對各種時空方位作了清晰的闡釋。這也是一種值得關注的比較詩學批評鑒賞方法。[36]

六、小　結

　　根據本文的論述，我們可以把劉若愚的比較詩學體系歸結爲循序漸進的三個路向：

　　首先，關注語言之間的問題。從事比較文學研究的學者需要面對兩種文化背景、兩種不同語言之間的差异問題，劉若愚面對

---

35 同上，第十六章《移植研究本體論》注第 15。
36 參見《中國詩歌中的時間、空間和自我》[美]劉若愚著，莫礪鋒譯，見于《神女之探尋 —— 英美學者論中國古典詩歌》，上海古籍出版社 1994 年版，第 193-210 頁。

差异，不是視而不見，也不是畏縮不前，而是秉持"建立普遍適用的世界文學理論與方法"的理想，在比較分析中西詩學特殊性的基礎上，嘗試綜合中西兩種詩學理論。

其次，嘗試將中國文論系統化。劉若愚站在世界文學理論總體體系的高度，引用幷改造西方文論的"文學四要素"理論，把他所涉及的中國文學理論分爲六個方面，即形上論、決定論、表現論、技巧論 、審美論和實用論。然後追溯這些理論的發展和源流，指出各種理論自身發展所經歷的歷史階段，分別確定了它們各自在文學理論體系中的地位和價值。這樣就把中國源遠流長、豐富多彩的文學理論包容在一個系統的模式之中，不僅可以使本來不熟悉中國傳統文論的西方讀者可以透視中國文論的大觀，同時也給中國本土文論學者系統性的思維訓練和多方面的啓示，爲中國文學理論的系統化作出了重要貢獻。

第三，在綜合中西詩觀的基礎上建構自己的詩學觀念和評詩方法。劉若愚善于總結回顧梳理傳統的詩學理論，也勇于建構自己的詩學觀念，幷形成行之有效的批評方法，廣泛運用于文學作品批評實踐。儘管劉若愚的比較詩學體系幷非完美無缺，他有其洞見也有其不見，因而不斷被其他學者批評和解構，但他畢生爲西方學者理解中國詩學，當然，也是爲建構中西比較詩學，所做出的艱苦努力和取得的豐碩成果，應當受到後來學者的理解和尊重。

思考題：

1.劉若愚從哪些路向建構比較詩學體系？

2.劉若愚如何處理身處不同語言背景遇到的文學問題？

3.劉若愚如何建構中國詩學的系統理論？

4.怎樣用意象分析法分析中國詩歌？

5.什麼是悖論詩學？

6.劉若愚對中國詩學的洞見與不見何在？

參考書目：

1.[美]劉若愚：《中國詩學》（James J.Y. Liu，*The Art of Chinese Poetry*, The University of Chicago Press, Chicago,1962）佐藤保日文譯本，東京，大修館書店，1972 年。李章佑韓文譯本，韓國，檀國大學學報第 1-2 期，1975 年。杜國清譯本，臺北，幼獅，1977 年。韓鐵椿、蔣小雯譯本，武漢，長江文藝，1991年。

2.[美]劉若愚：《中國之俠》（James J.Y. Liu，*The Chinese Knight-errant*，The University of Chicago Press, Chicago,1967）周清霖, 唐發鐃譯本，名《中國之俠》,上海，三聯書店，1991年。羅立群譯本,名《中國游俠與西方騎士》,北京,中國和平,1994 年。

3.[美]劉若愚：《李商隱的詩》（James J.Y. Liu，*The Poetry of Li Shang-yin*，The University of Chicago Press, Chicago,1969）

4.[美]劉若愚：《北宋六大詞家》（James J.Y. Liu，*Major Lyricists of the Northern Sung*, Princeton University Press, 1974）王貴苓譯本，臺北，幼師文化，1986

5.[美]劉若愚：《中國的文學理論》（James J.Y. Liu，*Chinese Theories of Literature*, The University of Chicago Press, Chicago,1975）賴春燕譯本，名《中國人的文學觀念》，臺北，成文，1977 年。杜國清譯本，名《中國文學理論》，臺北，聯經，1981 年。李章佑韓文譯本，名《中國純文學理論》，漢城，

同和，1984 年。趙執聲譯本，中州古籍出版社，鄭州，1986
年。田守真譯本，名《中國的文學理論》，成都，四川人民，
1987 年。

6.[美]劉若愚：《中國文學藝術精華》（James J.Y. Liu，*Essentials of
Chinese Literrature Art,* Duxbury Press A Division of Wadsworth
Pulishing Company, 1979）王鎮遠譯本。合肥，黃山，1989 年。

7.[美]劉若愚：《語際批評家：闡釋中國詩歌》（James J.Y. Liu，
The Interlingual Critic: Interpreting Chinese poetry, Indiana
University Press, 1982）王周若、周領順譯本，名《中國古詩評
析》，開封，河南大學出版社, 1989 年。

8.[美]劉若愚：《語言·悖論·詩學：一種中國觀》（James J.Y. Liu，
Language-Paradox-Poetics: A Chinese Perspective, Princeton
University Press, Princeton, New Jersey ,1988）

9.《後東方主義 —— 中西文化批評論述策略》[香港]朱耀偉著，
臺北，駱駝出版社，1994 年版。

10.《與君細論文》[臺灣]黃慶萱著，臺北，東大圖書公司，1999
年版。

11.《西方文論與中國文學》周發祥著，南京，江蘇教育出版社，
1997 年版。

12.《西方漢學界的中國文論研究》王曉路著，成都，巴蜀書社，
2003 年版。

13.《鏡與燈 —— 浪漫主義理論批評傳統》[美]M.H.艾布拉姆斯
著，袁洪軍等譯本，中國社會科學出版社 1991 年版。

14.《神女之探尋 —— 英美學者論中國古典詩歌》莫礪鋒編，尹祿
光校，上海，上海古籍出版社，1994 年版。

《史記‧呂后本紀》與
《漢書‧高后紀》較析

明道管理學院中文系助理教授　許淑華

關鍵字：史、漢、呂后、呂太后、高后、本紀

內容提要：呂后，是一位隱藏在漢宮帷幕後的統治者，雖非帝王卻勝似帝王；曾只是一個普通小吏的妻子，卻首開中國歷史女性掌控朝綱的先河。先後掌權達十五年，是中國歷史上三大女性統治者（呂后，武則天，慈禧太后）的第一個。[1]太史公深責當政，以立史體，班蘭台迻錄史文，略作修正。緣時代不同，思維不一，其所展現隱微有不合者在。本文擬通過對《史記‧呂后本紀》、《漢書‧高后本紀》進行分析，探微索隱。結論發現異同主要體現在以下幾個方面：（一）立傳動機不同；（二）鍊字布局不一；（三）史料分合差異。

一、前　言

　　歷史上，凡是講到女主當權、垂簾聽政，一般人的直覺反應不是武則天就是慈禧太后，但早在兩千多年前，中國大一統政府

---

1 呂后（西元前 241 至西元前 180 年），名雉，字娥姁，單父（今山東單縣）人。早年其父為避仇遷居沛縣，在一次宴會上欣賞劉邦非凡氣度，把女兒許配給他。呂雉生劉盈和魯元公主。公元前 201 年，高皇帝劉邦建立了西漢王朝，呂雉入主長安，成為中國歷史上第一個皇后，是秦始皇統--中國，實行皇帝制度之後，第一個臨朝掌政的女性，也開了外戚專權的先河。

剛成立沒多久時，就出現了一個履至尊而制六合的女人－呂后。[2]
其中因後代史家對這樣一位實掌政權的人物，評價良窳懸殊，加
上《史記·呂后本紀》、《漢書·高后本紀》記載詳略不一，取材
布局與立傳用意，頗有不同，因此使得研究《史記·呂后本紀》、
《漢書·高后本紀》有了不同的批判論點；且〈呂后本紀〉中「太
史公曰」提到惠帝與高后之時「天下晏然，刑罰罕用」[3]，然自本
傳中卻無法得知太史公何以有此結論，[4]因此，本文擬以二史對於
呂后之撰寫，綜合分析太史公與班蘭台對此重要人物所呈現的面
向與表現方法之異同。職此本文以《史記·呂后本紀》、《漢書·
高后本紀》為素材，就其立傳動機、鍊字布局與史料分合切入，
分析其同異，藉見其得失。

二、立傳見解不同

在《史記》當中，太史公不立〈孝惠本紀〉，而用〈呂后本紀〉
來記孝惠帝（七）、少帝劉恭（四）、少帝劉弘（四）三人在位共
十五年的時間，這種作法雖頗為後世所批評；然誠如太史公所言
「孝惠帝崩，呂太后稱制，天下事皆決於高后」〈齊悼惠王世家〉，
立〈呂后本紀〉實有其根據。反觀若照《漢書》的做法，將之分
為〈惠帝紀〉和〈高后紀〉，雖無不可，然就政權行使的完整性來
說，不免有破碎之感，因自孝惠帝不理政事之後，實際政權已經
在呂后手上，可見太史公寫史乃以「政權」為根本，故寫入「本

---

2 前 195 年，劉邦死，惠帝立，尊呂后為皇太后，實際掌政，前 188 年，惠帝
　崩，立少帝，臨朝稱制八年，後誅殺少帝，立常山王劉義為帝，先後掌權達
　十五年。是中國歷史上三大女性統治者的第一個。
3 瀧川龜太郎著：《史記會注考證》（台北市：萬卷樓出版，1993 年 8 月）〈呂
　后本紀第九〉，頁 192。以下所引用《史記》原文部分皆同此版本，不另註明。
4 〈高后紀〉「贊曰」與〈呂后本紀〉「太史公曰」大同小異。

紀」者，必然是掌握政權核心之人，例如〈項羽本紀〉亦然；而
班蘭台分作兩傳，主要以「體例」形式為重，凡帝王即列為本紀
之故，可見兩者立傳之意已然不同。一如蔡教授信發在《話說史
記》所言：「太史公撰《史記》，將呂后列入『本紀』，而將惠帝附
在其中，確是很有深義；但也引起後世相當多的爭議。他們認為
呂后沒登基稱帝，惠帝還在位，不能將她寫入本紀，只能載於列
傳。有關此點，筆者認為須先對本紀之義釐清，才能獲一正確結
論。本者，根本也；紀者，紀錄也；本紀者，紀錄根本之事也。
根本之事指的是什麼？就過去君主體制來說，無疑是指政權的掌
握。職是，本紀取材的準則，應以當時政權的掌握者為對象，可
以是國君，也可以不是國君；可以是男性，也可以不是男性。試
看漢高祖過世後的政局，惠帝雖在位，然而實際政權卻操在呂后
之手。換言之，惠帝有名無實，而呂后卻無名有實。在這樣的情
形下，太史公紀實，將呂后寫入本紀，不是很有歷史見識嗎？」
又如郭嵩燾在《史漢札記》云：「案此「本紀」中明言『孝惠日飲，
為淫樂，不聽政』，是惠帝初立後，呂后專殺自恣，政由己出，固
已久矣。史公不為惠帝立紀，以紀實也。」由此亦可推見宋・鄭
樵所批駁：「遷遺孝惠而紀呂，無亦獎盜乎！」[5]實因不明史公秉
筆「記實」之孤詣苦心。[6]

5　鄭樵：《通志・帝紀序》：「（司馬）遷遺孝惠而紀呂，無亦獎盜乎！」。
6　「紀傳體」所呈現者，是特定歷史人物的面貌，「編年體」則是呈現當時歷史
　　事件的發展，一是「以人為主」的記錄方式，一是「以事為主」的歷史記載。
　　因此，讀〈高后紀〉便等於掌握了這段時期所發生的大事。而〈呂后本紀〉
　　是一篇精彩的傳記，它完整的敘述呂后性情風貌及一生重要事件，其餘的歷
　　史事件對於作者而言都不是重點，呂后本人才是，正因為如此，〈呂后本紀〉
　　活潑生動，令讀者一旦捧卷便難以釋手。

三、鍊字布局不一

（一）鍛字鍊詞不類

《漢書》改易史文之用字造句，有其獨到之處，雖不能以之軒輊班馬，然可見班馬各領風騷之處。列舉如下：

1、為求簡勁而改者（或承上省略避其繁複、或刪省字詞者。）

（1）承上省略，避其繁複者

《史記·呂后本紀》	《漢書·高后本紀》
相國呂產等迺遣潁陰侯灌嬰將兵擊之。灌嬰至滎陽，謀曰：「諸呂權兵關中……以待呂氏變共誅之。	產祿等遣大將軍灌嬰將兵擊之。嬰至滎陽，使人諭齊王與連和，待呂氏變而共誅之。
其子寄與呂祿善。絳侯迺與丞相陳平謀，使人劫酈商。令其子寄往紿說呂祿曰……。	太尉勃與丞相平謀，呂曲周侯酈商子寄與祿善，使人劫商，令寄紿說祿曰……。
太后欲王呂氏，先立孝惠後宮子彊為淮陽王，子不疑為常山王，子山為襄城侯，子朝為軹侯，子武為壺關侯。	立孝惠後宮子彊為淮陽王，不疑為恆山王，弘為襄城侯，朝為軹侯，武為壺關侯。

（2）刪省字詞者

《史記·呂后本紀》	《漢書·高后本紀》
其子寄與呂祿善。絳侯迺與丞相陳平謀，使人劫酈商。令其子寄往紿說呂祿曰……。	太尉勃與丞相平謀，呂曲周侯酈商子寄與祿善，使人劫商，令寄紿說祿曰……。

今高后崩，帝少，**而**足下**佩趙王印**，不急之國守藩，迺為上將，將兵留此，為大臣諸侯所疑。	今太后崩，帝少，足下不急之國守藩，迺為上將，將兵留此，為大臣諸侯所疑。
具以灌嬰與齊楚合從，**欲誅諸呂**告產。	具呂灌嬰與齊楚合從**狀**告產。

2、為求雅馴而改者（改俗為古者居多）

《史記‧呂后本紀》	《漢書‧高后紀》
太后曰：「凡有天下治為萬民命者，蓋之如天，容之如地，上有**歡**心以安百姓，百姓欣然**以**事其上，**歡**欣交通，而天下治。今皇帝病久不已，迺失惑惽亂，不能繼嗣奉宗廟祭祀，不可屬天下，其代之。」	詔曰：「凡有天下，治萬民者，蓋之如天，容之如地；上有**驩**心，呂使百姓，百姓欣然，**呂**事其上，**驩**欣交通，而天下治。今皇帝疾久不已，迺失惑昏亂，不能繼嗣，奉宗廟，守祭祀，不可屬天下。其議代之」。
呂祿以為酈兄不欺己，遂解印屬典客，而**以**兵授太尉。	祿遂解印屬典客，而**呂**兵授太尉勃。

案：據陳直《漢書新證‧自序》：「《漢書》成書，遲於《史記》，古字古訓，反多於《史記》。其原因《史記》在東漢末期，尚稱為謗書，學者傳習不多。殆普遍寫布時，去西漢已遠，所有古字皆以隸書寫定。而《漢書》一出之後，馬融為當世通儒，且加誦讀，絡繹流傳，故原書面目，變化不大。」所言甚是，故後學群疑盡釋，亦不必以此高下《史》《漢》。

3、增改移易以見筆意完整

（1）增　字

《史記‧呂后本紀》	《漢書‧高后本紀》
齊王欲使人誅相，相召平迺反，舉兵欲圍王，王因殺其相，遂發兵東，詐奪瑯邪王兵，並將之而西。	齊王遂發兵，又詐瑯邪王澤，發其國兵，並將而西。
朱虛侯婦，呂祿女	時齊悼惠王子朱虛侯章在京師，呂祿女為婦，
欲從中與大臣為應。	章欲與太尉勃、丞相平為內應。

（2）改　字

《史記‧呂后本紀》	《漢書‧高后本紀》
太子即位，為帝，謁高廟。元年，號令一出太后。	惠帝崩，太子立為皇帝，年幼，太后臨朝稱制，大赦天下。
使使諭齊王及諸侯，與連和，以待呂氏變共誅之。	使人諭齊王與連和，待呂氏變而共誅之。
朱虛侯婦，呂祿女，陰知其謀。恐見誅，迺陰令人告其兄齊王，欲令發兵西誅諸呂而立朱虛侯。	時齊悼惠王子朱虛侯章在京師，呂祿女為婦，知其謀，迺使人告兄齊王，令發兵西。

（3）移　易

《史記‧呂后本紀》	《漢書‧高后本紀》
……齊內史士，說王曰：「太后獨有孝惠與魯元公主。今王有七十餘城，而公主迺食數城。王誠以一郡上太后，為公主湯沐邑，太后必喜，王必無憂。」	太后立帝姊魯元公主女為皇后。

於是齊王迺上城陽之郡，**尊公主爲王太后。**	
八月丙午，齊王欲使人誅相，相召平迺反，舉兵欲圍王，王因殺其相，**遂發兵東，詐奪瑯邪王兵，並將之而西。**	齊王遂發兵，又詐瑯邪王澤，發其國兵，並將而西。

案：顯而易見《史記》於描摹刻畫每見淋漓酣暢，《漢書》則簡要平實，不爲抑揚。一主摹情，重意態，細密深寫，曲折細緻；一主寫事，重事情，直遂簡要，概說簡括，風格不一。

（二）取材布局不同

《史記‧呂后本紀》、《漢書‧高后本紀》取材布局上相異者有三：1、所述事件不一；2、傳文開合不類；3、人物事件詳略不同。分析如下：

《史記‧呂后本紀》、《漢書‧高后本紀》取材布局一覽表

《史記‧呂后本紀》	《漢書‧高后本紀》
1、出身：高祖微時妃也。	1、出身。
2、呂太后與戚夫人結怨。	2、佐高祖定天下，兒女與娘家勢力。
3、佐高祖定天下，兒女與娘家勢力。	3、惠帝崩，立少帝，諸呂封王。〈外戚傳〉
4、高祖崩時，共有八子。	4、〈除三族罪、妖言令詔〉（**高后元年春正月**）
5、毒殺戚夫人與趙王如意。（孝惠帝1-2年）	5、〈議定列侯功詔〉（2年春）
6、殺高祖長子齊王肥未果。（2年）	6、地震（2.春正月乙卯）
7、築長城。（3-6年）	7、賜民爵，戶一級。（2.2）
8、孝惠崩；呂勢起。（7年）	8、立孝惠五子：二王三侯。（2.5）

9、立少帝，太后稱制。（呂后元年）	9、日有蝕之。（2.夏六月丙戌晦）
10、欲立諸呂，廢王陵。（11月）	10、桃李華。（2.秋）
11、欲侯諸呂，迺先封高祖之功臣、子孫。（2年）	11、恒山王不疑薨。行八銖錢。（2. 秋七月）
12、太后欲王呂氏，先立孝惠後宮子：二王三侯。立呂台為呂王、呂祿為胡陵侯。劉山更名劉義為常山王。（2）呂嘉立為王。（2.11）	12、皇太后幽少帝永巷。（4）
13、封呂嬰、呂他、呂更始、呂忿為侯及諸侯丞相五人。（4）	13、立恆山王弘為皇帝。（4.5）
14、少帝廢位，太后幽殺之。（4）	14、南粵王自稱南武帝。（5.春）
15、惠帝子武為淮陽王。（5.8）	15、淮陽王強薨。（5.8）
16、廢呂王嘉以呂產代之。（6.10）	16、發河東上黨騎屯北地。（5.9）
17、赦天下。封劉興居為東牟侯。（7.夏）	17、星晝見。（6.春）
18、趙王幽死以民禮葬。（7.1-丁丑）	18、赦天下。秩長陵令二千石。（6.4）
19、日食，晝晦。太后惡之。（7. 己丑）	19、匈奴寇狄道。行五分錢。（6.6）匈奴寇狄道，略二千餘人。（7.12）
20、梁王恢為趙王。呂產徙為梁王，梁王不之國，為帝太傅。立皇子平昌侯太為呂王。以劉澤為瑯邪王。（7.2）	20、趙王友幽死于邸。（7.1）
21、趙王自殺廢嗣。（7.6）張敖卒，	21、日有蝕之既。呂產為相國，呂祿為

以子偃爲魯王。	上將軍。營陵侯劉澤爲琅邪王。（7.己丑）
22、代王謝徙，願守代邊。（7.秋）武信侯呂祿立爲趙王。	22、〈議昭靈夫人等尊號詔〉。（7.5）
23、殺燕靈王建美人子，無後，國除。（7.9）	23、趙王恢自殺。（7.6）
24、立呂通爲燕王、呂莊爲東平侯。（8.10）	24、燕王建薨。南越侵盜長沙，遣隆慮侯竈將兵擊之。（7.9）
25、呂后祓還，見物如蒼犬，遂病掖傷。（8.3）爲外孫魯元王偃，封張敖子侈、壽爲侯及封張釋、呂榮、諸中宦者令丞，皆爲關內侯。	25、張釋卿爲列侯。諸中官、宦者令丞，皆賜爵關內侯，食邑。（8.春）
26、高后病甚，誡產、祿；高后崩，賜金群臣，呂產爲相國，呂祿女爲帝后、左丞相審食其爲帝太傅。（8.7-辛巳）	26、江水、漢水溢，流萬餘家。（8.夏）
27、夷滅諸呂勢力始末、尊立孝文帝。（8.8－）	27、皇太后崩于未央宮。遺詔賜諸侯王各千金，將相列侯下至郎吏各有差。大赦天下。（8.7）
28、誅滅梁、淮陽、常山王及少帝於邸。	28、夷滅諸呂勢力始末、尊立孝文帝。（7.8－）
29、代王立爲天子。	29、辛酉，殺呂祿，笞殺呂嬃。呂男女，無少長，皆斬之。呂爲少帝及三弟爲王者，皆非孝惠子，復共誅之，

	尊立文帝。語在〈周勃高五王傳〉。
30、太史公曰...	30、贊曰…

案：1、所述事件不一者，如：7[7]、27、4[8]、5、6、7、9、10、11、14、
　　　16、17、18、19、22、26等；

　　2、傳文開合不類者，如：2、4、5、6、10、12、13、25等；

　　3、人物事件詳略不同者，如：1、11、18、19、21、23、27、20、
　　　24、等

　　其中1、所述事件不一者，緣馬、班體例，一主人，一主事；
2、傳文開合不類者，迺班承馬加以移易故；3、人物事件詳略不
同者，實兩人著重點不同所致。透過二紀分析比較可見班蘭台對
《史記》一書之迻錄與改易，當中可看出班固尊漢的立場與太史
公秉筆直書的寫作方式有著相當的歧異。雖班蘭台寫作立場較難
中立，以官修史及尊漢故，然於保存政令上卻有其功績，因此查
檢〈高后紀〉便能掌握其中大事。太史公傳紀式私修史之〈呂后
本紀〉其中人物個個栩栩如生，令人印象深刻。

---

7 以《史記‧呂后本紀》項次為準。
8 以《漢書‧高后本紀》項次為準。

四、史料分合差異

《史記・呂后本紀》、《漢書・高后本紀》史料分合一覽表

《史記・呂后本紀》	《漢書・高后本紀》
呂太后者，高祖微時妃也，生孝惠帝、女魯元太后。	帝即高皇后呂氏，生惠帝。
及高祖爲漢王，得定陶戚姬，愛幸，生趙隱王如意。孝惠爲人仁弱，高祖以爲不類我，常欲廢太子，立戚姬子如意，如意類我。戚姬幸，常從上之關東，日夜啼泣，欲立其子代太子。呂后年長，常留守，希見，上益疏。如意立爲趙王，後幾代太子者數矣，賴大臣爭之，及留侯策：「太子得毋廢。」	
呂后爲人剛毅，佐高祖定天下，所誅大臣多呂后力。呂后兄二人皆爲將。長兄周呂侯死事。封其子呂臺爲酈侯，子產爲交侯，次兄呂釋之爲建成侯。	佐高祖定天下，父兄及高祖而侯者三人。
高祖，十二年四月甲辰，崩長樂宮，太子襲號爲帝。是時高祖八子：長男	惠帝即位，尊呂后爲太后。案：《高五王傳》高皇帝八男」移置

9　〈呂后本紀〉：「此爲我也」。在呂后正式當正之時共有二次日蝕，一次在二年六月丙戌，一次就是高后七年的這一次。同樣是日蝕而呂后在七年的日食有感而發，認爲日蝕是因爲她自己，除了因爲國君是日，日全蝕即表國君不見的原因之外，此次日蝕在宮室之中，或許也是原因之一。

肥，孝惠兄也，異母，肥爲齊王，餘皆孝惠弟，戚姬子如意爲趙王，薄夫人子恒爲代王，諸姬子子恢爲梁王，子友爲淮陽王，子長爲淮南王，子建爲燕王。高祖弟交爲楚王，兄子濞爲吳王。非劉氏、功臣番君吳芮子臣爲長沙王。

呂后最怨戚夫人、及其子趙王，迺令永巷囚戚夫人，而召趙王。使者三反。趙相建平侯周昌謂使者曰：「高帝屬臣趙王，趙王年少。竊聞太后怨戚夫人，欲召趙王并誅之，臣不敢遣王。王且亦病，不能奉詔。」呂后大怒，迺使人召趙相。趙相徵至長安，迺使人復召趙王。王來未到。孝惠帝慈仁，知太后怒，自迎趙王霸上，與入宮，自挾與趙王起居飲食。太后欲殺之不得閒。

孝惠元年十二月，帝晨出射。趙王少，不能蚤起。太后聞其獨居，使人持酖飲之。黎明孝惠還。趙王已死。

到〈高五王傳〉首段，並明各王出身背景，卻犧牲其連貫性。

案：〈高五王傳〉趙隱王如意，九年立。四年，高祖崩，呂太后徵王到長安，鴆殺之。無子，絕。[10]

案：在〈高后紀〉與〈惠帝紀〉中，只記錄王之死，對於死亡原因以及何時封王、與呂后之關係，全都移到〈高五王傳〉中；有關趙隱王如意的記載主要在〈惠帝紀〉、〈高五王傳〉及〈外戚傳〉中，以〈外戚傳〉最詳。分封諸呂參見〈外戚傳〉、〈外戚恩澤侯表〉[11]。

---

10 《漢書·高五王傳第八》，頁 1988。

11 如：某些呂氏因罪除國，《史記》集中於〈呂后本紀〉中，《漢書》在〈外戚傳〉中若無記載，必需參見〈外戚恩澤侯表〉。

12 《漢書·外戚傳第六十七上》，頁 3940。

13 《漢書·五行志第七下之下》，頁 1501。

14 《漢書·外戚傳第六十七上》，頁 3939。

15 《漢書·五行志第七中之上》，頁 1397。

於是迺徙淮陽王友爲趙王。

夏，詔賜酈侯父追謚爲令武侯。太后遂斷戚夫人手足，去眼、煇耳，飲瘖藥，使居廁中，命曰「人彘」。居數日，迺召孝惠帝，觀人彘。孝惠見問，迺知其戚夫人，迺大哭，因病，歲餘不能起。使人請太后曰：「此非人所爲。臣爲太后子，終不能治天下。」孝惠以此日飲爲淫樂，不聽政，故有病也。

二年，楚元王、齊悼惠王皆來朝。十月，孝惠與齊王燕飲太后前，孝惠以爲齊王兄，置上坐，如家人之禮。太后怒，迺令酌兩卮，酖置前，令齊王起爲壽。齊王起，孝惠亦起，取卮欲俱爲壽。太后迺恐，自起泛孝惠卮。齊王怪之，因不敢飲，詳醉去。問知其酖，齊王恐，自以爲不得脫長安，憂。齊內史士，說王曰：「太后獨有孝惠與魯元公主。今王有七十餘城，而公主迺食數城。王誠以一郡上太后，爲公主湯沐邑，太后必喜，王必無憂。」於是齊王迺上城陽之郡，尊公主爲王太后。呂后喜，許之。迺

置酒齊邸，樂飲，罷歸齊王。

三年，方築長安城，

四年、就半，

五年、六年城就。諸侯來會。

十月朝賀。

七年秋八月戊寅，孝惠帝崩。發喪，
太后哭，泣不下。留侯子張辟彊爲侍
中，年十五，謂丞相曰：「太后獨有
孝惠，今崩，哭不悲，君知其解乎？」
丞相曰：「何解？」辟彊曰：「帝毋壯
子，太后畏君等。君今請拜呂臺、呂
產、呂祿爲將，將兵居南北軍，及諸
呂皆入宮，居中用事，如此則太后心
安，君等幸得脫禍矣。」丞相迺如辟
彊計。太后說，其哭迺哀。呂氏權由
此起。迺大赦天下。

九月辛丑葬。太子即位，爲帝，謁高
廟。

元年，號令一出太后。太后稱制，議
欲立諸呂爲王，問右丞相王陵。王陵
曰：「高帝刑白馬盟曰『非劉氏而王，
天下共擊之』。今王呂氏，非約也。」
太后不說。問左丞相陳平、絳侯周
勃。勃等對曰：「高帝定天下，王子

案：「太后發喪，哭而泣不下」入〈外
戚傳〉中。

弟，今太后稱制，王昆弟諸呂，無所不可。」太后喜，罷朝。王陵讓陳平、絳侯曰：「始與高帝喋血盟，諸君不在邪？今高帝崩，太后女主，欲王呂氏，諸君縱欲阿意背約，何面目見高帝地下？」陳平、絳侯曰：「於今面折廷爭，臣不如君；夫全社稷定劉氏之後，君亦不如臣。」王陵無以應之。	
十一月，太后欲廢王陵，迺拜爲帝太傅，奪之相權。王陵遂病免歸。迺以左丞相平爲右丞相，以辟陽侯審食其爲左丞相。左丞相不治事，令監宮中，如郎中令。食其故得幸太后，常用事，公卿皆因而決事。迺追尊酈侯父爲悼武王，欲以王諸呂爲漸。	太后立帝姊魯元公主女爲皇后，無子，取後宮美人子名之，呂爲太子。惠帝崩，太子立爲皇帝，年幼，太后臨朝稱制，大赦天下。迺立兄子呂台、產、祿、臺子通四人爲王，封諸呂六人爲列侯。語在〈外戚傳〉。
四月，太后欲侯諸呂，迺先封高祖之功臣郎中令無擇爲博城侯。魯元公主薨，賜諡爲魯元太后。子偃爲魯王。魯王父，宣平侯張敖也。封齊悼惠王子章爲朱虛侯，以呂祿女妻之。齊丞相壽爲平定侯。少府延爲梧侯。迺封呂種爲沛侯，呂平爲扶柳侯，張買爲南宮侯。	元年春正月，詔曰：「前日孝惠皇帝言欲除三族罪、妖言令，議未決而崩。今除之。」 二月，賜民爵，戶一級。初置孝弟力田二千石者一人。
太后欲王呂氏，先立孝惠後宮子彊爲淮陽王，子不疑爲常山王，子山爲襄	夏五月丙申，趙王宮叢台災。立孝惠後宮子彊爲淮陽王，不疑爲恆山王，

城侯，子朝爲軹侯，子武爲壺關侯。
太后風大臣，大臣請立酈侯呂台爲呂
王，太后許之。建成康侯釋之卒，嗣
子有罪，廢，立其弟呂祿爲胡陵侯，
續康侯後。

二年，常山王薨，以其弟襄城侯山爲
常山王，更名義。
十一月，呂王台薨，謚爲肅王，太子
嘉代立爲王。

三年，無事。
四年，封呂嬰爲臨光侯，呂他爲俞
侯，呂更始爲贅其侯，呂忿爲呂城
侯，及諸侯丞相五人。

宣平侯女爲孝惠皇后，時無子，詳爲
有身，取美人子名之，殺其母，立所
名子爲太子。孝惠崩，太子立爲帝。
帝壯，或聞其母死，非真皇后子，迺
出言曰：「后安能殺吾母而名我？我
未壯，壯即爲變。」太后聞而患之，
恐其爲亂，迺幽之永巷中，言帝病
甚，左右莫得見。太后曰：「凡有天
下治爲萬民命者，蓋之如天，容之如
地，上有歡心以安百姓，百姓欣然以

弘爲襄城侯，朝爲軹侯，武爲壺關
侯。
秋，桃李華。

二年春，詔曰：「高皇帝匡飭天下，
諸有功者皆受分地爲列侯，萬民大
安，莫不受休德。朕思念至於久遠，
而功名不著，亡以尊大誼，施後世。
今欲差次列侯功，呂定朝位，臧于高
廟，世世勿絕，嗣子各襲其功位。其
與列侯議定奏之」。丞相臣平言：「謹
與絳侯臣勃、曲周侯臣商、潁陰侯臣
嬰、安國侯臣陵等議：列侯幸得賜餐
錢奉邑，陛下加惠，呂功次定朝位，
臣請臧高廟。」奏可。
春正月乙卯，地震，羌道、武都道山
崩。
夏六月丙戌晦，日有蝕之。
秋七月，恒山王不疑薨。行八銖錢。
案：孝惠張皇后之『欲其生子，萬方
終無子』[12]入〈外戚傳〉中。
年夏三年夏，江水溢，流民四千餘
家。
秋，星晝見。

事其上，歡欣交通，而天下治。今皇帝病久不已，迺失惑惛亂，不能繼嗣奉宗廟祭祀，不可屬天下，其代之。」群臣皆頓首言：「皇太后爲天下齊民計，所以安宗廟社稷甚深，群臣頓首奉詔。」帝廢位，太后幽殺之。

五年八月，淮陽王薨，以弟壺關侯武爲淮陽王。

六年十月，太后曰：呂王嘉居處驕恣，廢之，以肅王臺弟呂產爲呂王。夏，赦天下。封齊悼惠王子興居爲東牟侯。

七年正月，太后召趙王友。友以諸呂女爲后，弗愛，愛他姬，諸呂女妒，怒去讒之於太后，誣以罪過曰：「呂氏安得王！太后百歲後，吾必擊之」。太后怒，以故召趙王。趙王至，置邸不見，令衛圍守之，弗與食。其群臣或竊饋，輒捕論之，趙王餓，迺歌曰：「諸呂用事兮劉氏危，迫脅王

四年夏，少帝自知非皇后子，出怨言，皇太后幽之永巷。詔曰：「凡有天下，治萬民者，蓋之如天，容之如地；上有驩心，呂使百姓，百姓欣然，呂事其上，驩欣交通，而天下治。今皇帝疾久不已，迺失惑昏亂，不能繼嗣，奉宗廟，守祭祀，不可屬天下。其議代之」。群臣皆曰：「皇太后爲天下計，所呂安宗廟社稷甚深。頓首奉詔。」

五月丙辰，立恆山王弘爲皇帝。

五年春，南粵王尉佗自稱南武帝。

秋八月，淮陽王強薨。

九月，發河東上黨騎屯北地。

六年春，星晝見。

夏四月，赦天下。秩長陵令二千石。

六月，城長陵。匈奴寇狄道，攻阿陽。行五分錢。

七年冬十二月，匈奴寇狄道，略二千餘人。

侯兮彊授我妃。我妃既妒兮誣我以
惡，讒女亂國兮上曾不寤。我無忠臣
兮何故弃國？自決中野兮蒼天舉
直！于嗟不可悔兮寧蚤自財。爲王而
餓死兮誰者憐之！呂氏絕理兮託天
報仇。」
丁丑，趙王幽死，以民禮葬之長安民
塚次。

己丑，日食，畫晦。太后惡之，心不樂，迺謂左右曰：「此爲我也。」[9]	（七年）春正月丁丑，趙王友幽死于邸。 案：高后七年的日蝕，〈五行志〉云：「在營室九度，爲宮室中」[13]。
二月，徙梁王恢爲趙王。呂王產徙爲梁王，梁王不之國，爲帝太傅。立皇子平昌侯太爲呂王。更名梁曰呂，呂曰濟川。太后女弟呂嬃有女，爲營陵侯劉澤妻，澤爲大將軍。太后王諸呂，恐即崩後劉將軍爲害，迺以劉澤爲瑯邪王，以慰其心。 梁王恢之徙王趙，心懷不樂。太后以呂產女爲趙王后。王后從官皆諸呂，擅權微伺趙王，趙王不得自恣。王有所愛姬，王后使人酖殺之。王迺爲歌詩四章，令樂人歌之。王悲，六月即自殺。太后聞之，以爲王用婦人弃宗	己丑晦，日有蝕之既。呂梁王呂產爲相國，趙王祿爲上將軍。立營陵侯劉澤爲瑯邪王。 夏五月辛未，詔曰：「昭靈夫人，太上皇妃也；武哀侯、宣夫人，高皇帝兄姊也。號謚不稱，其議尊號。」丞相臣平等，請尊昭靈夫人曰昭靈后，武哀侯曰武哀王，宣夫人曰昭哀后，

廟禮，廢其嗣。	
宣平侯張敖卒，以子偃爲魯王，敖賜諡爲魯元王。	六月，趙王恢自殺。
秋，太后使使告代王，欲徙王趙。代王謝，願守代邊。	
太傅產、丞相平等言，武信侯呂祿，上侯位次第一，請立爲趙王。太后許之，追尊祿父康侯爲趙昭王。 九月，燕靈王建薨，有美人子，太后使人殺之，無後，國除。 八年十月，立呂肅王子東平侯呂通爲燕王，封通弟呂莊爲東平侯。	
三月中，呂后祓還，過軹道，見物如蒼犬，據高后掖，忽弗復見。卜之云，趙王如意爲祟。高后遂病掖傷。	秋九月，燕王建薨。南越侵盜長沙，遣隆慮侯竈將兵擊之。 八年春，封中謁者張釋卿爲列侯。諸中官、宦者令丞，皆賜爵關內侯，食邑。
高后爲外孫魯元王偃，年少蚤失父母孤弱，迺封張敖前姬兩子侈爲新都侯，壽爲樂昌侯，以輔魯元王偃。及封中大謁者張釋爲建陵侯，呂榮爲祝茲侯。諸中宦者令丞，皆爲關內侯，	夏，江水、漢水溢，流萬餘家。 案：呂后掖傷之事分別見於〈外戚傳〉與〈五行志〉中，在〈外戚傳〉中班固只言「病犬禍而崩」，[14] 其他的記載都在〈五行志〉中。〈五行志〉中

食邑五百戶。	除了記載挾傷之事外，還在文末增加了呂后鴆殺趙王如意，及使戚夫人為人彘的事，這裡再次重複鴆殺趙王之事的目的應該是要加強「趙王如意祟」[15]的事。
七月中，高后病甚，迺令趙王呂祿為上將軍，軍北軍；呂王產居南軍。呂太后誠產、祿曰：「高帝已定天下，與大臣約曰：『非劉氏王者，天下共擊之』。今呂氏王，大臣弗平。我即崩，帝年少，大臣恐為變。必據兵衛宮，慎毋送喪，毋為人所制。」辛巳，高后崩，遺詔賜諸侯王各千金，將相列侯郎吏、皆以秩賜金。大赦天下。以呂王產為相國，以呂祿女為帝后。高后已葬，以左丞相審食其為帝太傅。	
朱虛侯劉章有氣力，東牟侯興居其弟也。皆齊哀王弟，居長安。當是時諸呂用事擅權，欲為亂，畏高帝故大臣絳、灌等，未敢發。朱虛侯婦，呂祿女，陰知其謀。恐見誅，迺陰令人告其兄齊王，欲令發兵西誅諸呂而立朱虛侯。欲從中與大臣為應。齊王欲發兵，其相弗聽。八月丙午，齊王欲使人誅相，相召平迺反，舉兵欲圍王，王因殺其相，遂發兵東，詐奪瑯邪王	秋七月辛巳，皇太后崩于未央宮。遺詔賜諸侯王各千金，將相列侯下至郎吏各有差。大赦天下。上將軍祿、相國產、顓兵秉政，自知背高皇帝約，恐為大臣、諸侯王所誅，因謀作亂。時齊悼惠王子朱虛侯章在京師，呂祿女為婦，知其謀，迺使人告兄齊王，令發兵西。章欲與太尉勃、丞相平為內應，呂誅諸呂。齊王遂發兵，又詐瑯邪王澤，發其國兵，並將而西。產祿等遣大將軍灌嬰將兵擊之。嬰至滎

兵,並將之而西。語在〈齊王〉語中。齊王迺遺諸侯王書曰:「高帝平定天下,王諸子弟,悼惠王王齊。悼惠王薨,孝惠帝使留侯良立臣爲齊王。孝惠崩,高后用事,春秋高,聽諸呂,擅廢帝更立,又比殺三趙王,滅梁、趙、燕以王諸呂,分齊爲四。忠臣進諫,上惑亂弗聽。今高后崩,而帝春秋富,未能治天下,固恃大臣諸侯。而諸呂又擅自尊官,聚兵嚴威,劫列侯忠臣,矯制以令天下,宗廟所以危。寡人率兵入誅不當爲王者。」漢聞之,相國呂產等迺遣潁陰侯灌嬰將兵擊之。灌嬰至滎陽,迺謀曰:「諸呂權兵關中,欲危劉氏而自立。今我破齊還報,此益呂氏之資也。」迺劉屯滎陽,使使諭齊王及諸侯,與連和,以待呂氏變共誅之。齊王聞之,迺還兵西界待約。

呂祿、呂產欲發亂關中,內憚絳侯、朱虛等,外畏齊、楚兵,又恐灌嬰畔之,欲待灌嬰兵與齊合而發,猶豫未決。當是時,濟川王太、淮陽王武、常山王朝,名爲少帝弟,及魯元王呂

陽,使人諭齊王與連和,待呂氏變而共誅之。太尉勃與丞相平謀,呂曲周侯酈商子寄與祿善,使人劫商,令寄紿說祿曰:高帝與呂后共定天下,劉氏所立九王,呂氏所立三王,皆大臣之議。事呂佈告諸侯王,諸侯王呂爲宜。今太后崩,帝少,足下不急之國守藩,迺爲上將,將兵留此,爲大臣諸侯所疑。何不速歸將軍印,呂兵屬太尉,請梁王亦歸相國印,與大臣盟而之國。齊兵必罷,大臣得安,足下高枕而王千里,此萬世之利也。祿然其計,使人報產及諸呂老人。或呂爲不便,計猶豫,未有所決。祿信寄,與俱出遊,過其姑呂嬃。嬃怒曰:「汝爲將而棄軍,呂氏今無處矣!」迺悉出珠玉寶器散堂下曰:「無爲它人守也!」

后外孫，皆年少，未之國，居長安。
趙王祿、梁王產各將兵居南北軍，皆
呂氏之人。列侯群臣，莫自堅其命。

太尉絳侯勃不得入軍中主兵。曲周侯
酈商老病，其子寄與呂祿善。絳侯迺
與丞相陳平謀，使人劫酈商。令其子
寄往紿說呂祿曰：「高帝與呂后共定
天下，劉氏所立九王，呂氏所立三
王，皆大臣之議，事已佈告諸侯，諸
侯皆以為宜。今高后崩，帝少，而足
下佩趙王印，不急之國守藩，迺為上
將，將兵畱此，為大臣諸侯所疑。足
下何不歸將印，以兵屬太尉？請梁王
歸相國印，與大臣盟而之國，齊兵必
罷，大臣得安，足下高枕而王千里，
此萬世之利也。」呂祿信然其計，欲
歸將印以兵屬太尉。使人報呂產及諸
呂老人，或以為便，或曰不便，計猶
豫未有所決。呂祿信酈寄，時與出游
獵。過其姑呂嬃，嬃大怒，曰：「若
為將而棄軍，呂氏今無處矣。」迺悉
出珠玉寶器散堂下曰：「毋為他人守
也。」左丞相食其免。

八月庚申旦，平陽侯窋行御史大夫事，見相國產計事。郎中令賈壽使從齊來，因數產曰：「王不蚤之國，今雖欲行，尚可得邪？」具以灌嬰與齊楚合從，欲誅諸呂告產，迺趣產急入宮。平陽侯頗聞其語，迺馳告丞相太尉。太尉欲入北軍，不得入。襄平侯通尚符節。迺令持節矯內太尉北軍。太尉復令酈寄與典客劉揭先說呂祿曰：「帝使太尉守北軍，欲足下之國，急歸將印辭去，不然禍且起。」呂祿以爲酈兄不欺己，遂解印屬典客，而以兵授太尉。太尉將之，入軍門，行令軍中曰：「爲呂氏右襢，爲劉氏左襢。」軍中皆左襢爲劉氏。太尉行至，將軍呂祿亦已解上將印去，太尉遂將北軍。

然尚有南軍。平陽侯聞之，以呂產謀告丞相平，丞相平迺召朱虛侯佐太尉。太尉令朱虛侯監軍門。令平陽侯告衛尉：「毋入相國產殿門。」呂產不知呂祿已去北軍，迺入未央宮欲爲亂，殿門弗得入，裵回往來。平陽侯恐弗勝，馳語太尉。太尉尚恐不勝諸

八月庚申，平陽侯窋，行御史大夫事，見相國產計事。郎中令賈壽使從齊來，因數產曰：「王不早之國，今雖欲行，尚可得邪？」具呂灌嬰與齊楚合從狀告產。平陽侯窋聞其語，馳告丞相平、太尉勃。勃欲入北軍，不得入。襄平侯紀通尚符節，迺令持節矯內勃北軍。勃復令酈寄，典客劉揭，說祿曰：「帝使太尉守北軍，欲令足下之國，急歸將印，辭去。不然，禍且起。」祿遂解印屬典客，而呂兵授太尉勃。勃入軍門，行令軍中曰：「爲呂氏右袒，爲劉氏左袒。」軍皆左袒。勃遂將北軍。

呂，未敢訟言誅之，迺遣朱虛侯謂曰：「急入宮衛帝。」朱虛侯請卒，太尉予卒千餘人。入未央宮門，遂見產廷中。日餔時遂擊產。產走，天風大起，以故其從官亂莫敢鬭。逐產殺之郎中府吏廁中。

朱虛侯已殺產，帝命謁者持節勞朱虛侯。朱虛侯欲奪節信，謁者不肯，朱虛侯則從與載，因節信馳走，斬長樂衛尉呂更始。還馳入北軍，報太尉。太尉起，拜賀朱虛侯曰：「所患獨呂產，今已誅，天下定矣。」遂遣人分部，悉捕諸呂男女，無少長皆斬之。辛酉，捕斬呂祿，而笞殺呂嬃。使人誅燕王呂通，而廢魯王偃。

壬戌，以帝太傅食其復為左丞相。戊辰，徙濟川王王梁，立趙幽王子遂為趙王。遣朱虛侯章，以誅諸呂氏事告齊王，令罷兵。灌嬰兵亦罷滎陽而歸。

諸大臣相與陰謀曰：「少帝及梁、淮陽、常山王，皆非真孝惠子也。呂后以計詐名他人子，殺其母養後宮，令

然尚有南軍，丞相平召朱虛侯章佐勃。勃令章監軍門，令平陽侯告衛尉，毋內相國產殿門。產不知祿已去北軍，入未央宮，欲為亂。殿門弗內，徘徊往來。平陽侯馳語太尉勃，勃尚恐不勝，未敢誦言誅之，迺謂朱虛侯章曰：「急入宮衛帝。」章從勃請卒千人，入未央宮掖門，見產廷中。晡時，遂擊產，產走。天大風，從官亂，莫敢鬭者。逐產，殺之郎中府吏舍廁中。

章已殺產，帝令謁者持節勞章。章欲奪節，謁者不肯，章迺從與載，因節信，馳斬長樂衛尉呂更始。還入北軍，復報太尉勃。勃起拜賀章曰：「所患獨產，今已誅，天下定矣。」

辛酉，殺呂祿，笞殺呂嬃。分部悉捕呂男女，無少長，皆斬之。大臣相與

孝惠子之，立以爲後，及諸王，以彊
呂氏。今皆已夷滅諸呂，而置所立，
即長用事，吾屬無類矣。不如視諸王
最賢者立之。」或言「齊悼惠王高帝
長子，今其適子爲齊王，推本言之，
高帝適長孫，可立也」。大臣皆曰：「呂
氏以外家惡，而幾危宗廟亂功臣，今
齊王母家駟鈞。駟鈞，惡人也。即立
齊王，則復爲呂氏。」欲立淮南王，
以爲少，母家又惡。迺曰：「代王方
今高帝見子，最長，仁孝寬厚。太后
家薄氏謹良。且立長故順，以仁孝聞
於天下，便。」迺相與共陰使人召代
王。代王使人辭謝。再反，然後乘六
乘傳。後九月晦日己酉，至長安舍代
邸。大臣皆往謁，奉天子璽上代王，
共尊立爲天子。代王數讓，群臣固
請，然後聽。

東牟侯興居曰：「誅呂氏吾無功，請
得除宮。」迺與太僕汝陰侯滕公入
宮，前謂少帝曰：「足下非劉氏，不
當立。」迺顧麾左右執戟者，掊兵罷
去。有數人不肯去兵，宦者令張澤諭
告，亦去兵。滕公迺召乘輿車，載少

陰謀，呂爲少帝及三弟爲王者，皆非
孝惠子，復共誅之，尊立文帝。語在
〈周勃高五王傳〉。

帝出。少帝曰：「欲將我安之乎？」滕公曰「出就舍。」舍少府。迺奉天子法駕，迎代王於邸。報曰：「宮謹除。」代王即夕入未央宮。有謁者十人。持戟衛端門，曰：「天子在也，足下何爲者而入？」代王迺謂太尉。太尉往諭，謁者十人，皆揹兵而去。代王遂入而聽政。夜，有司分部，誅滅梁、淮陽、常山王及少帝於邸。 代王立爲天子。二十三年崩，諡爲孝文皇帝。	
太史公曰：孝惠皇帝、高后之時，黎民得離戰國之苦，君臣俱欲休息乎無爲，故惠帝垂拱，高后女主稱制，政不出房戶，天下晏然。刑罰罕用，罪人是希。民務稼穡，衣食滋殖。	贊曰：孝惠高后之時，海內得離戰國之苦，君臣俱欲無爲，故惠帝拱己，高后女主制政，不出房闥，而天下晏然，刑罰罕用，民務稼穡，衣食滋殖。

　　案：〈呂后本紀〉爲《史記》十二本紀中常爲後人所討論的本紀之一，主要原因在於爭論呂后是否應該納入本紀之中。《漢書》改易《史記》之法，迺將〈呂后本紀〉分置於〈惠帝紀〉[16]、〈高

16　（1）政令方面，例如：官吏的升遷、肉刑的對象、以買爵之錢來抵死罪、除挾書律以及以罰金的方式來變向鼓勵人民成家。可見在惠帝之時，漢代已開始減輕刑罰。這些政令對於瞭解漢朝初年的政治情形有很大的助益，此《漢書》之功。（2）建設方面：主要以首都長安而言。從惠帝元年春、三年春、三年六月、五年春正月，一直到惠帝五年九月長安城才建好。〈呂后本紀〉中記載「三年，方築長安城」、「五年、六年，城就」。據沈家本的考證，五年六年城就應該是五年九月之誤。因此，〈惠帝紀〉亦可補〈呂后本紀〉之闕。（3）異常氣象如：二年春天，隴西地震，夏旱。四年三月，宜陽雨血。

后紀〉[17]、〈外戚傳〉、〈齊悼惠王肥、趙幽王友、趙共王恢傳〉及

五年冬十月，靁，桃李華，棗實。夏大旱。七年春正月，日蝕。夏五月，日全蝕。在天氣異常現象所造成的災害，以及對災害的詮釋都記錄在〈五行志〉中。（4）王侯將相之死：相國蕭何死於惠帝二年秋七月辛未，同年夏天，郃陽侯劉喜薨；惠帝五年秋八月己丑，相國曹參薨；六年冬十月辛丑，齊悼惠王劉肥薨，同年六月，舞陽侯樊噲薨。以上是〈惠帝紀〉中有，而〈呂后本紀〉中沒有記載的，〈呂后本紀〉中只記載於惠帝元年被呂后鴆殺的趙隱王如意。依《漢書》體例，侯薨不應記錄在本紀中，但〈惠帝紀〉卻記載了郃陽侯與舞陽侯二人。其中郃陽侯爲漢高祖之兄，因爲他是惠帝的長輩，地位尊貴，所以特地在紀中記載；而舞陽侯樊噲在紀中，《漢書辨疑》以爲在惠帝之時，呂家勢力強大，但樊噲剛直，不一定會與呂氏同流合汙，因此樊噲可以說是劉氏安危的重要支柱，所以要在紀中特別記錄下來。（5）贊曰：「孝惠內修親親，外禮宰相，優寵齊悼、趙隱，恩敬篤矣。聞叔孫通之諫則懼然，納曹相國之對而心說，可謂寬仁之主。遭呂太后虧損至德，悲夫！」惠帝對家人的愛護，可以從〈呂后本紀〉與〈高五王傳〉中得知。〈惠帝紀〉的評語是「寬仁之主」，與〈呂后本紀〉中言惠帝爲人仁弱、慈仁的說法是大同小異。又言「遭呂太后虧損至德，悲夫！」，呂后的殘忍與惠帝的慈仁在此有其明顯的對比。

17 大約可以分爲詔令、災異、軍事外交、貨幣四大類。（1）詔令：〈高后紀〉中除與〈呂后本紀〉相同者外，還有三個詔令，這三個詔令分別是高后元年春正月的〈除三族罪、妖言令詔〉、二年春的〈議定列侯功詔〉及七年夏五月辛未的〈議昭靈夫人等尊號詔〉。〈除三族罪、妖言令詔〉是呂后所行德政，也是減輕刑罰的重要詔令。這份詔令在呂后稱制時代，妒殺功臣與嬪妃，去劉存呂中，無疑是光明象徵，若無此詔收錄於〈高后紀〉中，後人對呂后的印象便只剩誅劉封呂的負面形象。在高后二年與七年所下的詔書都是與諸侯王相關的詔書：〈議定列侯功詔〉可說是呂后對列侯的攏絡手段，其目的在告知列侯，自此之後他們的地位不會受到動搖，世代都可以享受榮華富貴；而〈議昭靈夫人等尊號詔〉是呂后下令爲高祖兄姊議尊號，則可視爲對劉氏的安撫。（2）災異：包含有❶天災：在二年春正月乙卯的時候，地震；三年夏天及八年夏，長江與漢水氾濫成災。❷日蝕：分別在高后二年以及七年，二年是日偏蝕，七年則是日全蝕。❸異象：在高后元年秋天，桃李在秋天就開花了，不符自然時序。在三年秋與六年春時，星辰在白天仍可看到。這些災異中最值得注意的是發生在三年秋與六年春的「星晝見」。有關於「桃李華」的記載在《漢書》十二篇本紀中常常出現，但「星晝見」則只有出現在〈高后紀〉。「星晝見」在《漢書》中並沒有直接的解釋，比較接近於這種異象的解釋在〈天文志〉：「太白…晝見與日爭明，彊國弱，小國彊，女主昌。」並直指災異時間，如：「〈高后紀〉夏五月丙申，趙王宮叢台災。〈五行志〉高后元年五月丙申，趙叢台災。劉向以爲是時呂氏女爲趙王后，嫉妒，將爲

〈王陵周勃傳〉等傳中，班蘭台在〈高后紀〉有部分是承襲太史
公之文，但同樣是書寫呂后事跡，二人書寫的角度不完全相同，
對於相同事件的歸類也頗歧異。〈高后紀〉以編年方式，將呂后掌
權時期各年所發生的災禍、政令實施與主要建設羅列出來；〈呂后
本紀〉以傳記方式將呂后的一生及其個性呈現出來，可見馬、班
雖撰寫相同的史實，其表達方式與角度卻不完全相同。若單看〈呂
后本紀〉則呂后當時的政治、經濟、外交等政令便無從得知；若
單看〈高后本紀〉則無法看到呂后在當時政治上的手段以及劉、
呂勢力的消長，乃至通篇要旨亦模糊不清。《史記》所呈現的呂后
是栩栩如生的人物，其一言一行都鮮明的烙印在後人心中，令人
難忘；而〈高后紀〉雖是制式語言，羅列各年間所發生的大事，
然亦有其史料價值。可見〈高后本紀〉與〈呂后本紀〉有互補之
用。太史公對於惠帝到呂后女主稱制的這段史實，雖深責呂后妒
殺功臣嬪妃，與弒劉代呂之慘毒，但也站在黎民立場，肯定呂后
執行劉邦的既定政策與用人原則，與民休息，這可說是太史公的

讒口以害趙王。王不寤焉，卒見幽殺。〈惠帝紀〉二年，隴西地震。〈天文志〉
孝惠二年，天開東北，廣十餘丈，長二十餘丈。地動，陰有餘；天裂，陽不
足；皆下盛彊將害鑣之變也。其後有呂氏之亂。」〈天文志〉與〈五行志〉
對於〈本紀〉災異大至地震水災，小至宮室的小火災都有所詮釋。但十二〈本
紀〉中唯獨〈高后紀〉有「星晝見」，且〈天文志〉中亦只此段與星晝見相
關。想來在〈本紀〉中將災異記錄下來必有其目的，且「星晝見」又獨見於
〈高后紀〉，因此將〈天文志〉此說視為對〈高后紀〉的詮解，似無不可。（3）
軍事與外交：在呂后時期，匈奴與南粵都曾經入侵，相關資料分別見於〈匈
奴傳〉及〈西南夷兩粵朝鮮傳〉，對照二傳與〈高后紀〉，發現在〈匈奴傳〉
中有關惠帝、呂后時期的記載只有冒頓向呂后求婚的事，在〈高后紀〉中所
記載的「六年春，匈奴寇狄道，攻阿陽」及「七年冬十二月，匈奴寇狄道，
略二千餘人」，〈匈奴傳〉中未載。（4）貨幣制度：二年行八銖錢，六年行五
分錢。可見《漢書》將所有發生於呂后時代的重要事件都以編年的方式一一
載明，對於其以為不屬於〈本紀〉範圍的歷史，則將之他歸。證明其「以事
為主」的主張，相當明確。（參見史學組：〈從呂后當政時代論《漢書》對《史
記》的承與變〉一文。）

獨特眼力與史觀。至於其中，令人印象深刻者如：「人彘事件」、「高祖後宮，雖獨無寵疏遠者得無恙。」[18]、「漢初三大將之死」[19]、「迫害高祖六子」[20]乃至「不疑、強、義、朝、武之死」[21]配合〈呂后本紀〉、〈高后紀〉、〈惠帝紀〉、〈五行志〉、〈天文志〉之記載與詮解，不禁令人想起，民初蓮宗印祖所云：「歷史者，古今治亂賢愚之陳述也。感應者，古今得失吉凶之微驗也。…須知感應云者，即因果之謂也。…若欲免惡果，必須修善因。儻或造惡因，斷難得善果。…然世人每每於因果之泯而無者，多忽略而不深體察。於顯而易見者，或有別種因果夾雜，致難見報應。肉眼凡夫，不知所以，遂謂善惡皆空，無有因果。由是以一己之偏見，謂為的確無謬，而聖、賢、佛、菩薩、之所說，皆以為荒唐無稽，不可依從。從茲逞己邪見，妄充通家，發為議論，自誤誤人。以一傳諸，變本加厲，以馴至於廢經廢倫，廢孝免恥，爭城爭地，互相殘殺之惡劇，一一皆為演出。致天災人禍，日見降作，國運危岌，民不聊生。究其根源，總由不知因果報應之所致也。」[22]較析此文，更深慨世人未能藉鑑歷史「興廢由心，因果昭著」之可嘆。

五、結　論

本文透過對《史記‧呂后本紀》、《漢書‧高后本紀》比較分

18　《史記‧外戚世家》：「及高祖崩，呂氏夷戚氏，誅趙王，而高祖後宮，雖獨無寵疏遠者得無恙。」

19　依次是韓信、彭越與黥布。

20　〈呂后本紀〉全篇，太史公再三的強調呂后王諸呂的事實以及誅殺、迫害高祖六子的史實，此皆實錄。（除惠帝與淮南厲王故言六子）

21　在《漢書》中所有有關於惠帝後宮子的記載（如〈異姓諸侯王表〉與〈外戚恩澤侯表〉）都是認為他們是呂后所詐立的，並非劉家後人，但在《史記‧漢興以來諸侯王年表》中則明言不疑、強、義、朝、武為惠帝子。

22　釋印光撰：〈歷史感應統紀序〉，民國十八年己巳立冬日。

析，發現其異同主要體現在以下幾個面向：（一）立傳動機不同：史公以此傳深責當世，而班氏反之；〈呂后本紀〉以傳記方式將呂后的一生及其個性表現出來，〈高后紀〉則完全以編年的方式來呈現，兩人雖撰寫同一段歷史，但表達方式與角度迥異；（二）鍊字布局不一：〈高后紀〉補充太史公在〈呂后本紀〉中史料之不足，其以制式語言，羅列各年所發生的大事，使〈本紀〉成為帝王大事記之成例，同時將〈呂后本紀〉中相關各體篇章者，析解納入，如實記載，也展現史書中互見筆法之使用；然而〈呂后本紀〉中所呈現的呂太后是活潑的，她的一言一行都鮮明的烙印在後人的心中，難以磨滅，這卻是〈高后紀〉無法比擬的；（三）史料分合差異：單看〈呂后本紀〉則呂后當時的內政、經濟、外交、軍事就無從得知，單看〈高后紀〉則無法了解呂后在當時政治上的手段以及劉、呂勢力之消長乃至通篇要旨「因果昭著」即泯不可見。職此，較析此文，回憶師訓：「〈太甲〉云：「天作孽，猶可違；自作孽，不可活。」[23]感觸良深。

參考資料

（一）專書部分

（漢）班固；唐顏師古注：《漢書》北京：中華書局，1962.6.

楊家駱主編：《四史知意并附編六種》台北：鼎文書局，1976.2

李景星著：《四史評議》長沙：岳麓書社，1986 年 11 月

（清）牛運震：《讀史糾謬》山東：齊魯書社，1989 年 6 月

瀧川龜太郎：《史記會注考證》台北市：萬卷樓出版，1993.8.

朴宰雨：《史記漢書比較研究》北京：中國文學出版社，1994.8.

---

23 蔡師信發：《話說史記》，臺北：萬卷樓圖書有限公司，民 1995.10.，頁 181.

蔡信發：《話說史記》，臺北：萬卷樓圖書有限公司，民 1995.10.。

蘇秋鈴：《從漢代樂府淺談漢代婦女的情感與社會地位》，國立台
　　南師範學院語文教育學系學士論文，民 2003.6.

（二）期刊部分

徐復觀：〈史漢比較研究之一例〉，《大陸雜詩》，第 57 卷第 4 期，
　　　　民 67.10，頁 149～頁 181。

范天成：〈劉邦《大風歌》情感底蘊新探 —— 兼論漢初翦靈異性諸
　　　　侯王之得失〉，《人文雜志》，第 3 期，1994，頁 113～頁
　　　　118。

劉昌安：〈呂后的個性心理特徵及其形成〉，《漢中師範學院學報‧
　　　　社會科學》，第 3 期（總第 59 期），1999，頁 37～頁 42。

朱紹侯：〈呂后二年賜田宅制度試探 ——《二年律令》與軍功爵制
　　　　研究之二〉，《史學月刊》，第 12 期，2002，頁 12～頁 16。

張　　麗：〈從呂后的性格特徵看其臨朝稱制〉，《黑龍江教育學院
　　　　學報》，第 22 卷第 4 期，2003.7，頁 85～86。

王繼如：〈高后所詐稱惠帝子考〉，《國學鉤沉—史書管窺》，第 4
　　　　期，2004，頁 106～頁 111。金澤中：〈呂太后與人彘事
　　　　件〉，《滁州師專學報》，第 6 卷第 2 期，2004.6，頁 1～
　　　　頁 3。

孫景壇：〈漢史研究中的幾個重要問題新探〉，《南京社會科學‧歷
　　　　史學研究》，第 6 期，2005，頁 33～頁 39。

賴明德：〈司馬遷與班固史學之比較〉，《中國學術年刊》，頁 1～
　　　　頁 21。

阮芝生：〈論史記五體及「太史公曰」的述與作〉，《國立臺灣大學
　　　　歷史學系學報》，頁 17～頁 43。

林璧屬：〈歷史人物評價兩難題〉，《史學理論研究》，頁 153～156。

趙生群：〈《史記》體例與褒貶〉《史記研究》，頁 75～78。

李崇遠：〈史記篇例考述〉，《中華學苑》，頁 117～150。

趙生群：〈《史記》標題論〉，《大陸雜誌》，第 93 卷第 1 期，頁 21
　　　　～25。

蔡信發：〈《史》、《漢》平議〉，《人文學報》，頁 1～9。

李毓善：〈史記「太史公曰」探析〉，《輔仁學誌》頁 1（總 415）
　　　　～頁 40（總 454）。

研究所階段的書法課程與教學述論

李　郁　周[*]

大　綱：

關鍵詞：研究所、書法、課程、教學

一、前　言

　　一九七〇年代筆者就讀中國文化大學藝術研究所期間，修習過莊嚴講授的「書畫品鑑」與「題跋學」、王壯爲講授的「書史研究」以及曾紹杰講授的「金石學」等書法相關課程。當時也耳聞于大成曾經在高雄師範大學國文研究所講授過「書法研究」。這是筆者最初知悉並受教的研究所階段的書法課程。

　　莊嚴在上述兩門課程中的講授內容不甚有系統，但其終身在

---
[*] 明道大學中國文學系暨國學研究所教授。

故宮博物院工作，接觸中國歷史文物、熟悉歷史掌故、了解歷代典章制度，信手拈來皆是文化，更是學問。隨意擷取一個書法話題，從源至流、自枝而葉，娓娓道來，趣味與學識兼而有之，學生聽課不是負擔，而是享受；就在莊老師家，我們看到〈好大王碑〉原拓本十六大軸，頂天立地，極天地之大觀。王壯為的邏輯觀念較強，以歷史發展先後講解中國書法史，從圖象文字、甲金文字、篆籀古文、侯馬盟書、楚繒書、馬王堆簡帛，到漢魏六朝碑刻、簡紙，以至於晉唐書法，原原本本，指說歷歷，條理分明。曾紹杰講授金石學，從銅器形制、紋飾與銘文范鑄到風格類別，春秋戰國各地書風，徐徐道來，不疾不厲；講授石刻時不但細述形制，更講碑文；也是在曾老師家，我們看到整幅拓本〈石門頌〉張掛在整面牆壁上，頗有「雄偉壯麗」之感。

　　筆者就讀研究所時，不可能思考研究所何以開設這些課程要求學生修習，只有等到強烈的想要推動從小學到研究所的書法教育時，纔會思考各級學校書法課程的階段性及其關聯性，於是在一九九七年高雄師範大學舉辦的「第三屆金石書畫學術研討會」中發表〈論大學書法系所的創設與發展〉一文，從四個領域擬定研究所階段的書法課程，茲引錄如下：[1]

書法技法與創作	書法知識與理論	書法鑑識與欣賞	書法活動及其他
各體書法創作	書史專題研究	鑑賞專題研究	藝術學方法論
1.書法	書論專題研究	書法比較研究	書法行政學
2.篆刻	書家專題研究	書法考證辨偽	專題講座
	書跡專題研究		畢業論文

---

1 李郁周：〈論大學書法系所的創設與發展〉，見《臺灣書家書事論集》，臺北：蕙風堂筆墨公司，2002 年 8 月，頁 245。

	書法美學研究		
	書法教育研究		
	書法心理研究		
	書法創作研究		
	書法綜合研究		
	藝術思潮研究		

　　九年前閉門造車製作的這份研究所書法課程表，對照我們的前輩講授的課程大有不同，而有些內容似乎又大同小異，只是將講授內容加以分類安排而已；其中的書法創作、書法美學、書法教育、書法心理、書法行政等課程則是前所未見的。若從學術分工的立場來看，研究所的書法教學需視各種不同的設所目標來擬訂，如文學類型的書法研究所、史學類型的書法研究所、美術類型的書法研究所、教育類型的書法研究所等，各有不同的發展目標，開設的書法課程當然各有偏重，不宜一以貫之。筆者上述所擬的課程則是獨立的一般性書法研究所課程。

　　近十數年來，許多公立大學的書法教授積極爭取設立書法研究所，如高雄師範大學、臺灣師範大學、臺中師範學院（今臺中教育大學）、臺南師範學院（今臺南大學）等，均曾向教育主管單位申請設立書法研究所而未果。臺南師範學院曾在二〇〇〇年至二〇〇三年，每年暑期開設研究所階段的「書法教學碩士學分班」；臺灣藝術大學則在造形藝術研究所設置書畫組，招收書畫碩士研究生。二〇〇四年夏天，明道管理學院國學研究所設置書法藝術組，招收書法碩士研究生；二〇〇六年夏天，華梵大學美術研究所設置書法研究組，也開始招收書法碩士研究生；二〇〇六年夏天，高雄師範大學國文研究所設置書法教學碩士班，招收現職教師修讀書法教學碩士學位。

　　研究所階段書法課程的安排，甚至書法研究所課程的發展，已成為招收書法研究生的大學要面對的問題。首先，利用研究所的一般課程，針對尚未設置書法系以致未修讀書法創作、書法史、書法理論的研究生，補強基礎書法能力；其次，開設書法研究課程，充實研究生的研究能力。筆者藉各大學開始正式招收書法研究生的機會，草成此文，舉例說明臺灣、日本、中國大陸的研究所階段書法課程與教學內容，或有助於書法研究所教育水準的提升。。

二、研究所階段的書法課程

（一）臺灣的研究所階段書法課程

　　十多年來，臺灣各大學文史美術類的研究所，開設書法課程的情形不少，較早的是高雄師範大學國文研究所，晚近的有臺灣藝術大學造形藝術研究所書畫組，其間有臺灣大學藝術史研究所，臺南師範學院語文系書法教學碩士學分班，最近更有明道管理學院國學研究所書法藝術組，其他學校研究所也有一些零星的書法課程，茲以文學類與美術類研究所的次序列表如次：[2]

校所名稱	科目名稱	任教者
高雄師範大學國文研究所	書法研究	蔡崇名
	金石學研究	蔡崇名
	中國書法學研究	蔡崇名
	書法教學研究	盧瑩通
	中國書法史專題研究	蔡崇名

---

2 本表內容參考林麗娥：《臺灣各級學校書法教育之現況評估》，臺北：政治大學中文系，1999 年 7 月，頁 125-130。

淡江大學中文研究所		中國書論專題研究	王仁鈞
中興大學中文研究所		書法美學研究	陳欽忠
臺北市立師範學院應用語文研究所		書畫與文學專題討論	陳維德
新竹師範學院語文教學碩士班		小學書法教學專題研究	李郁周
		小學書法教材專題研究	李郁周
臺南師範學院	書法教學碩士學分班	楷書教學專題研究	黃宗義
		行書教學專題研究	黃宗義
		書法教育專題研究	李郁周
		篆刻學專題研究（一）	蘇友泉
		文字結構與類型	汪中文
		草書教學專題研究	黃宗義
		書法欣賞專題研究	黃宗義
		隸書教學專題研究（一）	蘇友泉
		書法史專題研究（一）	陳欽忠
		書法理論專題研究	蔡崇名
		書法創作研究（一）	黃宗義
		書法教材編製研究	黃宗義
		臺灣書法史研究	李郁周
		古文字書法研究	蘇友泉
		書法教學方法研究	洪文珍
		書法創作研究（二）	黃宗義
		臨帖教學研究	黃宗義
		隸書教學專題研究（二）	蘇友泉
		篆刻學專題研究（二）	蘇友泉

		書法史專題研究（二）	吳榮富
	語文教學碩士班	書寫理論及教學研究	黃宗義
		碑帖教學研究	黃宗義
		臨帖教學研究	黃宗義
明道管理學院國學研究所 書法藝術組		金文研究	陳維德
		書法專題研究	李郁周
		書法創作與研究	李郁周
		書法文獻研究	李郁周
		書法美學	陳欽忠
		治學方法	李威熊
		文學專題研究	何寄澎
		文心雕龍	廉永英
		經學專題研究	胡楚生
		道家哲學	廉永英
		先秦法家思想	李　增
		清代學術研究	胡楚生
臺灣師範大學美術研究所		正書創作研究	傅佑武
		書法品鑑	傅　申
		篆刻學	王北岳
臺灣大學藝術史研究所		書法品鑑	傅　申
		宋、元、明、清書法史研究	傅　申
臺北藝術大學美術研究所		璽印學	王北岳
東海大學美術研究所		書法專題研究	姜一涵
中國文化大學藝術研究所		書法研究	王士儀

臺灣藝術大學造形藝術研究所書畫組	書法研究	林進忠
	篆刻研究	王北岳
	書法創作研究	林進忠
	篆刻創作研究	阮常耀
	書畫藝術文獻選讀	張清治
	書畫藝術文獻選讀	李郁周
	書畫題跋款識研究	歐豪年
	書畫題跋款識研究	李郁周

　　從上表中可以看出，曾經開設研究所階段書法課程的大學以臺南師範學院（臺南大學）最多，數年間開設十八種以上的課程；其次為臺灣藝術大學，開設六種以上；高雄師範大學與明道管理學院各有五種以上。今年高雄師範大學招收書法教學碩士研究生、華梵大學招收書法碩士研究生，所開書法課程必然呈現更為多樣化的趨勢，且拭目以待。

（二）日本的研究所階段書法課程

　　自一九八〇年代末期，幾位臺灣青年從日本筑波大學藝術系書法組取得藝術學碩士學位回國之後，我們對日本的研究所階段的書法教育，纔稍有浮光掠影的了解。至二〇〇〇年之後，日本研究所階段的書法課程逐漸完備。茲以大東文化大學與福岡教育大學為例，說明其狀況於後。

　　1.日本東京的大東文化大學設立於一九二三年，八十多年來培養不少書法人才。二〇〇〇年書法獨立設系，繼續招收大學生；二〇〇三年開辦「書法學」碩士班，二〇〇五年第一屆書法碩士研究生「修讀」學科完畢，學校將「碩士課程」改編為「博士前期課程」，同時開設「博士後期課程」。前期課程需就讀兩年以上，

修讀學科二十學分以上，術科十二學分以上，並接受必要的指導，然後提出學位論文與書法作品，審查通過後授予書法學碩士學位；後期課程需就讀三年以上修讀學科十二學分以上，並接受必要的指導，然後提出學位論文，審查通過後授予書法學博士學位。[3]

（1）其博士前期（碩士）課程分兩部分，一爲「開設科目」，二爲「相關科目」：

開　　設　　科　　目	學　分	任　課　教　師
中國書學演習（一）	4	田中　有（東竹）
中國書學演習（二）	4	河內利治（君平）
中國書法演習（一）（二）	4・4	新井儀平（光風）
中國書學、書法特殊研究（一）（二）	4・4	河野　隆
中國書法特殊研究	4	齋藤公男（蒼青）
中國哲學特殊研究	4	影山輝國
中國文學特殊研究	4	小川陽一
中國美學特殊研究	4	門脇廣文
日本書學演習（一）（二）	4・4	古谷　稔
日本書道演習（一）（二）	4・4	田中裕昭（節山）
日本書學、書道特殊研究（一）（二）	4・4	高木厚人
日本書道文化特殊研究	4・4	高城弘一（竹苞）
上代文學特殊研究	4	山田直巳
中古文學特殊研究	4	中島　尚
中世文學特殊研究	4	關口忠男
近世文學特殊研究	4	荻原恭男

3 日本《墨》雜誌第172期，東京：藝術新聞社，2005年2月，頁111。

書跡文化財學演習（一）（二）	4・4	（專任預定）
文化財保存學特殊研究	4	增田勝彥
文化財保存修復特殊研究	4	宮田正彥
東洋文化史特殊研究	4	渡邊義浩
東洋美術史特殊研究	4	中野照男

相　　關　　科　　目	學　分	任　課　教　師
書寫書道教育特殊研究（一）（二）	4・4	宮澤正明
書道學特殊研究（一）（二）	4・4	☆
中國語	4	瀨戶口律子
英語	4	太田雅孝

☆四國大學日本文學研究所書道文化組互換科目

　　整個「博士前期課程」以歷代中日書跡（書跡文化財）研究為基礎，以中國書跡臨創與書學為核心，以日本書跡臨創與書學為外圍，再加上教育學、史學、文學、哲學、美學與美術等相關學術領域，綜合而成的研究所書法課程，博士前期課程比較偏向集體式的研究學習。

　　（2）至於「博士後期課程」比較廣博而精深，其課程如下：

開　　設　　科　　目	學　分	任　課　教　師
中國書學演習（三）（四）（五）	4・4・4	河內利治（君平）
日本書學演習（三）（四）（五）	4・4・4	古谷　稔
書跡文化財學演習（三）（四）（五）	4・4・4	（專任預定）

　　博士後期（博士）課程以歷代中日書跡（書跡文化財）研究為基礎，以中國書學（含書跡臨創）為核心，以日本書學（含書跡臨創）為外圍，再加上教育學、史學、文學、哲學、美學、美術等相關學術領域綜合而成。博士後期課程比較偏向研究生個人

式的研究學習。

　　2.日本九州的福岡教育大學設有教育學碩士班美術教育組，分成美術領域與書法領域，其中書法領域的碩士研究生課程如下：[4]

開　　設　　科　　目	任　課　教　師
書道科教育特論 I	片山智士
書道科教育特論 II	和田圭壯
書道科教育演習 I	片山智士
書道科教育演習 II	和田圭壯
漢字技法演習 I	和田圭壯
漢字技法演習 II	小原俊樹
假名技法演習	坂井孝次
漢字假名調和體演習	坂井孝次
書道造型藝術綜合演習	小原俊樹
書道特講	小原俊樹
傳統藝術論特講	（兼任）
書道史特講 I	坂井孝次
書道史特講 II	（兼任）
書道史演習	（兼任）
書法教育特論	和田圭壯
書寫教育演習	和田圭壯

　　福岡教育大學教育學碩士研究生在修完上述全部科目之後，可以獲得高級中學書法教師證書，參加高中書法教師甄選而進入

---

4 和田圭壯：〈福岡教育大學書寫書道教育的現狀和課題〉，見《高等書法教育學科建設與發展國際學術研討會論文集》，北京：文物出版社，2005 年 12 月，頁 201。

高中擔任「書道科」教學。

（三）中國大陸的研究所階段書法課程

1.中國美術學院（前身為浙江美術學院）於中國畫系之下，在一九六三、一九六四年招收書法大學生，後來因文化大革命中斷，直到一九八五年纔恢復繼續招收大學生；其後各種不同性質的大學也開始培養書法大學生。而中國美術學院在一九七九年招收第一屆書法碩士研究生以後，許多美術類的大學與教育類的大學也接二連三的招收書法碩士研究生。一九九七年，中國美術學院開始招收書法博士研究生，構成從大學生、碩士生到博士生的完整大學書法教育體系。

一九七九年，中國美術學院為第一屆書法碩士研究生所開的課程如下：[5]

星期別	課　　程	任教者
星期一	書法及書論	陸維釗
星期二	書法、金石學	沙孟海
星期三	篆刻及理論	諸樂三
星期四	篆刻	劉　江
星期五	古代漢語、古碑文釋例	章祖安
星期六	政治	
	注：日文另排	

二〇〇一年，中國美術學院書法系成立，從大學生、碩士生到博士生一系列的培養工作由中國畫系獨立出來，關於研究所階段的書法課程架構如下：[6]

---

5 祝遂之主編：《中國美術學院中國畫系書法篆刻工作室》，河北：河北美術出版社，2002 年 1 月，頁 6。

6 祝遂之主編：《高等書法教育四十年》，杭州：中國美術學院出版社，2003 年

（1）碩士研究生

從「書法、篆刻、古文字學、古代漢語、書法篆刻史、書論、印論」等方面的「創作、理論、教育及其他」的研究，分別有「創作方向探索、流派及其作品研究」、「書法篆刻理論、書法批評學、書法交流史、書法篆刻美學、文獻整理、考據及鑑定」以及「新型書法教育範式研究」等。

（2）博士研究生

在碩士研究生的基礎上，從事「理論—課題化研究」與「創作—傳統型與探索型」的研究。

2.首都師範大學（前身為北京師範學院）在一九八五年創辦書法專科組；一九九一年招收書法碩士研究生；一九九四年在中文系下設立中國書法藝術研究所，一九九五年開始招收書法博士研究生；一九九七年開始與中文系聯合招收書法大學生。一九九九年中國書法藝術研究所從中文系獨立出來，改名中國書法文化研究所，並開始招收書法博士後研究員；二〇〇五年中國書法文化研究所改名為中國書法文化研究院。[7]

首都師範大學尚未成立書法系，然而書法教育體系則比較完整，從專職生、大學生、碩士生、博士生到博士後研究員皆全，其研究所階段的書法專業課程如下：

---

11 月，頁 109。

[7] 〈首都師範大學中國書法文化研究院簡介〉，見《高等書法教育學科建設與發展國際學術研討會論文集》，北京：文物出版社，2005 年 12 月，頁 453-458。

（1）碩士課程八種：

字體與書體
中國書法史
中國書法理論
中國書法文化學
中國文字學
美學與藝術學
中國古代詩詞
印史與篆刻

（2）博士課程三種：

科學研究方法論
漢字字體與書體研究專題
中國書法文化研究專題

　　臺灣的大學開設研究所階段的書法課程，幾乎沒有什麼邏輯架構可言，主要原因是書法課程很少，一個研究所只開一兩門，夠不上邏輯架構。稍有架構雛形的是臺南師範學院的書法教學碩士學分班，有書史、書論、各體書法、書法創作、書法欣賞、篆刻、書法教育、書法教學、書法教材等，尚屬比較完整的教育類型的研究所課程，與日本福岡教育大學的研究所課程比較相近，中國美術學院也稍有類似的情形。而明道管理學院的國學研究所書法藝術組研究生，除了修習書法課程之外，尚有文學、哲學等思想課程可以選讀，其性質與日本大東文化大學的研究所課程比較相近。至於中國美術學院的文學、史學與哲學課程則開設在大學部的書法大學生課程中，不開設在研究所階段。這種情形，可以看出是臺灣的大學尚未設立書法系的緣故。首都師範大學的研

究所階段的課程，比較著重在「書法與中國文化」的研究角度上，
有其獨樹一格的面向。

三、研究所階段的書法教學

　　臺灣各大學的研究所階段的書法課程講授內容如何？大約可
從各課程中的教學大綱得知，日本大東文化大學、福岡教育大學
與中國美術學院、首都師範大學的書法課程是否公布教學大綱不
得而知。惟中國美術學院針對一九七九年第一屆書法碩士研究生
的課程，則編有教學綱要六十條，移錄如下：[8]

1.書法一般問題　2.刻印一般問題　3.甲骨金文問題

4.文字學問題　5.六書問題　6.書法沿革問題

7.書法理論問題　8.說文解字問題　9.金石學問題

10 金石書目錄問題　11 碑目敘錄問題　12 帖目敘錄問題

13 拓本鑑定問題　14 墨跡欣賞問題　15 書學專著整理問題

16 書跡彙集編纂問題　17 書寫示範問題　18 寫甲骨金文問題

19 寫小篆問題　20 寫隸書問題

21 寫楷書問題　（甲）魏碑各體　（乙）晉唐各體

22 寫行草問題　（甲）章草　（乙）行書與狂草

23 書寫的風格韻味問題　24 書法與政治問題　25 書法與人品問題

26 書法的價值問題　27 書法的商品化問題　28 書法與中小學教
　育問題

29 書法與題畫問題　30 書法與古典語文問題　31 書法與分配工
　作問題

32 簡化字問題　33 文房四寶問題　34 一般刻印問題

---

8 祝遂之主編：《高等書法教育四十年》，杭州：中國美術學院出版社，2003 年
　11 月，頁 94-96。

35 古璽彙集問題　36 秦與六國璽印文字問題　37 漢印問題

38 封泥問題　39 中古印學問題　40 近代印學問題

41 趙撝叔、黃牧甫、吳昌碩與西泠印社問題　42 刻印與邊款問題

43 刻印與政治問題　44 刻印的價值問題　45 鑑別問題

46 印譜敘錄　47 璽印文字研究問題　48 正楷行草入印問題

49 國學鳥瞰問題　50 中國文學史問題　51 散文問題

52 韻文問題　53 題畫詩詞問題　54 寫作實踐問題

55 文藝理論問題　56 日文問題　57 中國文化史問題

58 中外交流問題　59 創新問題　60 研究計畫問題

　　這份陸維釗擬訂的教學綱要，幾乎將書法課題及其相關課題一網打盡，目前中國美術學院書法碩士研究生的課程中，規定的研究方向為「創作方向探索、流派及其作品研究」、「書法篆刻理論、書法批評學、書法交流史、書法篆刻美學、文獻整理、考據與鑑定」與「新型書法教育範式研究」等，均在上述的範圍中；即使是書法博士研究生的研究方向「理論─課題化研究」與「創作─傳統型與探索型」，仍然不出上述的範圍，只是著重的方向略有調整而已。

　　以下就臺灣各大學所開研究所階段的書法類課程大綱，擇其數種簡要介紹，依序為書法美學、書寫理論與教學、書法教育、書法教材編製、臺灣書法史、書法專題、書法創作與研究、書法文獻等，從中可以看出教學的內容。

　　（一）中興大學中文研究所陳欽忠講授的「書法美學研究」綱要：

　1.書法美學：

　（1）書法美學的現實根據及特徵

　（2）書法美的分析與欣賞

　（3）書法創作與審美心理

（4）書法崇高的美學地位

2.書法與其他藝術門類的比較：

（1）書法與文學

（2）書法與繪畫等視覺藝術

（3）書法與音樂

（4）書法與舞蹈

（二）臺南大學（前臺南師範學院）語文教育學系語文教學碩士班黃宗義講授的「書寫理論及教學研究」綱要：

1.書寫理論及教學研究概說　2.筆勢論專題研究

3.筆意論專題研究　4.用筆論專題研究

5.執筆論專題研究　6.結構論專題研究（一）

7.結構論專題研究（二）　8.點畫類名專題研究

9.筆順專題研究　10 書法鑑賞專題研究

11 文字與書法專題研究　12 書寫教材專題研究

13 書寫教學專題研究　14 書法教育學專題研究

15 書寫理論及教學研究之展望　16 研究報告繳驗（含其他專題）

（三）臺南大學（前臺南師範學院）語文教育學系書法教學碩士學分班李郁周講授的「書法教育專題研究」綱要：

1.書法教育專題研究概說　2.書法教育史

3.書法教育理論　4.書法課程與教材

5.書法教學與教法　6.臺灣書法教育現況與發展

7.中日書法教育現況與發展　8.書法教育問題面面觀

9.書法課教案設計　10.小學低年級書寫教材評估

11.小學中年級書寫教材評估　12.小學高年級書寫教材評估

13.小學學生書法展賽企畫詳案　14.小學教師書法教學研習企畫詳案

（四）臺南大學（前臺南師範學院）語文教育學系書法教學碩士學分班黃宗義講授的「書法教材編製研究」綱要：

1.小學書法教材編製研究導論

2.小學書法教材編製研究（一）— 以蕙風堂版為例（蔡明讚主編）

3.小學書法教材編製研究（二）— 以康軒版為例（陳維德主編）

4.小學書法教材編製研究（三）— 以華信版為例（施春茂主編）

5.九年一貫小學書法教材語文學習領域 — 自編書法（寫字）教材之實務研究

6.九年一貫小學書法教材語文學習領域 — 自編書法（寫字）教材（第一、二階段）之發表討論

7.九年一貫小學書法教材語文學習領域 — 自編書法（寫字）教材（第二、三階段）之發表討論

8.繳交筆記、心得及自編教材（以大單元為主、含範字、圖解、指引文字說明等）

（五）臺南大學（前臺南師範學院）語文教育學系書法教學碩士學分班李郁周講授的「臺灣書法史研究」綱要：

1.本課程概說與用書簡介

2.臺灣書家及其作品與時代書風（一）（1645-1945）

3.臺灣書家及其作品與時代書風（二）（1945-1994）

4.臺北故宮博物院與臺灣書法發展（1965-2000）

5.臺灣書法展賽與書風發展（1895-2000）

6.臺灣書法團體與書法教育（1895-2000）

7.書法研究與碑帖書籍出版（1895-2000）

8.結論與期末報告

（六）明道管理學院國學研究所書法藝術組李郁周講授的「書法專題研究」綱要：

1.教材重點：

（1）從歷代書法作品中，擇定名作數種探討其書法表現：

‧運筆與結字。

‧章法與形式（甲、金、石、木、帛、紙，卷、軸、冊、匾
　等）。

‧書體與書風。

‧傳統與創新。

（2）從歷代書法名作中，探討其相關問題：

‧書跡與碑帖。

‧題跋與藏傳。

‧鈐印與篆刻。

‧鑑識與賞評。

（3）從歷代書法史論著作中，擇定名著數種探討其論述旨趣：

‧書史與書家。

‧書理與書論。

‧創見與特色。

‧比較與對應（文學、繪畫、音樂、舞蹈、建築等）。

（4）從一般性書法活動中，提煉學術性研究的價值；從學術
　　性書法活動中，歷練並吸取書法研究的經驗：

‧書法展賽與揮毫。

‧書法研習與座談。

‧書法研討與發表。

‧書法教育與其他。

2.教學內容：

（1）探討王羲之〈快雪時晴帖〉書法、題跋與傳藏。

（2）探討孫過庭〈書譜〉書法與傳藏。

（3）探討顏真卿〈祭姪文稿〉書法、題跋與傳藏。

（4）探討懷素〈自敘帖〉書法、題跋與傳藏。

（5）探討蘇軾〈黃州寒食詩卷〉書法、題跋與傳藏。

（6）探討黃庭堅〈松風閣詩卷〉書法、題跋與傳藏。

（7）探討米芾〈蜀素帖〉書法、題跋與傳藏。

（8）研討孫過庭《書譜》書法理論的構成與內涵。

（9）探討〈石鼓文〉的時代與書法、北宋拓本的傳藏。

（10）探討《郭店楚墓竹簡》的時代與書法。

（11）探討長沙〈楚帛書〉的書法。

（12）探討《睡虎地秦墓竹簡》的時代與書法。

（13）探討《尹灣漢墓簡牘》的書法。

（14）探討〈張遷碑〉的書法、拓本的傳藏與比較。

（15）探討智永〈真草千字文〉的書法、傳本的比較。

（16）研討張懷瓘《書斷》書法理論的構成與內涵。

（17）研討康有為《廣藝舟雙楫》書法理論的構成與內涵。

（18）研討劉咸炘《弄翰餘瀋》書法理論的構成與內涵。

（19）辦理臺灣省美展書法篆刻論壇

（20）參加書法學術論文研討會

（七）明道管理學院國學研究所書法藝術組李郁周講授的「書法創作與研究」綱要：

1.書法研臨與創作的素養及要項概說。

2.甲、金書法研臨與創作（秦公簋）。

3.秦刻石書法研臨與創作（石鼓文）。

4.楚簡書法研臨與創作（郭店楚簡）。

5.秦簡書法研臨與創作（睡虎地秦簡）。

6.漢簡草書研臨與創作（尹灣漢簡）。

7.漢碑隸書研臨與創作（張遷碑）。

8.王羲之草書研臨與創作（大觀帖）。

9.南北朝楷書研臨與創作（經石峪金剛經）。

10 唐人楷書研臨與創作（褚遂良）。

11 宋人行草研臨與創作（米芾）。

12 元人楷行研臨與創作（趙孟頫）。

13 明人行草研臨與創作（王鐸）。

14 鄧石如隸書研臨與創作。

15　趙之謙隸書研臨與創作。

16 吳昌碩篆書研臨與創作。

17 新出土甲、金、簡、帛、刻石書法在創作上的運用。

18 書法習創成果展示。

（八）明道管理學院國學研究所書法藝術組李郁周講授的「書法文獻研究」綱要：

1.書法文獻概說

2.歷代書法作品圖錄搜集與研讀。

3.歷代書法作品圖錄討論與研究。

4.歷代書法家圖書搜集與研讀。

5.歷代書法家圖書討論與研究。

6.歷代書法史書籍文獻搜集與研讀。

7.歷代書法史書籍文獻討論與研究。

8.歷代書法理論書籍文獻搜集與研讀。

9.歷代書法理論書籍文獻討論與研究。

10 二十世紀以來書法圖錄、書籍、文獻搜集與研讀。

11 二十世紀以來書法圖錄、書籍、文獻討論與研究。

12 近十年來書法圖錄、書籍、文獻搜集與研讀。

13 近十年來書法圖錄、書籍、文獻討論與研究。

14 中國大陸近年的書法圖錄、書籍、文獻搜集與研讀。

15 中國大陸近年的書法圖錄、書籍、文獻討論與研究。

16 日本近年的書法圖錄、書籍、文獻搜集與研讀。

17 日本近年的書法圖錄、書籍、文獻討論與研究。

18 期末研究報告及碩士論文寫作計畫。

中興大學的「書法美學研究」是在中文研究所開設的課程，開課性質及學習對象較廣，算是文史類型的研究所階段書法課程，可以在美術類型的書法研究所開設，也可以在教育類型的書法研究所開設。

臺南大學的「書寫理論與教學研究」、「書法教育專題研究」、「書法教材編製研究」與「臺灣書法史研究」等語文學系碩士生課程，極為明確的是書法教育的課程，是教育類型的研究所階段的書法課程。臺南大學原為臺南師範學院改為綜合大學，短期內尚難脫離教育大學的本色，素來即有豐富的書法教學資源與成果，如果該校善用現有的人力及設備成立書法教育研究所，應可發揮極為有效的教育功能。

明道管理學院的「書法專題研究」、「書法創作與研究」與「書法文獻研究」等國學研究所開設的課程，前者在充實碩士研究生對歷代重要書法作品與書法理論的認識，以彌補臺灣的大學未設書法系的缺陷；其次則加強碩士研究生的書法書寫能力，從傳統作品的學習到臨書應用到創作；後者著重在書法圖錄、書籍及文獻的搜集與研讀，以為碩士論文撰作的準備。這是一般書法研究所的核心課程教學允宜採行的方向。明道管理學院另有陳欽忠講授的「書法美學」課程，增強研究生書法學術與論述的能力。

四、研究所階段的書法課程與教學發展

　　臺灣的大學開設研究所階段的書法課程，以一九六三年中國
文化大學藝術研究所爲最早，有「題跋學」、「書畫品鑑」、「書史
研究」與「金石學」等；其後臺灣大學歷史研究所美術史組與高
雄師範大學國文研究所，也陸續開設書法方面的課程。然而，後
兩者並未持續性開課。尤其一九八〇年代以後，中國文化大學藝
術研究所的幾位前輩離開（莊嚴、曾紹杰逝世，王壯爲不再任教；
包括張隆延在一九六六年赴美，丁念先一九六九年去世等），臺灣
的大學研究所階段的書法課程幾乎消聲匿跡。而中國大陸恰於此
時興起書法研究的熱潮，不論是美術類的大學、教育類的大學或
綜合大學的文史類科，皆陸續開始招收書法碩士研究生。

　　一九九〇年代初期，臺灣的大學纔又陸續開設研究所階段的
書法課程，如臺灣大學藝術史研究所與臺灣師範大學美術研究
所；一九九〇年代中期則有許多大學中文研究所開設書法課程；
至一九九〇年代末期開設研究所階段書法課程的大學明顯增多，
如高雄師範大學、臺灣藝術大學與臺南大學（前臺南師範學院）。
二〇〇六年的現在，臺灣開設研究所階段書法課程的大學普遍增
加。目前已有兩所大學開辦書法碩士研究生的培養制度，其一是
臺灣藝術大學造形藝術研究所書畫組碩士班，其二是明道管理學
院國學研究所書法藝術組碩士班；今年八月將有另外兩所大學成
立書法碩士班，其一是高雄師範大學國文研究所書法教學碩士
班，其二是華梵大學美術研究所書法研究組碩士班。明顯的，臺
灣的大學培養書法碩士研究生的方向已有三類：一爲文學類型的
書法研究生，如明道管理學院；與日本大東文化大學、中國大陸
的首都師範大學型態類似。二爲教育類型的書法研究生，如高雄

師範大學、臺南大學；與日本福岡教育大學型態類似。三為美術類型的書法研究生，如臺灣藝術大學、華梵大學；與中國大陸的中國美術學院型態類似，日本的大東文化大學也有這種傾向。至於一九八九年成立的臺灣大學藝術史研究所，比較傾向於史學類型的研究所；但其書法課程和研究方向的史學傾向，似乎不像中國大陸的吉林大學在書法史料與典籍方面的研究，而帶有文學類型的書法研究性格。而臺灣師範大學美術研究所分設理論組與創作組，前者培養出來的書法碩士研究生屬於文史類型，後者培養出來的書法碩士屬於美術類型。

　　一般說來，臺灣各大學的研究所招收書法研究生，由於設校設所的目標有別，培育書法研究生的方向自然不同，而所開設的書法課程當然也不盡相同，授課內容也不免有所偏重。從近年來臺灣的大學研究所開設書法課程的名稱，即可見其發展的屬性，如「書法學研究」、「書法專題研究」、「金石學研究」、「篆刻學研究」、「書論專題研究」、「書法美學研究」、「書法鑑賞研究」等是一般性的書法課程，「書法史專題研究」、「斷代書法史研究」、「書法文獻專題研究」等是歷史學的課程，「書法創作研究」、「正書創作研究」、「篆刻創作研究」等是藝術學的課程，「書法教育研究」、「書法教學研究」、「各體書法教學研究」、「書法教材研究」等是教育學的課程。就讀不同的大學研究所，修習不同的學科課程，接受不同方向的訓練陶冶，造就不同領域的人才。或許可以如此定位：文史類型的書法研究所，偏向培育書法研究生成為「書法學者」；美術類型的書法研究所，偏向培育書法研究生成為「書法創作者」，教育類型的書法研究所，偏向培育書法研究生成為「書法教育者」。

　　然而，無論那一種類型的書法研究所，研究生要修讀的書法

共同課程是相同的，修讀的書法課程內容是一致的，即歷代書法
作品、書法家、書法史、書法理論。臺灣的大學研究所階段的書法
課程設置，大致不出這個範圍，從其中衍伸而出的書法創作、
書法鑑賞、書法美學、書法文獻以及書法教育、書法文化等課程，
是由幹而枝而葉的自然狀況。

　　再以書法教學的內容而言，早期的研究所階段書法課程的教
學，大多以鳥瞰式的綜觀書法史、書法理論、書法家及其書法作
品；現在則從實地細審書法作品的實況，解析其產生過程、創作
方法、表現方式及其流傳經過，從中習得研究的方法。例如在李
郁周講授的「書法專題研究」課程中，以王羲之〈快雪時晴帖〉
為主題的教學內容，從「書法、題跋與傳藏」三個面向探討這件
作品的狀況；在「書法」的面向中，先了解書寫者的生平、作品
書寫的背景，再就其運筆與結字、章法與形式、書體與書風、傳
統與創新等項目加以分析研究；在「題跋」的面向中，就歷代題
跋者生平、題跋內容、題跋意蘊、鑑識賞評及其相關問題加以探
索；在「傳藏」的面向中，就收藏印記、題跋內容等加以考察；
此外，再從歷代題跋典籍、書畫載錄與刻帖圖版等圖書資料中，
索讀這件作品的其他訊息。在講授的過程中，研究生必須分別就
帖文書法、題跋書法及重要收藏印記加以「摹寫」和「臨寫」，以
體會作品的細微之處。

　　上述的教學內容，將一件歷史上的書法名作解剖細察，其前
前後後的記錄，即可成為一篇簡易的小論文。用這種教學方式套
上顏真卿〈祭姪稿〉、蘇軾〈寒食帖〉墨跡，甚至歐陽詢〈九成宮
醴泉銘〉、褚遂良〈雁塔聖教序〉等碑刻拓本的教學，皆可達到相
同的效果，讓研究生徹底了解書法作品及其研究方法。這樣的教
學方式與內容，比起前輩學者的教學，可能比較嚴謹而有效，但

也可能比較嚴肅而無趣；多了秋風肅殺的氣氛，缺少春風化雨的陶冶。

五、結　語

　　研究所階段的書法課程與教學，是達成培養研究生的研究能力為目的而設置的；每所大學設置的研究所，有其設所目標，文史類型的書法研究所培育「書法學者」，藝術類型的書法研究所培育「書法創作者」，教育類型的書法研究所培育「書法教育者」，各種類型的研究所開設不同類型的書法課程。然而，這些大學招收的書法研究生必須皆具備有「書法書寫」能力，了解歷代書法作品、書法家、書法史與書法理論，纔能進一步去學習如何成為一個稱職的「書法學者」、「書法創作者」及「書法教育者」。基本學科課程與培養方向學科課程的設置應同時並進。

　　中國大陸的大學正式招收書法研究生至今已超過二十五年，最近擴充很快，已有三十餘所大學先後開設碩士、博士的培養教育。由於書法研究生的快速增加，他們發現「有些書法專業畢業的碩士生或博士生，字寫得很普通；甚至有些研究生的書法水平，的確不敢恭維。」[9]試問：

　　「書法寫得不好，如何去研究？可能成為書法學者嗎？」

　　「書法寫得不好，如何去創作？可能成為書法創作者嗎？」

　　「書法寫得不好，如何去教人？可能成為書法教育者嗎？」

　　無論過去或現在，臺灣的大學培育書法研究生，有不少是對書法有興趣，而且創作能力不差的研究生；因為如此，他們纔以書法論文為學位論文而取得博碩士學位。然而，無可否認的有更

9　呂金光：〈對當前書法研究生教育現狀之分析〉，見《中國書法》月刊 2005
　　年 11 期，北京：中國書法雜誌，2005 年 11 月，頁 75。

多的書法研究生只強調畢業論文的寫作，書法書寫能力「很普通，甚至不敢恭維」。臺灣師範大學美術研究所把研究生分成「理論組」與「創作組」，理論組研究生撰寫畢業論文，創作組研究生展示書法創作及創作理念解說，兩者的優缺點剛好相反，都有不足。臺灣藝術大學造形藝術研究所書畫組研究生，必須舉行畢業創作展覽及創作理念解說，另外提出一篇畢業論文，兩者並重；所以臺灣藝術大學的研究生得到的學位等於創作與理論兩個學位。這種創作與理論並重的情形，日本大東文化大學的「書道學」博碩士學位畢業考試也是如此。

　　目前臺灣的中青年書法家，沒有任何人是因為接受書法研究所教育而培育出來的，這種現象在未來的時日中仍將如此。畢竟年限短期的大學研究所書法教育，很難勝任這項任務。然而，無論文學類型的書法研究所研究生或藝術類型的書法研究所研究生，如果其學位考試都有書法創作與書法論文，其「學位證書」的價值必然更高。再說，教育類型的書法研究所研究生畢業學位考試，除了「兩筆（創作與論文）雙能」之外，應有「書法教學演示」的項目，有如日本福岡教育大學設置「書道科教育演習」課程一樣。

　　基於上述因素，書法學科課程在臺灣的大學研究所階段的開設，需要考慮下列四個領域：

（1）基礎課程：各體書法的學習與研創。

（2）研究課程：書法作品、書法家、書法史、書法理論、書法鑑賞等方面的研究。

（3）相關課程：文學、史學、哲學、美學、藝術學、教育學、行政學等相關領域的課程。

（4）方向課程：藝術類型的書法研究所開設書法創作課程、

教育類型的書法研究所開設書法教育課程等。

　　至於書法教學內容的廣博與精深，則有賴任課教師書法與書學能力的發揮，依個人專長提升受教研究生的水準，研究生取得學位後，其素質當然受到社會與學界的高度肯定。

論簡化字與書法

陳 維 德

摘 要

　　文字和語言，同爲人類表情達意的主要工具。而文字的功能，更能超越時空的懸隔，使不同時代、不同國度的人們，都能賴以精確地接收訊息，並不斷地傳衍下去。所以文字的存在，實爲文化之表徵，亦爲社會賴以進化的主要動力。

　　至於書法，則爲中國文字在相互傳遞過程中所形成的特有產物。由於它在日用之間，不斷呈現出各種美的質素，因而逐漸引發了人們強烈的審美意識。在衆多文人、才士甚至工匠們各逞巧思的製作下，造就了無數極富藝術價值的作品；後人踵事增華，繼長增高，遂使此一傲視世人的特有藝術，在中國美術史上，佔有極重要的地位，而廣爲世人所肯定。

　　但是自從中國大陸全面推行簡化字以後，不但打亂了中國文字所具有的條理性，也使得文字的藝術性大爲降低，因而嚴重地影響到文化的延續與書法藝術的推展，實有進一步探討的必要。

　　本文共分四個部分：第一部分，討論書法與文字的關係。從書法發展之歷程，說明其與中國文字密不可分的關係。第二個部分，討論簡化字的問題。由簡化字之形成、簡化字之類別、簡化字之商榷，進行客觀的討論與批判，以提醒世人，正視此一問題。

第三個部分探討簡化對書法之各種影響，歸結出其對書法具有種種負面的影響。第四個部分則依據所論，做一個簡單的總結。

　　關鍵詞：中國文字、簡化字、書法

一、書法與文字的關係

　　中國文字起源甚早，爲世界公認的三種最古的文字之一。而推溯中國文字形成之初，也一如其他各國文字，其目的僅在於記事。像後世考古所得的甲骨、彝器或簡帛上的文字，其字跡雖各有工拙之別，或者也有部分具有裝飾的作用，但這並不意味著當時的先民們，已具有自覺的審美意識，而將文字的書寫，作爲藝術去追求。其後如史籀、倉頡、凡將、訓纂、急就等篇，都僅僅是著錄文字的字書，只著眼於文字書寫之正確性，而未曾以審美的觀點，以解析文字的造形或線條之美。直至東漢崔瑗的《草書勢》和蔡邕的《篆書勢》相繼成編，我們才看到當時有關書法文字之美的論述：這應該是把書法視爲藝術的開始。而當時的書家如：史游、曹喜、杜度、王次仲、崔瑗、張芝、師宜官、梁鵠、鍾繇、皇象等，皆有聲於時。及至東晉，二王繼起，書法之爲藝術，不但得到普遍的認同，更奠定了崇高的地位。

　　東晉以還，書家競起，一般文人才士，也率多投身其間，甚至許多帝王，也都力爲提倡。例如唐太宗貞觀元年，即詔令現職之京官，不論文職、武職，凡列五品以上，喜學書法，且筆法稍佳，具發展潛能者，皆准入弘文館，由歐陽詢、虞世南講授楷法，一時風氣丕振。降及近世，此風猶未嘗稍歇。鄰邦如日、韓諸國，

習書之風氣，也甚爲普遍，其影響之大，由此具見。

由以上之論述，可知書法乃根源於中國文字，而歷代之發展，亦皆依附於文字，未嘗須臾或離。所以若無文字，即不成其爲書法；而就「名實」辨之，「書法」一詞，亦當指書寫之方法，或透過習寫之技巧，所完成之文字藝術作品。二者實具有不可分離的關係。這是中國字所不同於其它文字的地方。

貳、論簡化字

一、簡化字之形成

在日常應用中、爲了書寫的便捷，自古以來，就有簡化字的存在。而且由篆而隸，由隸而草，基本上也是一個以簡化趨易爲主軸的過程。只是簡化的原因、背景、方式和影響，各有不同。

然而自新文化運動以來，國人在檢討中國的積弱之餘，有些人士把矛頭指向中國文字筆畫繁多，書寫較爲緩慢，因而降低競爭力之上。於是文字改革的呼聲四起。當時有各種不同的主張，而推行簡體字被認爲是較爲具體可行的方法。到了民國二十四年（1935）八月，國民政府正式頒布了三百二十四個簡體字。其中有以本字取代借字者；有以初文取代後起形聲字者；有以音近之字或偏旁取代者 —— 對中國文字之完整體例，造成很大的衝擊，所以在強大的反對聲浪下，於次年二月即收回成命，只有部分人士，仍偶見使用。

大陸易幟以後，中共爲方便其統治，將中國文字，進行大規模的改革，自 1956 年 2 月起，至 1959 年 7 月止，分四批推行，先後公佈了三千二百三十五個簡體字，並廢棄原有的字形，同時

雷厲風行，使得中國文字，一時大為改觀。

二、簡化字之類別

　　國民政府所公佈的三百二十四的簡體，其簡化的方式，據蔡信發先生的研究，約可分為八類（注[1]）：

　　　　（一）、選以前代俗字：如罢（罷）、杂（雜）、杀（殺）、罗（羅）等是。

　　　　（二）、取以各體書法楷化（含隸、草、魏碑、行書）：如发（發）、阀（閥）、伪（偽）、坛（堪）、荅（答）、营（營）等是。

　　　　（三）、錄以當代俗字：如压（壓）、协（協）、广（庵）、钟（鐘、鍾）等是。

　　　　（四）、代以同通字：如袜（襪）、个（個）、类（類）、阴（陰）等是。

　　　　（五）、取以假借字：如价（價）、异（異）、廿（念）、丰（豐）等是。

　　　　（六）、采以說文異字：如迓（邁）、弃（棄）、无（無）、处（處）等是。

　　　　（七）、改以本字：如气（氣）、与（與）、荐（薦）等是。

　　　　（八）、存以原字：鬥（鬥、鬪）等是。

　　至於中共的簡化字，除了納入大多數既有的簡化字外，也有再加簡化或調整的。例如：「質」再減化為「质」；「驛」再簡化為「驿」；「俻」再簡化為「备」；「壼」再簡化為「壶」；「厛」再簡化為「厅」；「广」原為「庵」之簡化，調整作「廣」之簡化等等。

---

1 蔡信發《中共簡化字之商兌》見《展望新世紀國際學術研討會論文集》。

　　但更多的是另造形聲字來替代。如：毙（斃）、灿（燦）、认（認）、让（讓）、态（態）、忆（憶）、跃（躍）、础（礎）、吓（嚇）等。另外多字混用的情形也非常普遍。其中有使用未經簡化之字，混同他字者：如以「松」混同「鬆」；以「別」混同「彆」；以「卜」混同「葡」；以「丑」混同「醜」；以「出」混同「齣」；以「叶」混同「葉」以「复」混同「復」、「複」、「覆」；以「斗」混同「鬥」、「鬬」；以「干」混同「幹」、「乾」；以「台」混同「臺」、「檯」、「颱」等等。亦有以同一簡化字，混同多字者。如以「获」，混同「獲」、「穫」；以「纤」混同「縴」、「纖」；以「坛」混同用「壇」、「罈」；以「发」混同「發」、「髮」；以「仅」混同「僅」、「廑」等。尤有甚者，則僅以部件或符號取代原字者。如：厂（廠）、乡（鄉）、灭（滅）、疟（瘧）、茧（繭）、币（幣）、毕（畢）、农（農）其類別可謂相當繁雜。

三、簡化字之商榷

　　自秦始皇統一文字之後，雖為時不久，即產生「隸變」，然後又由隸變楷，在字形上都產生相當大的變化。但彼此相互對照，仍有清晰之脈絡可尋；而其構形之邏輯性、內含之文化性，尤足珍貴。而且自唐以後，以楷書作為標準字體，至今千餘年不曾改易。即日韓等國文字，亦以此為基礎。其延續性和穩定性都非常之高。除了筆劃數稍多之外，學習和使用都相當方便。所以當世界三種最古文字中之埃及文和蘇美文，在西元三世紀左右即相繼全部死亡，不再有人使用的情況下，唯獨中國文字仍然能延續其命脈，這也是最值得我們自豪的。

　　至於國民政府所頒行的簡化字，雖然擾亂了國字原有的嚴整體例，但因為數不多，而且八個月後即收回成命，所謂迷途知返，

尚可寬宥。但是中共的簡化字,則是全面打亂了中國文字的體例,而且歷經數十年,仍繼續通行,其影響之大,是難以估算的。而且揆其初衷,有可能只是作爲過渡到拼音文字的一種手段。例如張芷在《論中國文字改革的統一戰線》一書,即曾明白地道出:「爲了消滅漢字,在某種程度上打亂漢字的精密,正是必要的。在我們的立場言,漢字的那種過細的區別,是爲了防止它自身加速的崩潰而產生的。我們正應該打亂它。我認爲以別字代替淘汰漢字,是消滅漢字最容易的方法。」(注[2])。

　　現在我們姑不論其推行簡化之居心如何,也不管張芷此言是否具有代表性,即就大量簡化,並且廢棄國人已習用千餘年,且可上溯造字本源的正體字而言,雖然筆畫數普遍減少,卻也有如下的不便,以及嚴重的後遺症:

　　(一)、由於簡化的原則不統一,使得系統變繁。同部之字,無法類推,相似的部首,也無法繫聯,無形中加重學習的負擔。例如:

　　　　從「易」的字,「陽 」字作「阳」,「揚」字則作「扬」,「傷」又作「伤」;

　　　　同一從「豆」,而「頭」作「头」、「豈」作「岂」、「鄧」作「邓」、「燈」作「灯」、「豐」作「丰」、「豎」作「竖」。

　　　　同一從「髟」,而「髮」作「发」、「髣」作「仿」、「髴」作「佛」、「鬆」作「松」、「鬚」作「须」,而「鬘」仍作「鬘」;同一從「鬥」,而「鬪」作「斗」、「鬧」作「闹」、「鬨」作「哄」;

　　　　同一從「盧」,而「盧」作「卢」,「驢」作「驴」、而類似之「慮」又作「虑」等,不勝枚舉。

2 〈論中國文字改革的統一戰線〉頁二九。上海中華書局一九五〇年七月初版。

又如「辦」簡化爲「办」，與「胁」(脅、脅)、「协」(協)，「苏」(蘇)相亂。而同系統的「辯」又簡化爲「辩」、「辨」則不簡。而從「劦」得聲的「荔」又簡化爲「荔」；

「徵」簡化爲「征」，與征服之征相亂，「癥」卻又簡化成「症」與症狀的症相混。具見繁雜，不便於學習。至於形義原本相似，可資繫聯的部首，也因簡化而錯亂，使漢字的優越性盡失。

（二）、簡化後，疑似之字增加，形體較易混淆，減緩識讀之速度，尤其是用手來書寫時，精確度更爲降低，必然更易混同。例如：农（農）與衣、儿（兒）與几（幾）、风（風）與凤（鳳）、治與诒（詒）、袄（襖）與祆、抡（掄）與抢（搶）、仅（僅）與仪（儀）、万（萬）與方、历（歷、曆）與厉（厲）、妩（嫵）與妖、圣（聖）與圣（巠）、进（進）與迸。厅（廳）與斤、钦（欽）與饮（飲）、饯（餞）與钱（錢）、奋（奮）與畲。庆（慶）與厌（厭）、卫（衛）與卩、无（無）與元旡、戋（戔）與戈、么（麼）與幺、疗（療）與疔等，俯拾即是。

（三）、混用字太多，不但易滋混淆，且無法上溯字之本義，讀音亦見分歧。如：干、幹、乾共用一「干」；裏、里共用一「里」；谷、穀共用一「谷」；蒙、矇、懞共用一「蒙」；面、麪共用一「面」；系、係、繫共用一「系」；价、價共用一「价」；斗、鬥共用一「斗」；出、齣共用一「出」；后、後共用一「后」；范、範共用一「范」；曲、麴共用一「曲」；吁、籲共用一「吁」；余、餘共用一「余」；寧、宁共用一「宁」等，都容易造成混淆，也使得中國文字表義的精確度，大爲降低，實在是開文化的倒車。

此外，又如：產，生也，從生，彥省聲，却去掉義符作「产」，不但不能推究本義，而且與「彥」混淆；

廠，從广，敞聲，簡化作「厂」，聲義俱失，而且與「山石之

厓巖」的「厂」混淆；兒，簡化作「儿」，又與「人」的古文奇字混淆；

　　術字僅取聲符作「尤」，無從見義，又與尤稷之「尤」混淆，也都令人感到困擾。

　　（四）、許多形聲字，音符與讀音頗有出入，未達易於識讀之效果。例如：邻（鄰）、标（標）、层（層）、芦（蘆）、灯（燈）、独（獨）、进（進）、远（遠）、运（運）、扰（擾）、衬（襯）、阶（階）、灿（燦）等，不但容易引起誤讀，而且不利於保持原字的系統。

　　（五）、有些簡化形體，代替的偏旁過多，不但使原有表音或表義的功能全失，而且也造成了許多的混淆與困擾。例如：以「云」代替運、動、壇、疊、醖諸字中的軍、重、亶、雲、畾等不同的偏旁，使「云」字原本所代表的音義喪失，而且其他如：渾、鞭、衝、檀、澶、顫、鸇、澐、溫、鰮、蘊等字是否也能如此比照辦理？至於「又」所代表的偏旁，更是不勝枚舉（參見下條所列），令人錯亂。

　　（六）、許多字無音義可尋，變成生硬的符號，不便記憶與類推，失去中國文字原有之優越性。如仅（僅）、叹（嘆）、欢（歡）、对（對）、邓（鄧）、圣（聖）、戏（戲）、树（樹）、鸡（雞）等字，音、義不同，而均从「又」。其他如：厂（廠）、击（擊）、县（縣）、窜（竄）、么（麼）、毕（畢）、岁（歲）、买（買）、习（習）、讲（講）、兰（蘭）等字，也都沒有音、義的依據，而顯得紛亂。

　　（七）許多姓氏、人名、地名、既經簡化之後，形同改姓、改名。例如：葉改為叶；華改為华；莊改為庄；畢改為毕；沅江變成元江；薊縣變成季縣；穀梁傳變成榖梁传。凡此種種，無形中切斷了許多歷史的血脈，使很多古代的氏族、名物，變得難以

查考。

（八）、筆畫繁多之字，比例仍高。例如：繁、翻、藏、鑿、曦、饕、饗、耀、罐、徽、攀、壞、櫻、鬟、籬、簪、蘸、纂、懿、翼、彝、躦等字，筆畫繁多，卻並未簡化；至於護（頀）、鷓（鸕）、鱒（鱒）、饜（饜）、癬（癬）、廝（廝）、顴（顴）、纘（纘）、鑣（鑣）、戀（戀）雖經簡化，但所簡有限，卻使形體怪異，手寫時，反不如直接採用行書為自然簡便。

（九）、經過簡化後的字形，與原有的正體字，出入太大，幾乎是面目全非，而其間又往往無條理可循，並嚴重違反六書造字之條例，使中國文字，造成前所未有之割裂。再加上廢棄原有的正體字而不用，因而今天的大陸人民，已普遍無法閱讀文字簡化前的所有書籍與文獻，更遑論古籍之校讎、刊誤、以及作更深入的研究。既無從領受先民智慧之啓迪，亦斬斷了歷史血脈，其危害之大，實在是難以估算的。

（十）、由於政府帶頭簡化文字，而且又幾經調整，令人莫衷一是，因而一般民間也往往隨之各依己意任情簡化，或隨便類推，形成更多的泛濫。例如依據「躍」簡化為「妖」，遂將翟、耀、濯等字，寫成夭、跃、沃。又如有人把麪寫成「丐」，再訛作「丐」。其餘無法理解的簡化字，更是不勝枚舉，這種紛亂的現象，確實令人憂心。

當然，簡化字中，如：云、电、从、众、与、礼、洒、网、气、丽、丰、个、叚之類，乃是正體字之初文，無損於國字之體系，站在書寫便捷的立場，自然可以廣為使用。

參、簡化字對書法的影響

　　站在文字學的觀點，簡化字的缺失，已如上述。至於施之書法，又將如何？則亦在此討論如下：

　　一、中國文字，不但體用兼備，而且構形亦極優美。因爲形體多變，各具姿態，此其所以能發展爲優美的書法藝術。但許多簡化字，其構形往往未能顧及內部之平衡律，因而形體殊欠美觀。例如：严、厂、队、广、产、扩、旷、涨、坠、泻、颤、儿、习、飞、应、疖、疗、疟、庐、鸡、肋、之類的字，其構形都很難寫得停匀美觀。再如：岂、丽、间、闯、军、岗、仓、亿、卫、乡、当、显等字，一經簡化後，形體都變得刻板無趣，難求優美。至於像：为、韦、专、马、鸟、锁、转、尧、书、练、买、鹦等由草書楷化而來的字，不但失去原有行草書之流暢優美，而且寫成楷書，更顯得生硬、怪異，更遑論其生動美觀了。

　　二、正體字，由於繁簡之差異甚大，其形體又各具不同之體態，所以集字成篇之時，就顯得豐富而多變。至於簡化字，由於筆畫大多較少，因而行間往往顯得空疏。加上字的寬窄長短，變化較少，整篇也就顯得平淡而刻板。

　　三、中國書法，粗略分之，有正行草隸篆諸體，關於楷書學習、創作之問題，已如前述。至於行草書，則以文字既經簡化後，由楷隸所演化的行草，也將不得不隨同楷書，走入歷史；如果改用簡化字來表現行草，同樣難以冀其優雅、美觀；而且許多字形近似之字，施之行草，尤易混淆難辨。「草書離了格，神仙認不得」的窘境，必然隨處發生。例如大陸人民日報即曾發生把「汉江工厂」，排印成「121227」的笑話。此外，如果尚思上窺篆隸，則更因大多數的常用字，皆已與之斷絕血脈，學習尤爲不易；如果依據現有簡化字而逆推篆隸字形，則由於形體差異，或所本不同，必然一片錯亂，甚至根本無從逆推。如果直接加以轉化，也是窒

礙難行，並會形成千奇百怪，不倫不類的字形，則欲追求書法之多元面貌，更是不可能的事情。

四、歷代碑帖中，雖亦有簡化字，但為數極少 ── 容或有之，也與中共所推行的簡化字，大異其趣。所以學習簡化字書法，既缺少理想的取法對象，如何冀望其克有所成？所以中共推行簡化字幾近五十年，雖雷厲風行，民間已普遍不識正體字，但從事書法創作，或畫家題畫，卻絕大多數仍然以正體字為依歸。而推行簡化字早於大陸十年的日本，也很少以簡化字來呈現書法之美，其原因均不外於此。

再者，書法藝術之特質，在於將實用與藝術合而為一。而其形成藝術之過程，乃是先求實用，然後漸及於美藝之追求。所以必先有廣大的參與人口，以實用之目的投入習寫的行列，經過一定時間的浸淫涵詠，然後才能逐漸依個人之資質、興趣與個人之生涯規劃或因緣際會，區分出專業書法家、能書者、理論家、評論家、欣賞者、書法愛好者、文字使用者等不同之層次，而使書法，具有蓬勃之生機。 ── 如果去除實用之因素，降低文化之莊嚴意涵，把日常使用的文字從此和書法分道揚鑣，使書法變成純粹的藝術門類，而只有少數人會去嘗試和追求，則基石大量流失的結果，必將難以建造鞏固的堡壘。何況，推行簡化字的目的，既在於消滅或廢棄正體字，則今後學生及一般人士，將無法看懂碑帖上的文字，也看不懂古今書法作品所寫的的內容，其結果，將如同外國人看中國書法一般，頂多承認它具有美感，卻不會有幾個人想去學習，則推廣書法，無異緣木求魚。而簡化字施之書法，由於內在的因素，既得不到廣大的共鳴和學習的興趣，則前人在書法上所累積的龐大文化資產，都將變成不具意義的線條圖象，必致因不易得到廣大的共鳴而逐漸歸於沈寂，而我輩亦將成

爲文化的罪人：這真是無法承受之重。

肆、結　論

　　文字是語言的載體，也是文化發展的表徵，而隨著文明的進步、社會生活的改變，以及應用的需求，他的外在與內涵，都會不斷產生若干的變化 ── 有的是自然形成，有的則是假政治力加以規範。

　　就當前中國大陸所推行的簡化字而言，其中固然有一些是過去歷史的累積，但更多的是假政治力以爲規範與運作的結果。至於大陸當局大力推行簡化字的背景，主要是認定漢字的繁難，會給初學者帶來很大的困難，爲了掃除文盲，普及教育，因而不惜摧毀傳統，徹底改革。

　　但是過去歷史上所累積的簡化字，往往是在某一特殊時空背景下所形成，未必合理，亦未獲得廣大的認同，驟予採用，確實有待斟酌；至於增訂的簡化字，其中固然也有一些字頗見巧思，但更多的是不合理的簡化。而其最大的問題，則在於打亂了漢字原有的嚴整系統，讓原有表音、表義的功能產生錯亂，使漢字所具備的許多優越性，大爲減損。

　　再從學習者的角度來看，對於剛剛接觸文字的人，是會覺得簡化字易學、易寫，可以消除若干初學時期的心理障礙。但當他一旦認識的字較多以後，就會發現簡化字中，由於簡化後疑似之字太多，易於混淆；而且未簡化之字仍多，也未必都是那麼易學、易寫；更重要的是漢字中原具有的繫聯與類推的功能，大大的減弱，反而降低了識別的效果，減緩了學習的成效。試看今日採用

正體字的台灣，其教育普及的程度，反而比推行簡化字的大陸地區為高。而台灣學童識字的速度，也不因正體字的筆劃較為繁雜，而顯得遲緩。在在足以證明所謂的「繁體字」，並非普及文化的障礙。相反的，中國大陸推行簡體字的結果，使得一般人不能識讀原有的正體字，而簡化字推行以前，數千年來所累積的所有書籍與文獻，只有極少數受過訓練人有能力閱讀，豈非開文化普及的倒車？而且還割斷了歷史的血脈，這種損失，恐怕是難以估計的。即使有少數舊書，經翻譯成簡化字的文本，但這種工程，非常浩大，而且兩套漢字之間，存在許多非等同異體字，所以轉變之時，經常會出現差錯，至今仍無法克服。何況古書浩如煙海，如何進行翻譯轉換，更本是不可能的任務。

再就書法藝術層面來看，則書法，乃根源於文字，亦必依據於文字而存在，而發展。但今天大陸所推行的簡化字，美的素質和文化的意涵，都大為降低，許多文字已趨近於冰冷的符號，使得書法藝術，很難據以繼續發展，有心書藝者，只能以人們已普遍不能識讀的文字去創作，則一方面不能引起較廣泛的學習興致，另一方面，也很難獲致人們的認同與共鳴，其結果，它的生命，也將會日趨於枯萎，這恐怕也是關心文化發展，尤其是書法工作者所不樂見的結果。

由以上的論述，個人認為，要解決文字繁簡的問題，應由兩岸的文字學者和書法專家，針對當前兩岸所通行的文字，在尊重傳統、兼顧美藝，卻又不妨礙學習和使用的前提下，進行深入的檢討，尋求一個普遍都能接受的最大公約數，頒布推行，讓兩岸連心，共同燃起中華文化的聖火，使之重新照耀於斯世。這是我們今後應該努力以赴的方向。

參考文獻

蔡信發〈中共簡化字之商兌〉(《展望新世紀國際學術研討會論文集》)

張　芷《論中國文字改革的統一戰線》(上海　中華書局　1950)

陳光堯《簡化漢字字體說明》(上海　中華書局　1956)

江藍生等《簡化字繁體字對照字典》(上海　漢語大詞典出版社　1998)

語言文字工作委員會漢字處《現代漢語通用字表》(上海　漢文出版社　1989)

論唐代諫諍傳統與唐代散文演變

兵界勇[*]

摘　要

　　唐初散文，向爲文學史所忽略，只視爲沿襲六朝之故轍，乏善可陳。本文從太宗貞觀之治諫諍風氣的盛行，論唐代諫諍傳統的形成，並指出貞觀羣臣的諫諍文字，正是導致唐代散文脫離六朝故轍的首要演變關鍵，其影響且下及此後無數士人。由於諫官制度的保障與制舉考試的鼓勵，激發唐代士人直言敢諫不避忌諱的性格，上書諫諍之風也隨之興起。陳子昂是其中的先鋒人物，其文其人，並成爲後進士子之標樣。而隨著唐朝國勢發展不同，諫諍文字也相應有所變化，從中可一窺唐代散文演變的脈絡。

　　關鍵詞：諫諍，貞觀之治，唐代散文，古文，載道

　　歷來文學史論及唐代散文伊始，往往必言其延續隋朝爲文專尙駢儷的故轍，以聲色藻飾相矜尙，內容浮誇虛靡，氣格卑弱，乏善可陳。如《新唐書‧文藝傳》序云：

> 唐有天下三百年，文章無慮三變。高祖、太宗，大難始夷，沿江左餘風，絺句繪章，揣合低卬，故王（勃）、楊（炯）

---

* 明道大學助理教授。

為之伯。[1]

　　然而，此言一般文士流行的詩文辭賦則可，若言朝臣所奏的
諫諍之文則不可。事實上，發動唐代散文演變的肇始，不應如上
舉《新唐書》所說的，須待至「玄宗好經術，羣臣稍厭雕琢，索
理致，崇雅黜浮」，氣象才為之一變，而應首先推功於初唐太宗貞
觀年間（627~649）一羣勇於上諫論政的朝臣，以及其間所形成
的諫諍風氣。此種諫諍之文與諫諍風氣在當時並非針對文學改革
而發，當時作者亦不以此為文學事業之代表，然對於文章的內容
與氣格之改變卻是不可忽視，在有唐近三百年內，影響漸進加深
加強，成為往後士人感時論政憂國憂天下的文章傳統。由一時之
風氣而成為必然之傳統，這是在六朝時代絕難想像得到的發展。

第一節　唐代諫諍傳統的形成

　　唐代諫諍傳統的形成，當首推太宗貞觀時期君臣間盛行的諫
諍風氣，此向來為史家樂道，並視為導致貞觀之治的主因。[2]貞觀
時期的諫諍風氣所以盛行，並不全然因為君主的開明政治所致，
而是基於隋朝統一帝國迅即覆敗之教訓。對貞觀君臣而言，隋朝
覆亡之過，莫大於君主「不受諫」，故而以隋為鑒，提倡「進諫」
與「納諫」的新君臣關係，謀求「子孫長久，社稷永安」[3]之道，
乃成為唐朝立國之始君臣議政論治的焦點。其事亦猶如漢初君臣

1　《新唐書》卷 201〈文藝傳上〉。
2　詳見王壽南：〈魏徵與貞觀時期的諫諍風氣〉一文，收入所著《唐代政治與人
　　物》（臺北：文津出版社社，1996）。
3　唐太宗語，見《舊唐書》卷 63〈蕭瑀傳〉。

間所關注的「秦所以失天下，吾所以得之者何」[4]。

　　早在武德元年（618），孫伏伽即率先上疏，以三事諫唐高祖，其首諫即揭出隋主失天下之故在於「止爲不聞其過」，故力言君主當「修嚴父之法，開直言之路」。孫伏伽認爲：「天子有諍臣，雖無道不失其天下；父有諍子，雖無道不陷於不義。故云：子不可不諍於父，臣不可不諍於君。」在隋代，君主既不受諫，朝臣亦不敢諍言，上下皆有背於君臣父子諫諍之義，致使國家傾覆，乃良有以也，故勸諫高祖：「勿以唐得天下之易，不知隋失之不難也。」[5]得天下與失天下，說易不難，即在於君主是否能聞過受諫，這是一切施政利害之首要。

　　孫伏伽上疏後，高祖「覽之大悅」，立即下詔嘉獎，特予不次之拔擢，並頒示天下，更可見其上諫切乎時代所需，意義重大。[6]高祖對孫伏伽上疏慎重其事的呼應，意欲不外鼓勵「罕進直言」的臣子效法孫伏伽，並明示自己亦將從諫如流，以免重蹈秦漢與周隋之際「忠臣結舌，一言喪邦」的歷史覆轍。此事所代表者，不僅是唐初開國君臣相得的佳話，實際上亦是爲此後唐代君臣之間「進諫」與「納諫」相對待的新倫理關係（即孫伏伽所謂之「修嚴父之法」）起音定調，爲此下貞觀之治諫諍風氣的濫觴。

　　太宗即位後，進一步落實高祖所示的「開直言之路」，要求「主納忠諫，臣進直言」，大倡「君臣合契」的諫諍之道。[7]太宗所以

4　漢高祖語，見《史記》卷 97〈酈生陸賈列傳〉；又漢文帝時張釋之亦嘗對文帝問，答以「秦所以失，漢所以興者」，見《漢書》卷 50〈張釋之傳〉。

5　《舊唐書》卷 75〈孫伏伽傳〉。案，此文收入《全唐文》卷 135，孫伏伽：〈陳三事疏〉。

6　同前註。案，高祖此詔收入《全唐文》卷 1，唐高祖：〈頒示孫伏伽諫書詔〉。

7　《貞觀政要》卷 2〈君臣鑒戒〉，「貞觀三年」條載：「太宗謂侍臣曰：『君臣本同治亂，共安危，若主納忠諫，臣進直言，斯故君臣合契，古來所重。若君自賢，臣不匡正，欲不危亡，不可得也。君失其國，臣亦不能獨全其家。

能如此開明，實由於親見隋亡的殷鑑不遠而且可畏，深自惕懼，不得不採取開言納諫的政策。清人趙翼說得甚好：「蓋（太宗）親見煬帝之剛愎猜忌，予智自雄，以致人情瓦解而不知，盜賊蜂起而莫告，國亡身弒，為世大僇。故深知一人之耳目有限，思慮難周，非集思廣益，難以求治，而飾非拒諫，徒自召禍也。……此當時君臣動色相戒，皆由殷鑑不遠，警於目而惕於心，故臣以進言為忠，君以聽言為急。」[8]隋朝之亡天下並非只有一端，但是太宗君臣均以為，隋主師心自用、拒諫飾非，而羣臣又阿諛取容、蔽人君之耳目，上下相煽共惡，乃其招致速敗的主因。故太宗乃深信聞過兼聽的重要，採取「開懷抱，納諫諍」的積極作法，不僅任用能諫之臣，並大幅提高諫官地位，使其隨宰相進入內廷，與聞國事，隨時參議。《貞觀政要》記載：

> 貞觀元年，……諫議大夫王珪對曰：『臣聞，木從繩則正，后從諫則聖。是故古者聖主必有爭臣七人，言而不用，則相繼以死。陛下開聖慮，納芻蕘，愚臣處不諱之朝，實願罄其狂瞽。』太宗稱善，詔令自是宰相入內平章國計，必使諫官隨入，預聞政事。有所開說，必虛己納之。[9]

唐代諫官之地位，由此水漲船高，非前朝所能及。而太宗求諫之切，不僅見於重視諫官，更見於要求其他羣臣亦必須隨時進諫，並賦予百官諫諍之權。[10]太宗要求羣臣經常上諫議事，而且還令

至如隋煬帝暴虐，臣下鉗口，卒令不聞其過，遂至滅亡，虞世基等尋亦誅死。前事不遠，朕與卿等可得不慎，無為後所嗤！』」

8　見清‧趙翼：《廿二史劄記》卷 19，「貞觀中直諫者不止魏徵」條。

9　唐‧吳兢：《貞觀政要》卷 2〈求諫〉。

10　《貞觀政要》卷 1〈政體〉「貞觀四年」條載：「（太宗）令諸司，若詔敕頒下，有未穩便者，必須執言，不得順旨便即施行，務盡臣下之意」。又，同卷同章「貞觀三年」條亦載：「太宗謂侍臣曰：『中書、門下，機要之司，擢才而居，委任實重。詔敕如有不穩便，皆須執論。比來惟覺阿旨順情，唯唯

其務須暢所欲言，言無不盡。凡臣下諫諍有理可採納者，常厚加賞賜；反之，若遇事當諫而不諫，則予以責罰。[11]此外，爲防止臣下明哲保身，當言而不言或言而不及義，太宗又曾親下〈答魏徵手詔〉[12]，要求臣下有言必諫，不可退有私言，尤可見其念茲在茲。

　　然太宗亦深知「爲君不易，爲臣極難」，「人臣欲諫，輒懼死亡之禍，與夫赴鼎鑊、冒白刃，亦何異哉？故忠貞之臣，非不欲竭誠；竭誠者，乃是極難。」[13]自古忠臣因直言敢諫或遭戮或遭放逐者不計其數，常令有心言者從此鉗口，無心言者更加不敢言，而能言者率皆甘耳諛辭之輩，適足以欺君蠹政。爲了廣開諫諍之路，使羣臣不以觸龍鱗爲忌，太宗遂以前史拒諫飾非的昏君爲戒，一則對諫諍者保證不以犯顏進諫而妄加誅責，再則對諫諍者倍加禮遇，以師友待之。[14]此種作風皆自古帝王所罕見。

　　在太宗恩威並施之下，當時羣臣幾乎無人不敢諫，無事不可諫，諫諍的風氣遂蔚然大盛。著名的諫臣，除首推魏徵之外，尚有薛收、孫伏伽、溫彥博、虞世南、馬周、王長通、王珪、姚思廉、高季輔、張玄素、褚遂良、張行成、李乾祐、柳範、劉洎……等多人，[15]不論是否身居諫職，均曾直言上諫。誠如前人所言：「一

苟過，遂無一言諫諍者，豈是道理？若惟署詔敕、行文書而已，人誰不堪？何煩簡擇，以相委付？自今詔敕疑有不穩便，必須執言，無得妄有畏懼，知而寢默。』」。
11 事例詳見王壽南的條舉，同註 2，頁 15-17。
12 《全唐文》卷 6，又見《貞觀政要》卷 1〈君道〉。
13 《貞觀政要》卷 2〈求諫〉。
14 《貞觀政要》卷 1〈政體〉「貞觀六年」條載：「太宗謂侍臣曰：『……公等但能正詞直諫，裨益政教，終不以犯顏忤旨，妄有誅責。』」又同卷同章「貞觀十九年」：「太宗謂侍臣曰：『……臣下有讜言直諫，可以施於政教者，當拭目以師友待之。』」
15 詳見趙翼書中的舉例，同註 8。又王壽南補充說：「其實，趙翼所舉的直諫

時之臣，非特大臣能諫，小臣如皇甫德參，無不諫也；非特內臣能諫，外臣如李大亮，無不諫也；非特文臣能諫，武臣如尉遲敬德，亦無不諫也；非特廷臣能諫，宮妾如充容徐惠，亦無不諫也。賢臣能諫，固也，佞臣如裴矩亦諫焉；中國之臣能諫，固也，夷狄之臣如契苾何力亦諫焉。」[16]可以想見其空前盛況。趙翼據此指出：「諸臣之敢諫，實由於帝之能受諫也。」[17]太宗意中所許的諫諍行為，甚至可以延申到所有人，不拘任何形式。太宗親撰的《帝範》即曰：

> 言之而是，雖在僕隸芻蕘，猶不可棄也；言之而非，雖在
> 王侯卿相，未必可容。其義可觀，不責其辯；其理可用，
> 不責其文。其義可觀，不責其辯；其理可用，不責其文。
> 至若折檻懷疏，標之以作戒；引裾却坐，顯之以自非。[18]

可以說，諫諍行為在貞觀朝，不僅是人臣道義所在的權利，而且是責無旁貸的天職。太宗頻頻招諫、求諫、納諫，於是「大臣惜祿而莫諫，小臣畏誅而不言」[19]此種保守而苟且的心態，自是徹底改變，羣臣莫不響應明君號召，竭其心智貢獻讜直之論，使得貞觀時代成為歷史上難得一見的「不諱之朝」。

雖然，貞觀後期，太宗亦不免因國家太平而志得意滿，喜聞順旨之說，漸漸疏於納諫，已不復有「貞觀之初」的廓然大度，[20]

者，遺漏尚多，如于志寧諫功臣代襲刺史，唐儉諫獵，張亮諫伐高麗，裴矩諫勿罔人以罪，李百耀諫掖廷宮人太多，劉仁軌與執失思力均諫獵。」同註2，王書，頁3。
16 《貞觀政要》卷2〈求諫〉，元・戈直注云。
17 同註8。
18 唐太宗：《帝範》卷4。案，「折檻」事，用朱雲諫漢成帝的典故，見《漢書・朱雲傳》；「引裾」事，用辛毗諫魏武帝的典故，見《三國志・辛毗傳》。
19 同前註。
20 清・趙翼云：「……其後勳業日隆，治平日久，即太宗已不能無稍厭魏徵，

但是諫諍之風並不因此中斷。這可由魏徵去世之後，太宗遂有「痛失一鏡」之悲，且下〈求直言手詔〉繼續鼓勵羣臣效法魏徵「各悉乃誠，若有是非，直言無隱」[21]見得。諫諍，乃成爲君臣上下的自覺追求與實踐，這對於士人言論尺度的擴大與議事角度的深入，以及建立其高視自任的心態，有著既深且鉅的影響。

　　由上所述種種，貞觀羣臣勇於進諫、太宗虛懷納諫，君臣之間契合相得的關係，因此名垂青史，形成有唐一代影響不絕的諫諍傳統，深植在君臣與廣大士人心中。太宗以後，不僅君主時時以貞觀故事作爲治身理國的炯誡與下詔求賢納言的圭臬，臣子也屢以貞觀故事上諫君主虛心納諫，廣開言路，勿自毀長城。此類例子甚多，不妨略舉如下。

　　大曆十二年（777）四月，代宗下詔，許諫官所獻封事不得阻攔：

> 昔予太祖、太宗之御天下也：功格二儀，不私於己；化覃萬宇，猶問於人。外與公卿大夫討論政典，內與鴻生碩老演暢儒風。日旰忘勞，時稱至理，猶復旁求諫諍，俯察謳謠，廣延不諱之書，載建登聞之鼓。於時中朝無闕政，四海無疲人，歷代是遵，列聖相軌。……自今已後，諫官所獻封事，不限早晚，任進狀來，所繇門司，不得輒有停滯。……欲使萬邦之事，無隔於九重；獻替之謨，不遺於聽覽。[22]

　　謂：『貞觀之初，導人以言。三年後，見諫者悅而從之。近一、二年，勉強受諫而終不平。』是可知貞觀中年，功成志滿，已不復能好臣其所受教。然則懼生於有所懲，怠生於無所儆，人主大抵皆然。」同註 8。

21　唐太宗：〈求直言手詔〉，《全唐文》卷 8。

22　見《冊府元龜》卷 102〈帝王部·招諫〉。此文收入《全唐文》卷 47，唐代宗：〈求言詔〉。

　　貞元年間（785～805），德宗撰〈君臣箴〉賜杜希全，嘉其多
所規諫，賢如魏徵，辭云：

> 夫惟德惠人，惟辟奉天，從諫則聖，共理惟賢。……於戲！
> 君之任臣，必求一德；臣之事君，咸思正直。何啟沃之所
> 宜，自古今而未得？……在昔稷契，實匡舜禹；近茲魏徵，
> 佑我文祖。君臣協德，混一區宇。肆予寡昧，獲纘丕緒，
> 臣哉鄰哉，爾翼爾輔。[23]

　　光啓元年（885）三月，僖宗下詔，以上賞搜求馬周、魏徵等
直言之輩，詔曰：

> 古者進善翹旌，蔽賢削地，苟異至公之選，適開浮黨之門，
> 要在拔奇，方資濟理。昔貞觀戡亂既久，理具畢張。而馬
> 周徒步獻書，上猶前席；魏徵直言替否，下得竭誠。況朕
> 久致履危，實惟懵道，欲新庶政，益賴羣才。已詔中外臣
> 僚，必使搜羅淹滯，仍令文武各陳所見，冀有可裨。苟申
> 籌國之謀，是濟同舟之患，非無上賞，寧稱勤求。布告遠
> 近。咸使知悉。[24]

　　以上所舉，皆是唐代君主明白昭示以貞觀時期的納諫政策為
法，這正是貞觀之治最好的遺產，也是歷代君主治天下的不二法
門，對大難方夷的中主如代宗、德宗是如此，對顛危之際的昏君
如僖宗更必須如此。這也是唐朝君主雖賢愚不一，納諫與拒諫各
有其人，但士人大體皆能保有一定言論自由而敢於上諫的原因。

　　至於唐代臣子對於君主的規諫，也每援引貞觀之治為說，冀
求君主取法乎上，勿墮乎下，極力導正君主專斷自主、拒諫蔽賢

---

23 見《舊唐書》卷 144〈杜希全傳〉。此文收入《全唐文》卷 55，唐德宗：〈君
　臣箴〉。
24 同註 22，卷 103。此文收入《全唐文》卷 47，唐僖宗：〈求言詔〉。

的偏差行為。例如，武后嘗召見初任麟臺正字的陳子昂，「使論為政之要，適時不便者，毋援上古、角空言」，子昂乃奏八科，[25]其中的〈招諫科〉即近取貞觀故事為譬，曉諭武后開直言從諫之路，用骨鯁之士：

> 臣聞聖人大德，在能聽諫，古典所說，蓋不足陳。臣伏見太宗文武聖皇帝德冠三王，名高五帝，實由能容魏徵愚直，獲盡忠誠，國史書之，明若日月。直言之路啟，從諫之道開，貞觀已來，此實為美。……夫骨鯁之士，能美聖功。伏惟神皇廣延直臣，旌賞諫士，使大聖之德，引納日新，書之金板，萬代有述。非神皇卓犖仁聖，臣不可獻此言也。[26]

玄宗時，起居郎吳兢因見「玄宗初立，收還權綱，銳於決事，羣臣畏伏，兢慮帝果而不及精」[27]，於是上疏引貞觀故事勸諫玄宗勿蔽賢自專：

> 夫帝王之德，莫盛於納諫。……太宗皇帝好悅至言，時有魏徵、王珪、虞世南、李大亮、岑文本、劉洎、馬周、褚遂良、杜正倫、高季輔，咸以切諫，引居要職。……當是時，有上書益於政者，皆粘寢殿之壁，坐望臥觀，雖狂瞽逆意，終不以為忤，故外事必聞，刑戮幾措，禮義大行。陛下何不遵此道，與聖祖繼美乎？[28]

其後吳兢為激勵玄宗弘揚太宗「用賢納諫之美，垂代立教之規」[29]，又編著《貞觀政要》，以真實史料塑造貞觀君臣形象，其

---

25 見《新唐書》卷 107〈陳子昂傳〉。
26 唐・陳子昂：〈答制問事・招諫科〉，《全唐文》卷 212。
27 見《新唐書》卷 132〈吳兢傳〉。
28 唐・吳兢：〈上玄宗皇帝納諫疏〉，《全唐文》卷 298。
29 唐・吳兢：〈上貞觀政要表〉，《全唐文》卷 298。

用意最多的，便是太宗的納諫與羣臣的進諫，藉以展示聖賢政治的理想境界，此書因之成爲唐代君主治國的龜鑑。又，憲宗時，因諫官論奏失實，多陷於訕謗，故有意懲處尤惡者，以儆其餘，宰相李絳期期以爲不可，以貞觀故事上諫云：

> 昔太宗以聖武削平天下，奄宅萬國，而懼臣下不諫，誘之使言，至於李大亮、孫伏伽之儔，皆以上疏諫事，幷蒙褒獎，魏徵、王珪，事大小皆獻直言，諫諍切直，用裨聖德，故太宗振英聲於萬古，王、魏流芳名於千載。未聞堯、舜、禹、湯、文、武之君，洎我太宗，窒諫路以自擁蔽，不聞其過。唯失道之君，惡聞己過，夏桀、殷紂、周幽、秦王，以拒諫諍飾非，反道敗德。直言者謂之誹謗，正諫者謂之妖邪，忠臣結舌，端士養跡，故不知己過，遂至亡國。[30]

李絳又說：「夫人臣進言於上，豈易哉？君尊如天，臣卑如地，加有雷霆之威，彼晝度夜思，始欲陳十事，俄而去五六，及將以聞，則又憚而削其半，故上達者財十二。何哉？干不測之禍，顧身無利耳。雖開納獎勵，尚恐不至，今乃欲譴訶之，使直士杜口，非社稷利也。」憲宗因此答曰：「非卿言，我不知諫之益。」[31]此一事例更顯見太宗開啓的納諫作風對於人主尊重諫官、不妄意誅責的深刻影響。憲宗察納雅言的胸襟，可彷如太宗；而李絳也誠爲直言敢諫之臣，不遜於魏徵。而當穆宗對侍臣問云：「國家貞觀中，文皇帝躬行帝道，治致昇平。……歷年長久，何道而然？」宰相崔植即對曰：

> 前代創業之君，多起自人間，知百姓疾苦，初承丕業，皆能勵精思理。太宗文皇帝特稟上聖之資，同符堯舜之道，

---

30 唐・李絳：〈論諫臣〉，《全唐文》卷645。
31 見《新唐書》卷152〈李絳傳〉。

> 是以貞觀一朝，四海寧晏，有房玄齡、杜如晦、魏徵、王
> 珪之屬為輔佐股肱，君明臣忠，事無不理，聖賢相遇，固
> 宜如此。[32]

此亦是以太宗的納諫任賢之道相儆相期。可見貞觀的諫諍之風，
已成為唐人共同嚮往「君明臣忠」的聖賢政治的楷模，誠如吳兢
所說：「豈必祖述堯舜、憲章文武而已哉！」[33]

　　然而，這樣諫諍傳統的形成，其影響不僅止於政治，也不僅
作用於君臣之間，對於唐朝散文的演變、士人為文的意向等，同
樣改變深鉅，不可不論。

第二節　諫諍傳統與文風改變

　　貞觀時期，帝王求諫於上，臣子敢諫於下，諫諍者既多，而
諫諍又必為之辭，不是當面廷爭，便是上封事奏議，如此諫諍之
風大行，蔚成傳統，對於文章寫作與文學風氣的影響自然是顯而
易見，尤其在君主影響力無遠弗屆、風化自上而下的時代，更是
如此。以下就此論之：

一、與六朝「貴遊」作風不同的「貴文」現象

　　由於皇帝所倡導的諫諍之風盛行，六朝以來流行於君臣間的
貴遊文學無形間遭到抑止，士大夫關於政教的議理論事之文重新
獲得重視，士大夫獨立思考的性格，以及以文學經世致用的才能

---

32 見《舊唐書》卷 119〈崔祐甫傳附崔植〉。此文收入《全唐文》卷 695，崔植：
　〈對穆宗疏〉。
33 同註 29。

也大獲肯定,形成與六朝名同而實異的「貴文」現象。

　　所謂「貴遊文學」,根據王夢鷗之解釋:「是包括歷代帝室侯門及其招攬的一夥文人共同爲消閑而從事的寫作活動。」而貴遊文學的本質,「乃在作家與欣賞者都是從遊戲或娛樂的觀點來欣賞文章。」[34]此種文學,原是楚國宮廷間詼笑嫚戲的玩物,至漢武帝廣招言語侍從之士如東方朔、司馬相如等,遂以辭賦的形式鼎盛於朝廷,其內容與國家政教無關,但以「美麗的謊言」來取悅人主。在魏晉六朝,貴遊文學由於門閥世族的愛好,再度復興而熾烈,此輩如建安時曹氏父子的鄴下文士、晉太康時的賈門二十四友、劉宋朝大明與泰始君臣,以及南齊竟陵王子良的西邸文士「竟陵八友」等,貴遊文學日盛一日,並同辭賦體文章雕飾華美、屬對精切、隸事繁密的演化相表裏。梁裴子野〈雕蟲論〉指出其實說:

> 自是閭閻年少,貴游總角,罔不擯落六藝,吟詠情性,學者以博依爲急務,謂章句爲專魯,淫文破典,斐爾爲功。無被於管弦,非止乎禮義,深心主卉木,遠致極風雲,其興浮,其志弱,巧而不要,隱而不深。[35]

可見貴遊文學滲染之嚴重,「天下向風,人自藻飾」,士人用心無出於此,文章乃變成炫新玩奇的筆墨遊戲。由梁、陳至隋更是變本加厲,文章不僅放蕩,而且放蕩於情色。「宮體」之號,應運而起。《陳書》〈後主本紀〉非常正確指出這種文學風氣對於朝政種下的深訾:

---

34 王夢鷗:〈漢魏六朝文體變遷之一考察〉一文,第二節:「貴遊文學與文體之關係」,收入所著《傳統文學論衡》(臺北:時報文化出版公司,1991),頁82-92。

35 清·嚴可均輯:《全上古三代秦漢六朝文·全梁文》卷53。

> 自魏正始、晉中朝以來，貴臣雖有識治者，皆以文學相
> 處，罕關庶務，朝章大典，方參議焉，文案簿領，咸委
> 小吏，浸以成俗。迄至于陳，後主因循，未遑改革，故
> 施文慶、沈客卿之徒，專掌軍國要務，姦黠左道，以㬰
> 刻為功，自取身榮，不存國計，是以朝經墮廢，禍生鄰
> 國。

君臣上下皆附庸風雅，遊戲於文藝，輕忽於治國，本末倒置的結果，自然使朝綱解體，遭到亡國厄運，以致史家發出浩歎：「亡國之主多有才藝！」[36]實則，罪既不在於才藝，也不在於國主有才藝，而在於才藝用非其所、國主用不得人。此在唐太宗則不然。

太宗君臣均是藝文愛好者，才華洋溢，文學素養承襲前朝而來，所以亦不免遊宴侍從，即景賦詩，奉詔應和，自得其樂。此等貴遊活動本即是宮廷之常事，無法禁絕，亦無須禁絕。然太宗君臣皆不以此相尚，每每知所節制，互相規戒，而以國家社稷人倫風俗為念。《大唐新語》即記載虞世南諫止太宗「戲作豔詩」之行為，並拒絕奉詔應和。[37]又《貞觀政要》也記載臣下請編次太宗文章為集，太宗明言正色答曰：「只如梁武帝父子及陳後主、隋煬帝，亦大有文集，而所為多不法，宗社皆須臾傾覆。凡人主惟在德行，何必要事文章耶？」其事遂停。[38]可見，太宗即或不能忘情於貴遊文學之樂，但已不再重蹈「忽君人之大道，好雕蟲之小藝」、「以緣情為勳績，指儒素為古拙，用詞賦為君子」[39]的覆轍。誠如他自己在〈帝京篇序〉中所說：「釋實求華，以從人欲，

---

36 見唐・姚思廉：《陳書》卷6〈後主本紀〉。
37 唐・劉肅：《大唐新語》卷3〈公直〉。
38 《貞觀政要》卷8〈文史〉。
39 隋・李諤：〈上隋文帝書〉，見《隋書》卷66〈李諤傳〉。

亂於大道，君子恥之。」[40]在羣臣的諫諍與太宗的自律之下，前朝貴遊文學泛濫的歪風自然如烈燄之遇冰得以戢止，而士大夫關於政治教化與經國大體的文章，藉由諫諍上疏的形式，再度獲得重視，且得到重用，士人的地位也隨之提升，不再以言語侍從的身分依附於帝室侯門，而是以其品德、學養與獨立思考，抒發見解，參與朝政，為唐王朝的建設與繁榮貢獻己力。

可以對照的明顯事實是，太宗在秦王時曾開文學館，立「十八學士」，其性質與功能便與前代如「西邸文士」之類大異其趣。據史傳記載：

> 始太宗既平寇亂，留意儒學，乃於宮城西起文學館，以待四方文士。於是，以屬大行臺司勳郎中杜如晦，記室考功郎中房玄齡及于志寧，軍諮祭酒蘇世長，天策府記室薛收，文學褚亮、姚思廉，太學博士陸德明、孔穎達，主簿李玄道，天策倉曹李守素，記室參軍虞世南，參軍事蔡允恭、顏相時，著作佐郎攝記室許敬宗、薛元敬，太學助教蓋文達，軍諮典籤蘇勗，並以本官兼文學館學士。……諸學士並給珍膳，分為三番，更直宿於閤下，每軍國務靜，參謁歸休，即便引見，討論墳籍，商略前載。預入館者，時所傾慕，謂之「登瀛洲」。[41]

晚唐的杜牧曾說：「十八學士，詳考理亂，鋪陳王道，此乃貞觀之故事也。」[42]確實，十八學士的設置雖在貞觀之前，但其影響卻延續於整個貞觀朝，成為貞觀大臣的骨幹。這些學士，已非作為

---

40 見《全唐詩》卷 1。
41 《舊唐書》卷 71〈褚亮傳〉。
42 唐・杜牧：〈楊知退除鄆州判官薛廷望除美原尉直宏文館等制〉，見《全唐文》卷 749。

「詩歌戲狎，朝夕陪遊」之用，而是「討論墳籍，商略前載」，具
體而言，即是杜牧說的「詳考理亂，鋪陳王道」，具有資政與顧問
的身分。正如學者指出，這十八學士是一個才能多元的組合，他
們首先是因為傑出的文才而受到太宗賞識，但他們的才能又絕不
僅僅表現在文才上，而是儒學、史學、書學、德行、政能等等，
各有所長，可以施用於各個行政領域。[43]此諸人共同的特色是都
敢於犯顏直諫，有諫臣之風範，特別是那些以文史著稱者，在諫
諍方面表現尤為突出。如與太宗時有詩文之交的虞世南，本是由
隋入唐的大文人，但太宗卻不僅以文人視之[44]；又如撰寫《梁書》、
《陳書》的史家姚思廉，也深受太宗禮遇[45]。其他不與十八學士
之列的名臣，如魏徵、馬周、褚遂良、岑文本、李百藥等，也莫
不與十八學士一樣，「文才與諫諍兼備」[46]，形成一種德行、文才
與政能合一的品格要求。

　　可見太宗重視文學，一如六朝貴冑；但不同的是，「文學」在
此的內涵已不是「綺縠紛披，宮徵靡曼，脣吻遒會，情靈搖蕩」[47]
的文章藝術追求，而是一種用於治國平天下而與「武功」相對的
「文治」，或曰「文德」，用太宗的話來說，即是：「朕雖以武功定

43 參見傅紹良：《唐代諫議制度與文人》（北京：中國社會科學出版社，2003），
　　頁 273-274。傅書又說：「這十八學士中曾任諫職或有過諫諍行為的有十一
　　人。」
44 《舊唐書》卷 72〈虞世南傳〉載：「太宗重其博識，每機務之隙，引之談論，
　　共觀經史。世南雖容貌儒懦，若不勝衣，而志性抗烈，每論及古先帝王為政
　　得失，必存規諷，多所補益。」。
45 《舊唐書》卷 73〈姚思廉傳〉載：「政有得失，（太宗）常遣密奏之，思廉
　　亦直言無隱。太宗將幸九成宮，思廉諫曰：『離宮遊幸，秦皇、漢武之事，
　　固非堯、舜、禹、湯之所為也。』言甚切至。」
46 同註 43，頁 275。
47 梁·元帝（蕭繹）：《金樓子·立言篇》。

天下，終當以文德綏海內。文武之道，各隨其時。」[48]而由於「文德」的弘揚提倡，使得文學之士的才華與才識得到重視與重用，文人得以真正發揮所能參議政治，形成不同於六朝的新的「貴文」現象。這點，在中唐劉禹錫的回顧中恰當指出：

> 惟唐以神武定天下，羣慝既夷，驟示以文。詔英之音與鉦鼓相襲。故起文章為大臣者，魏文貞（徵）以諫諍顯，馬高唐（周）以智奮，岑江陵（文本）以潤色聞，無草昧汗馬之勞，而任遇在功臣上。唐之貴文至矣哉！[49]

如此風氣鼓勵之下，初唐諸臣所為之文，自然是「鑽仰墳集，棄絕華綺，擇先王之令典，行大道於茲世」[50]，以其「文德」貢獻於經世致用的道路，隋代諫臣不能得盡的心願，卻在貞觀諫臣身上初步實踐了。這可以說是唐代散文走出六朝華綺之陰影的第一步，也是重大的一步。

二、「直諫」與「直言」造成崇理尚實的文風

因為貞觀諫諍之風盛行，「直諫」是必要的手段，「直言」成為必然的風格，這使得文章漸從華靡虛飾的無用之詞，蛻變為崇理尚實的有用之言，不僅內容擴大深刻，現實意識強烈，言說方式也直致自由得多。

六朝駢文勢盛，泛濫於各類文體，甚至詔令章奏以及其他應用的公文書牘，皆薰染綺麗夸飾的惡習，「樹理者多以詭妄為本，飾辭者務以淫麗為宗」[51]，早已引起識者非議。是故隋開皇四年

---

48 《舊唐書》卷 28〈音樂一〉。

49 唐‧劉禹錫：〈唐故相國李公（絳）集序〉，見《全唐文》卷 605。

50 同註 39。

51 用唐‧劉知幾《史通‧載文》語。原文云：「爰自中葉，文體大變，樹理者多以詭妄為本，飾辭者務以淫麗為宗。」

（584），文帝曾下詔改良文體，「公私文翰，並宜實錄」，而李諤亦有〈上隋高祖革文華書〉爲之響應；然而推行未久，隨著文帝晚年日漸驕奢，特別是煬帝繼位之後而煙消雲散。[52]考這次文體改革所以未能成功，除了因爲文風積漸之重，無法以一紙禁令扭轉外，更重要的原因是隋文帝未能以身作則，羣臣除李諤之外皆視若無睹，既無上下一貫之支持，只能徒具空文。[53]入唐之後，則因爲君主所倡的「開直言之路」的政策，文辭浮華不切事理，則尤非所需，故而唐高祖乃特別下詔要求「陳直言」：

> 四方州鎮，習俗未懲，表疏因循，尚多迂誕。申請盜賊，不肯至言；論民疾苦，每虧實錄。妄引哲王，深相佞媚；假託符瑞，極筆阿諛。亂語細書，動盈數紙；非直乖於體用，固亦失於事情。千里而佇於一言，萬機湊於一日。表奏如是，稽疑處斷；不知此者，謂我何哉？。[54]

　　唐高祖的「陳直言」與隋文帝的「革文華」，有同有不同。兩者皆知文辭浮華於公文表疏所引起的迂誕虛矯的流弊，基於爲政的實際需要，乃倡導使用「至言」與「實錄」；此其所同。然而唐高祖此詔，尚有隋文帝所無的聞過求諫之意，故云：「申請盜賊」、「論民疾苦」，禁絕「佞媚」與「阿諛」之辭；此其大不同。正由於唐高祖這種虛心納諫的政策，是結合政治現實的需要，使人人趨於敢言，「言之者無罪，聞之者足以戒」，勢必令文章自然發生「斲雕爲樸，發號施令，咸去浮華」[55]的變動，而不至於停留於

---

52 同註 39。又參見羅宗強：《隋唐五代文學思想史》（上海：上海古籍出版社，1986），頁 25-28。

53 李諤提到的「泗州刺史司馬幼文表華豔，付所司治罪。」似乎僅是特例，未見進一步影響。

54 唐・高祖：〈令陳直言詔〉，《全唐文》卷 1。

55 此言取自《隋書・文學傳》序，原文云：「（隋）高祖初統萬機，每念斲彫爲

一紙禁令之上。此雖不曰改革六朝駢文，無形中實已經在改革。
自不待言，這樣以諫諍形式爲之推動的文學改革，在唐太宗君臣
手上更是發揚光大。

　　諫諍是以下駁上的行爲，其勢處逆，故必須講究方式，否則
難以達成效果。故古有所謂的「五諫」之法，[56]視君主不同的接
受情況而用之，在太宗則因爲其人「好用善謀，樂聞直諫」，[57]故
貞觀羣臣諫諍多以「直諫」方式爲主。直諫的特色是「直詞正諫」
或「正詞直諫」，也就是「直言」，即在君王面前放言直論，實事
求是，務求透徹明白，鞭辟入裏，以動人主之心。因此六朝駢文
那種屬對精切隸事繁密、以形式技巧取勝的文字，自然不適於用，
而必須多採取散文式直敘暢達明白淺顯的句法，並運用博辯直貫
的氣勢，達到勸諫目的。這也成爲此後唐朝諫諍之文基本的特色。

　　初唐名臣的諫諍之文，即多以半駢半散或似駢實散的方式寫
作，剖析明白，剴切中肯，而且流暢自如，易讀易懂，甚少掉弄
事典、誇張聲貌，不僅深得人主之心，也頗受時輩推譽。如太宗
對魏徵的上疏即贊賞不已，愛不忍釋：「反覆研尋，深覺詞強理直，
遂列爲屏障，朝夕瞻仰。」[58]而岑文本也極力褒美馬周的諫疏說：
「援引事類，揚搉古今，舉要刪蕪，會文切理，一字不可加，一

樸，發號施令，咸去浮華。」
56 古籍中提及「五諫」的名目甚多而各不同，請參考孔繁敏：〈中國諫諍的幾
　　個問題〉一文，載《北京大學學報‧哲學社會科學版》，1994 年，第 5 期。
　　該文分別比較《大戴禮》、《春秋公羊傳》、《說苑》、《白虎通》、《孔子家語》、
　　《唐六典》、《冊府元龜》等典籍對「五諫」的說法，並謂：「(五諫)提法雖
　　有異同，而實際是大同小異，或實同名異。」又說：「五種諫法大致可以歸
　　爲：婉言諷諫、順情窺諫、質實正諫、敢言直諫、犯顏強諫。」
57 宋‧司馬光：《稽古錄》卷 15。
58 《貞觀政要》卷 9〈慎終〉。案，此乃魏徵上〈十漸疏〉之後，太宗贊賞之
　　言。

言不可滅，聽之靡靡，令人亡倦。」[59]這說明諫諍之文不僅事理可採，其文章亦且可觀可愛可賞也。這些諫臣的文章，其論事說理與行文兼有戰國策士文與西漢奏議文的遺風，很明顯的，是以他們作爲師法榜樣，由此自然使文章從追求新巧返回於「復古」的道路。

　　世所周知，貞觀諫臣最受太宗知愛者，非魏徵莫屬，傳世之作如〈十思疏〉[60]、〈十漸疏〉[61]，思慮周密，面面俱到，其意氣直切處，使人感受其慷慨熱誠，已成爲後世論貞觀諫諍之文的代表。此處不妨另引魏徵的〈論御臣之術〉爲例，略示其文特色：

　　夫美玉明珠，孔翠犀象，大宛之馬，西旅之獒，或無足也，或無情也，生於八荒之表，途遙萬里之外，重譯入貢，道路不絕者何哉？蓋由乎中國之所好也。況從仕者，懷君之榮，食君之祿，率之以義，將何往而不至哉？臣以爲與之爲忠，則可使同乎龍逢、比干矣；與之爲孝，則可使同乎曾參、子騫矣；與之爲信，則可使同乎尾生、展禽矣；與之爲廉，則可使同乎伯夷、叔齊矣。然而今之羣臣，罕能貞白卓異者，蓋求之不切，勵之未精故也。若勗之以公忠，期之以遠大，各有職分，得行其道。貴則觀其所舉，富則觀其所養，居則觀其所好，習則觀其所言，窮則觀其所不受，賤則觀其所不爲。因其材以取之，審其能以任之。用其所長，掩其所短，進之以六正，戒之以六邪，則不嚴而自勵，不勸而自勉矣。[62]

---

59 見《舊唐書》卷 74〈馬周傳〉。
60 此是通稱，原文出於《貞觀政要》卷 1〈君道〉，收入《全唐文》卷 139，題作〈論時政疏・第二疏〉。
61 《全唐文》卷 140。原文出於《貞觀政要》卷 10〈慎終〉。
62 《全唐文》卷 139。原文出於《貞觀政要》卷 3〈擇官〉。

魏徵所謂的「御臣之術」，實即是用人養才的方法。此為首段發論處，言士人懷才抱器，如遠方貢譯而來的奇貨，必須善任善待之。不難看出，這裏所使用的長句遠多於短句，排比句遠多於對偶句，連貫直下的氣勢遠多於析詞為雙的屧緩，且又不為隸事而多用虛詞，使得其文讀來既感震盪有力，又明白暢快。此下繼而又以大段議論分析「何謂六正」、「何謂六邪」，以正臣與邪臣作鮮明對比，辯證博大綿密，下語斬截，令人無從翻駁起。這樣的特色，誠如太宗所說的「詞強理直」，遠遠超乎六朝駢文的格局，而展現戰國與西漢策士之文同等直切激昂的風骨。

再者，貞觀諫臣所諫的內容也無所不包，不僅大如軍國征伐祭祀之事必諫，小至君主日常起居宴飲等細碎之事，只要是合於治道，有裨政教之事，皆可為之勸諫，這自然使得文章內容與人事息息相關，深具現實感。《貞觀政要》記載太宗之言：

> 公等但能正詞直諫，裨益政教，終不以犯顏忤旨，妄有誅責。朕比來臨朝斷決，亦有乖於律令者。公等以為小事，遂不執言。凡大事皆起於小事，小事不論，大事又將不可救，社稷傾危，莫不由此。隋主殘暴，身死匹夫之手，率土蒼生，罕聞嗟痛。公等為朕思隋氏滅亡之事，朕為公等思龍逢、晁錯之誅，君臣保全，豈不美哉！[63]

太宗既如此開誠佈公，自有更多直能敢言之臣受到鼓舞，知無不言，言無不盡。所以，馬周有〈陳時政疏〉[64]、房玄齡有〈諫伐高麗表〉[65]、虞世南有〈上山陵封事〉[66]、岑文本有〈大水上封事

---

63 《貞觀政要》卷 1〈政體〉。
64 《全唐文》卷 155。案，《唐文粹》卷 27 收此文，題作〈請崇節儉及制諸王疏〉。
65 《全唐文》卷 137。
66 《全唐文》卷 138。案，《唐文粹》卷 27 收此文，題作〈諫山陵厚葬書〉。

極言得失〉[67]，即宮妾之輩如徐賢妃亦有〈諫太宗息兵罷役疏〉[68]，
此皆是就國之大事而諫；又有孫伏伽的〈諫馬射表〉[69]、杜正倫
的〈請慎言疏〉[70]、岑文本的〈論攝養表〉[71]、劉洎的〈諫詰難臣
寮上言書〉[72]，此均是就太宗嗜欲言行之可議者而諫；而褚遂良
的〈諫夜飲表〉與〈請宮中眼花浪見不得輒奏表〉[73]、馬周的〈諫
公主晝婚疏〉[74]，則是諫宮中之小事。真乃大事小事，國事家事，
無事不聞，無事不關。茲引褚遂良的〈請宮中眼花浪見不得輒奏
表〉為例：

> 昔者聖人之於鬼神也，聞之而不獨信，知之而不專恃。是
> 以顓頊依於鬼神，制之以正，不懼驚異，增修仁德。孔子
> 不語怪力亂神。伏惟陛下氣蓋區中，威移海外，擁百萬之
> 陣，頓九夷之顙，自書史所載，未之前聞。夫人歡樂則意
> 氣高，悲哀則膽力少，自不可信茲訛惑，轉移常操。而宮
> 中嬪列，謂之婦人，恇弱周章，眼光浪見，更相恐懼，動
> 一驚百。雖有孟賁壯志，孔翟精誠，終不免聽之心疑，聞
> 之意動。變異之來，具諸前志，自須制之以貞正，屬之以
> 安靜，謂之為吉則變，謂之為祥則嘉。如臣愚見，宜勅宮
> 中：眼花浪見，不得報告傍人；更相恐動，亦不得專輒奏
> 聞。如此而不安然，臣受死罪。

67　《全唐文》卷 150。案，《唐文粹》卷 26 上收此文，題作〈論太宗勤政改過
　　書〉。
68　《全唐文》卷 95。案，《唐文粹》卷 27 收此文，題同。
69　《全唐文》卷 135。
70　《全唐文》卷 150。
71　同前註。
72　《全唐文》卷 151。案，《唐文粹》卷 26 上收此文，題作〈諫太宗不詰難臣
　　寮上言書〉。
73　《全唐文》卷 149。
74　《全唐文》卷 155。

　　此文駁斥宮中謠傳的鬼神變異之說為「眼花浪見」，請止報其事，意在勸諫太宗勿輕信宮人謠言，貞正安靜則為吉祥。事情雖然細瑣，議論卻非常正大，援古徵聖，說之以理又動之以情，惟恐不切。文中除以「孟賁壯志，孔翟精誠」形容勇毅之人屬於隸事之外，再無多餘的事典，用詞樸實無華，事理卻簡明可信，入人甚深，太宗焉得不受？再如馬周的〈陳時政疏〉：

> 往者貞觀之初，率土荒儉，一匹絹才得一斗米，而天下帖然，百姓知陛下甚憂憐之，故人人自安，曾無謗讟。自五六年來，頻歲豐稔，一匹絹得粟十餘石，而百姓皆以陛下不憂憐之，咸有怨言。又今所營為者，頗多不急之務故也。自古以來，國之興亡，不由積聚多少，唯在百姓苦樂。且以近事驗之……（略）。然儉以息人，貞觀之初，陛下已躬為之。故今行之不難也。為之一日，則天下知之，式歌且舞矣。若人既勞矣，而用之不息，倘中國被水旱之災，邊方有風塵之警，狂狡因之以竊發，則有不可測之事。

　　此疏論賦役的弊政，誠為國之大事重事；然而馬周卻從小事近事說起，從民生絹米價格的變遷，指出往年天下雖困，但賦役少而人民安，如今天下雖富而賦役亦多，人民生怨，百姓的苦樂正隱藏國家興亡之兆。無須繁言大論，但直指事實，即能明示其中利弊。馬周在此疏中又勸太宗「勵精為政，不煩遠采上古之術，但及貞觀之初，則天下幸甚」，尤見其實事求是的現實意識，並非妄引先王為法的迂儒之見。這樣的文章沒有排句式的「詞強理直」，卻多了散文式的從容坦易，誠如岑文本所說的「聽之靡靡，令人亡倦」，樂於虛心接納。

　　凡以上諸文，皆是貞觀諫臣「直諫」的代表作，其作並不以作文為意，故皆去華求實，言之有物，即使體式嚴整仍帶有駢文

作風，讀之亦令人不覺為駢文，況且其貼近現實、關切民生、懇切敢言，又遠非六朝君臣貴遊之作遠離現實、流連光景、雕章鏤句可比。這樣的作品在此後的陳子昂、陸贄、韓愈、白居易、元稹等人身上都反覆得見，其影響正是淵源有自。

　　而直諫之更進者，甚至不避言辭之激切，而有所謂的「極諫」，此亦貞觀諫臣所具有。《大唐新語》即載其事：

> 皇甫德參上書曰：「陛下修洛陽宮，是勞人也；收地租，是厚斂也；俗尚高髻，是宮中所化也。」太宗怒曰：「此人欲使國家不收一租，不役一人，宮人無髮，乃稱其意！」魏徵進曰：「賈誼當漢之時，上書云：『可為痛哭者三，可為長歎者五。』自古上書，率多激切，若非激切，則不能服人主之心。激切即以訕謗，所謂狂夫之言，聖人擇焉。惟在陛下裁察，不可責之，否則於後誰敢言者？」乃賜絹二十疋，命歸。[75]

這種激切不諱近乎訕謗的作風，實乃諫諍者「知無不言」、「極言無隱」性格的激化，表現出一種忠勇進言無所避懼的高度政治熱情，這種特色在漢初賈誼的〈治安策〉之後幾已成絕響，此時又再度得見，說明貞觀諫臣言論開放的程度已若無所限制。雖然這種「極諫」在太宗時尚不多見，但此風既開，對此下文人議事論政的作風自有所啓示，文章不僅趨質趨散，又更加放任敢言，這尤其在中晚唐為然。

三、無意復古而自然復古的「載道」之文

　　諫諍，本即是儒家所崇尚的政治道德。而太宗以儒術治國，

---

75 唐‧劉肅：《大唐新語》卷三「極諫」。

所以臣下諫諍必引證儒家經籍，發明先王典訓，自然有濃厚的「載道」性質，故諫諍文字因此成為唐代散文最早確立的「載道」之文。

儒家以諫諍作為抗衡君權的利器。《尚書‧說命上》曰：「惟木從繩則正，后從諫則聖。」孔子曰：「天下有道，則庶人不議。」[76]孟子言「貴戚之卿」云：「君有大過則諫，反復之而不聽，則易位。」言「異姓之卿」則云：「君有過則諫，反覆之而不聽，則去。」[77]荀子曰：「有能盡言於君，用則可，不用則去，謂之諫；有能盡言於君，用則可，不用則死，謂之諍。」《孝經‧諫諍》云：「天子有爭臣七人，雖無道，不失其天下。」凡此皆可以見儒家重視諫諍的明據，故貞觀諫臣也時時發揚儒家的諫諍之精神，以衛道之臣自任，期許太宗為有道之君。

貞觀之初，魏徵與封德彝即曾對於「大亂之後，將求致化」當用儒家或用法家為治理之道，反覆爭議辯難，太宗終採魏徵之言，棄法而取儒，從事儒家的道德教化之治。[78]此一決策，實奠定唐朝重視「文德」的政治走向，儒家的「聖君賢相」、「帝道」與「臣道」，遂成為君臣共同的希冀嚮往，臣子之進諫，不管是論政或議事，也必定引據儒家經典，闡之明之，惟恐不詳不盡。如魏徵的〈論治道疏〉，言君主應慎待臣下，不可喜怒無常，使賞罰失實，其中有云：

> 《禮》曰：「愛而知其惡，憎而知其善。」若憎而不知其善，則為善者必懼；愛而不知其惡，則為惡者實繁。《詩》曰：

76　見《論語‧季氏》。

77　見《孟子‧萬章下》。

78　見《貞觀政要》卷 1〈論政體〉。案，《貞觀政要》載此事是貞觀七年，《資治通鑑》卷 193，則繫此事於貞觀四年十二月，應從《通鑑》。

「君子如怒，亂庶遄沮。」然則古人之震怒，將以懲惡；
當今之威罰，所以長姦。此非堯舜之心，非湯禹之事。《書》
云：「撫我則后，虐我則讎。」孫卿子曰：「君舟也，人水
也，水所以載舟，亦所以覆舟。」孔子曰：「魚失水而死，
水失魚，則猶為水也。」故堯戰戰慄慄，日慎一日。安可
不深思之乎？安可不熟慮之乎？[79]

僅此一段即繁引《禮記》、《詩經》、《尚書》等儒家典籍，又徵孔
子、引荀子，以堯、舜、禹、湯聖王之德規君正君，流露一片諄
諄懇懇的儒者情懷，這無疑是正宗「載道」之文。又如岑文本〈大
水上封事極言得失〉云：

以古人譬之種樹，年紀綿遠，則枝葉扶疎，若種之日淺，
根本未固，雖壅之以黑壤，暖之以春日，一人搖之，必至
枯槁。今之百姓，頗類於此。常加含養，則日就滋息；蹔
有征役，則隨之凋耗。凋耗既甚，則人不聊生。人不聊生，
則怨氣充塞。怨氣充塞，則離叛之心生矣。故帝舜曰：「可
愛非君？可畏非民？」孔安國曰：「人以君為命，故可愛。
君失道則人叛之，故可畏。」仲尼曰：「君猶舟也，人猶水
也。水所以載舟，亦所以覆舟。」是以古之哲王，雖休勿
休，日慎一日者，良為此也。……唯願陛下思之而不倦，
行之而不怠。則至道之美，與三王比隆，億載之祚，隨天
地長久。[80]

以種樹喻養民，多擾則不能聊生，又迭引儒家經傳的道德訓誡助

---

79 見《全唐文》卷 139。案，此處孔子曰當為子夏曰，見《藝文類聚》卷 11
　引《尸子》：「孔子曰：『商汝知君之為君乎？』子夏曰：『魚失水則死，水失
　魚猶為水也。』孔子曰：『商知之矣。』」
80 唐・岑文本：〈大水上封事極言得失〉，《全唐文》卷 150。

說，詞淺理切，循循誘導，既爲百姓的疾苦申言，又儆醒君主當
存戒慎畏民之心，可謂發揮儒家忠君愛民之本色，文不苟作，作
必有補於政，宗經徵聖，充滿「載道」的氣息。

　　這樣「載道」的諫諍之作，與西漢中後期的儒臣如董仲舒、
匡衡、劉向等依經立義的疏奏頗有類似之處。試比較劉向的〈諫
營延陵過侈疏〉：

> 臣聞《易》曰：「安不忘危，存不忘亡。」是以身安而國家
> 可保也，故賢聖之君，博觀終始，窮極事情，而是非分明。
> 王者必通三統，明天命所授者博，非獨一姓也。孔子論
> 《詩》，至于「殷士膚敏，祼將于京，」喟然歎曰：「大哉
> 天命！善不可不傳于子孫，是以富貴無常；不如是，則王
> 公其何以戒慎，民萌何以勸勉？」蓋傷微子之事周，而痛
> 殷之亡也。雖有堯舜之聖，不能化丹朱之子；雖有禹湯之
> 德，不能訓末孫之桀紂。自古及今，未有不亡之國也。……
> 孔子所謂「富貴無常」，蓋謂此也。[81]

不管是引據經義的立說方式，規誡君主的內容命意，還是行文運
詞的氣味，貞觀諫臣之文與此引劉向之文都有諸多的相似，可見
其中血脈相承的關係。然而，這種文章的相似並非有意爲之的模
仿，亦不曾提出具體的文學理論，只能說是不自覺的相似。而揆
其所以相似，不外是因爲太宗君臣取儒道爲治國之用，所謂「務
乎政術，本求治要」[82]，從政治教化的需求依據經傳立義垂訓，
故自然而然與漢代獨尊儒術時代的文章趨近 ——「皇帝詔書，羣
臣奏議，莫不援引經義，以爲據依」。[83]所以，這樣的「載道」之

81　漢・劉向：〈諫營昌陵疏〉，《全上古三代秦漢六朝文・全漢文》卷 36。
82　唐・魏徵：〈羣書治要序〉，《全唐文》卷 141。
83　清・皮錫瑞《經學歷史》（北京：中華書局，1959），頁 103。

文與中唐蕭穎士、李華、獨孤及、柳冕、梁肅等人有意提倡的復古文章有所不同，可以說是無意復古而自然復古。

　　再者，魏徵與岑文本兩人皆非醇儒，其文章有時亦雜引諸家，有縱橫家博辯論事之風，其他的諫臣也時或如此，他們的本意在於「求致化」，不在於護衛儒道，所以旁徵博引，出入各家思想而不以為非。即使如初唐最值一提的「載道」之作，反佛第一人——傅奕的〈請除釋教疏〉[84]，極言佛教不可崇信，亦是以「竊人主之權，擅造化之力」等維護王權治道的立場，運用儒家學說，抨擊佛教作威作福蠹民害政，並非在理論上基於衛儒而反佛。事實上，太宗雖然極重視儒學，詔顏師古考定《五經》，頒於天下，又詔孔穎達與諸儒撰定《五經義疏》，令天下傳習；但這些崇儒的活動皆出於政治動機的考量，一如漢朝的尊儒術——「前古哲王，咸用儒術之士，漢家宰相，無不精通一經，朝廷若有疑事，皆引經決定，由是人識禮教，理致昇平。」[85]所以，太宗常引經學家為諫官，而這些經學家也常以其儒學背景勇於諫諍進言。[86] 所以，此時諫臣的「載道」之文帶有濃厚的政治取向實不足為奇。而這樣的「載道」之作，又不同於此後韓愈為反佛老、衛儒道所倡導的「古文」，可以說重治道更甚於重儒道。

　　雖然貞觀諫臣的「載道」之文既非文學上「復古」的追求，也沒有儒學上「復興」的主張，只是基於政治實用的目的而自然

---

84 唐・傅奕：〈請除釋教疏〉，《全唐文》卷 133。此文為高祖武德七年（624）作，見《舊唐書》卷 79〈傅奕傳〉。

85 見《舊唐書》卷 189〈儒學傳上〉。

86 傅紹良指出，唐代早期儒士任諫官的有：孔穎達（給事中）、顏師古（散騎常侍）、顏相時（諫議大夫）、歐陽詢（給事中）、朱子奢（諫議大夫）、張後胤（散騎常侍）、蓋文達（諫議大夫）、谷律那（諫議大夫）、敬播（諫議大夫、給事中）。同註 43，頁 174。

爲之；但這樣的「載道」之文卻是此後「古文運動」的文章復古
與儒學復興的基礎，是唐代散文轉變關鍵的重要一環，不可小視。
而此後的諫諍文字也大體依此發展而盛行，唐代文人因此寫出大
量的諫諍文字，在中唐某些古文家的眼中，這種有裨政教、富於
諫政意義的文字，更成爲真正「載道」之文的代表。

第三節　諫諍文字的盛行與影響

　　貞觀年間廣開言路求諫納諫的政策，造成唐朝三方面影響深
遠的結果：其一是諫官制度大備，地位提升，成爲有權有責的重
要職事官；其二是朝廷的制舉開設「賢良方正能直言極諫科」以
取士命官，使諫諍才能成爲用人標準之一。前者是從職位上保障
諫諍，後者則是從考試上鼓勵諫諍；而與這兩者連動並行的是從
仕的士人上書諫諍之風的興起，此其三。這三方面，皆造成諫諍
文字的盛行，從而促成文章體式與內容的改變。

　　唐代諫官制度的完備與崇重是自古所無的。據《周禮・地官》
載：「保氏掌諫王惡。」但秦漢以前，並無職司諫諍之官，凡公卿
大夫、樂史、太史、師傅，以至於百工庶人，皆可用包括詩賦的
各種形式向君主進言。[87]秦漢之後，始設有「掌應對顧問」的給
事中，以及「掌論議」的諫議大夫，魏晉和南朝宋也設有散騎常
侍等員，掌「諷議左右，從容獻納」，雖然皆屬言官，但通常沒有

87　《國語・周語》載：「故天子聽政，使公卿至於列士獻詩，瞽獻曲，史獻書，
　　師箴，瞍賦，矇誦，百工諫，庶人傳語，近臣盡規，親戚補察，瞽、史教誨，
　　耆、艾修之，而後王斟酌焉，是以事行而不悖。」

固定常員，只作爲散官或是加官，所以職責有限，功能不彰。[88]至唐朝，則在中書省和門下省設立一批專職諫官，各設左右，分置散騎常侍、諫議大夫、補闕和拾遺，「左」屬門下，「右」屬中書。[89]其中的左右拾遺、左右補闕乃「古無此官」，爲武后垂拱元年（685）二月所創置。[90]這些諫官的品秩以散騎常侍最高，爲中書門下正三品官；諫議大夫秩正五品上，後升爲正四品，左右補闕從七品上，左右拾遺從八品上。其中散騎常侍之職在「掌侍奉規諷，備顧問應對」[91]，其實是侍奉多於顧問，因其地位極顯，朝廷多作爲加官，用來榮寵元老及致仕大臣，「其官久不舉職，習已成例」[92]。所以，唐代真正的諫官是諫議大夫和左右補闕、拾遺。此外，非專職諫官但亦兼掌諫職的，尚有門下省的給事中（正五品上）和起居郎（從六品上）。歐陽修曾說：「唐制，諫臣爲供奉之官，常在天子仗內，朝廷密議皆得聞之。」[93]諫官是供奉官，可以不由吏部注擬而直接由皇帝注擬或宰相授任，且又因爲職責所在，時時出入禁闈，近參皇帝左右，獻替朝政可否，若得皇帝的青睞，就可能升任爲知制誥或翰林學士，由此便不難進一步升任郎官、給事、舍人等中央要職，以至於爲相，故爲清要之選，爲時人所重。[94]這其中最爲特別者，無疑是拾遺和補闕。

　　唐代士人入仕除由朝廷超拔者外，一般都必須「循資格」，由低階循次以歷高階，拾遺和補闕二職正是許多士人擔任朝官的起

88　見元・馬端臨：《文獻通考》卷 50〈職官考〉，「給事中」、「諫議大夫」、「散騎常侍」等條。

89　以上參閱《通典》卷 19〈職官一〉。

90　見《舊唐書》卷 43〈職官志〉。

91　《唐六典》卷 8〈門下省〉。

92　見《唐會要》卷 54〈左右散騎常侍〉載長慶四年諫議大夫李渤奏所言。

93　《歐陽修全集》卷 98，〈奏議〉卷 2〈論諫院宜知外事札〉。

94　參見張國剛：《唐代官制》（西安：三秦出版社，1987），頁 41。

點。[95]一般文人任此二職正是初試啼聲之時，仕歷尚淺，急求表現，所以愈加敢於且頻於拂逆龍麟諫諍進言。白居易於憲宗元和三年（808）任左拾遺時，曾上〈初授拾遺獻書〉，說明該官的職能與設置用意，即指出：

> 臣按《六典》：左右拾遺掌供奉諷諫，凡發令舉事有不便於時、不合於道者，小則上封，大則廷諍。其選甚重，其秩甚卑，所以然者，抑有由也。大凡人之情，位高則惜其位，身貴則愛其身；惜位則偷合而不言，愛身則苟容而不諫，此必然之理也。故拾遺之實，所以卑其秩者，使位未足惜，身未足愛也；所以重其選者，使上不忍負恩，下不負忍心也。夫位不足惜，恩不忍負，然後能有闕必規，有違必諫，朝廷得失無不察，天下利病無不言，此國朝實拾遺之本意也。[96]

「其選甚重，其秩甚卑」，可謂是低階諫官的最佳寫照。正因為拾遺、補闕位卑而職重，初入朝廷即受皇帝之倚託，為眾人所矚目，「驚近白日光，慚非青雲器」[97]，愈容易激發其「直言」與「載道」的使命感，所以欲有為者無不盡力職守，報效朝廷，「有闕必規，有違必諫，朝廷得失無不察，天下利病無不言」，仿效貞觀故事，以補時救弊為當然之己任。元稹和白居易的例子尤最為典型。

元和初，元稹除右拾遺，「既居諫垣，不欲碌碌自滯，事無不

---

95 據統計，唐朝知名作者擔任拾遺的有：陳子昂、孫逖、盧藏用、張九齡、辛替否、吳兢、李邕、王維、杜甫、高適、獨孤及、梁肅、王仲舒、呂溫、白居易、元稹、李紳、獨孤郁、令狐楚、沈既濟等四十人；擔任補闕的有：張說、辛替否、吳兢、孫逖、王維、岑參、李華（未赴）、梁肅、權德輿、李紳、獨孤郁、李渤、柳公權、杜牧等二十六人。此處略舉，詳見傅紹良，同註 43，頁 100。
96 唐・白居易：〈初授拾遺獻書〉，《全唐文》卷 667。
97 唐・白居易：〈初授拾遺〉，《白居易集》卷 1。

言，即日上疏論諫職。」其後白居易也繼之拜左拾遺，「自以逢好文之主，非次拔擢，欲以生平所貯，仰酬恩造。拜命之日，獻疏言事。」兩人因此都積極從事諫諍，寫下不少的諫諍文字。[98]如《資治通鑑》即明載元稹的上疏，以孫伏伽故事比況今朝：

> 昔太宗初即政，孫伏伽以小事諫，太宗喜，厚賞之。故當是時，言事者惟患不深切，未嘗以觸忌諱為憂也。太宗豈好逆意而惡從欲哉？誠以順適之快小，而危亡之禍大故也。陛下踐祚，今已周歲，夫聞有受伏伽之賞者。臣等備位諫列，曠日彌年，不得召見，每就列位，屏氣鞠躬，不敢仰視，又安暇議得失，獻可否哉！供奉官尚爾，況疏遠之臣乎！此蓋羣下因循之罪也。[99]

雖言「羣下因循之罪」，實際是責怪皇帝不能重用諫臣，透露其冀求皇帝知賞的心理。此種心理無疑是鼓勵這些低階諫官勇於諫諍的原動力，而這正是拾遺、補闕作為低階諫官的設置目的。

拾遺、補闕勇於諫諍，位居朝中「首諫」的諫議大夫也當然也不遑多讓。唐王朝對諫議大夫的授予一向慎重，一般也必須「循資格」歷階而升，「亦有拔自山林，然起於卑位者，其例則少，用皆有由。或道德章明，不求聞達，或材行卓異，出於等倫，以此選求，實愜公議。其或事跡未著，恩由一時，雖有例超升，皆時論非允。」[100]而諫議大夫秩峻任重，朝廷多以「老成之人」處之，

98　以上各見《舊唐書》卷 166 二人本傳。

99　《資治通鑑》卷 237，元和元年四月。此文收入《全唐文》卷 650，題作〈獻事表〉。

100　《唐會要》卷 55〈省號下〉，「諫議大夫」條。諫議大夫來源有兩途：或來自於諫官系統，如吳兢、李渤、柳公權等人是；或來自於其他官職系統，如員半千、高適、陸贄、李翱等人。而起於卑位或是由山林中超授諫議大夫的，則有魏徵、盧鴻一、陽城、盧仝等人是。參見傅紹良，同註 43，頁 113-117。

其論事「不須令宰相先知」[101]，動見瞻觀，故其諫諍行爲更能引起注目。其著名者，除魏徵之外，可舉陽城爲例：

> （德宗）召拜右諫議大夫。……裴延齡誣逐陸贄、張滂、李充等，帝怒甚，無敢言；城聞，曰：「吾諫官，不可令天子殺無罪大臣。」乃約拾遺王仲舒守延英閣，上疏極論延齡罪，慷慨引誼，申直贄等，累日不止。聞者寒懼，城愈勵。帝大怒，召宰相抵城罪。順宗方爲皇太子，爲開救，良久得免，敕宰相諭遣。然帝意不已，欲遂相延齡。城顯語曰：「延齡爲相，吾當取白麻壞之，哭於廷。」帝不相延齡，城力也。[102]

像陽城這樣直言極諫不辱沒其職的諫議大夫，在唐代屢見其人，也因此留下許多擲地有聲的諫疏。如吳兢、如陸贄、如李翱、如李渤等皆是。

即使身不在諫職的官員，亦經常抗表議事，此無疑受貞觀故事之啓發，雖然此亦屬於「出格」之舉，可能遭到朝廷貶斥，但其上疏效力亦等同諫諍，有時更能造成意想不到的反響。例如，代宗大曆年間，宦官程元振握權擅政，太常博士柳伉於衆諫官皆噤聲沈默之時，獨發諤諤之言，上〈請誅程元振疏〉[103]，直言斥指代宗之過失，震動當時；而憲宗朝，韓愈以刑部侍郎身分上〈論佛骨表〉[104]，力諫憲宗佞佛傷風敗俗，求福反禍，則是衆人最耳熟能詳的例子。兩者皆因此而名留青史，傳爲美談。

另外，造成諫諍文字盛行、影響不下於諫官制的，是朝廷制

---

101 唐・杜佑：《通典》卷 21〈職官三・門下省〉，「諫議大夫」條。
102 《新唐書》卷 194〈卓行傳〉。
103 事見《舊唐書》卷 184〈宦者・程元振傳〉。柳伉疏文收入《唐文粹》卷 28，又見於《全唐文》卷 457。
104 唐・韓愈/清・馬其昶校注《韓昌黎文集校注》，卷 8。

舉開設的「賢良方正能直言極諫科」，而這正是唐代許多諫官出身
的來源。案，賢良方正能直言極諫科的設置，最早是在漢文帝二
年（前 179）下詔的「舉賢良方正能直言極諫者」，其意在於：「悉
思朕之過失，及知見思之所不及，匄（丐）以告朕，……以匡朕
之不逮。」[105]是為皇帝親自向民間求舉能直言諫過的賢士。其後
則衍生成為朝廷對策之制，漢武帝時董仲舒的「賢良對策」即屬
此類。歷來此科不乏其見，朝廷屢屢以「賢良文學」或「直言」
等名目下詔求賢，然而皆不若唐朝制舉開科制度化後的規模之
大，舉人之盛，入選之多。

　　《文獻通考・選舉考》云：「唐制，天子自詔曰制舉，所以待
非常之材。其制詔舉人，不有常科，皆標其目而搜揚之。」[106]唐
朝的制舉由天子下詔舉人，並非常設科（如明經、進士等），其名
隨時而立，所以科目不一，極為龐雜。[107]許多制舉科目如：「長才
廣度沈跡下僚科」、「安貧樂道科」、「臨難不顧徇節寧邦科」等等，
率皆偶然一見；但是「賢良方正能直言極諫科」卻是諸多制舉試
中最為穩定、最常開設的科目，幾乎歷朝皆有，其聲名最著，應
舉者最多，成為朝廷制舉的「定科」之首，為拔擢人才的重要管
道。[108]《新唐書・選舉志》云：

105　《史記》卷 10〈孝文帝本紀〉載，又見《冊府元龜》卷 102〈帝王部・招
　　諫〉。
106　《文獻通考》卷 33〈選舉考六〉，「賢良方正」條。
107　傅璇琮：《唐代科舉與文學》（西安：陝西人民出版社，1986），依據《唐會
　　要》卷 76〈制舉科〉的統計指出：「唐朝從高宗顯慶三年（658）到文宗大
　　和二年（828）所開設的制舉，去其重複，總其科目，共有六十三種。」（頁
　　138）。而陳飛：《唐代試策考述》（北京：中華書局，2002），則進一步說明：
　　「當然，《唐會要・制舉科》所載遠不是唐代制舉制目和試目的全部，根據
　　我們的初步統計，其全部數量多達 982 個，其中制目 688 個，試目 294 個。」
　　（頁 262）詳見該書附錄：《唐代制舉科目年表》。
108　據陳飛：《唐代制舉科目年表》所列，「賢良方正能直言極諫科」成為定科

> 所謂制舉者，其來遠矣。……其為名目，隨其人主臨時所
> 欲，而列為定科者，如賢良方正直言極諫、博通墳典達於
> 教化、軍謀宏遠堪任將率、詳明政術可以理人之類，其名
> 最著。[109]

該科設置之宗旨，誠如德宗貞元九年（794）制舉詔所言：「昔在
太宗，勤求理道，納諫如響，任賢勿疑，致俗於太平，垂範於永
代。朕獲承鴻緒，追慕聖猷，書之座隅，常自儆勵。朝夕翹想，
庶聞嘉謀，夢寐勞懷，思得賢士。凡厥在位，所宜共成，諸司官
有陳便宜者，各盡所見。條疏封進，事有冤滯，政有闕遺，悉當
極言，無或隱避。」[110]可以說是專門為諫諍人才而設的特級考試，
這正顯現唐朝長久以來對諫諍的高度重視。而該科之舉行，尤其
以中唐最為頻仍，得人也最盛，特別令人玩味。《文獻通考》引石
林葉氏曰：

> 漢舉賢良，……當時未有黜落法，對者皆預選，但有高下
> 耳。至唐，始對策一道而有中否，然取人比今多。建中閒，
> 姜公輔等二十五人；太和閒，裴休等二十三人；其下如貞
> 元中，韋執誼、崔元翰、裴垍等皆十八人；元和中，牛僧
> 孺等；長慶中，龐嚴等，至少猶皆十四人。[111]

制目之前，曾各分立兩科，即「賢良方正科」（或曰「賢良」）與「直言極
諫科」（或曰「能極言時政得失」，或曰「直諫昌言」，或曰「諷諫主文」），
也曾合立為「方正直諫科」，但其設科用義皆在「用賢納諫」（清·徐松：《登
科記考》卷 18「元和十四年」條載憲宗制云），應無不同。見陳飛書，同
註 107，頁 388。
109 《新唐書》卷 44〈選舉志上〉。案，據陳飛：《唐代制舉科目年表》檢索，
此四科同時列為「定科」之始，似在憲宗元和二年（807），見陳飛書，同
註 107，頁 388。
110 宋·宋敏求編：《唐大詔令集》卷 70〈典禮·南郊四〉，〈貞元九年南郊赦〉。
111 同註 117。又宋·洪邁：《容齋續筆》卷 13 亦云：「唐德宗貞元十年，賢良
方正科十六人，裴垍為舉首，王播次之，隔一名而裴度、崔羣、皇甫鎛繼

唐朝許多士人皆曾投考此科，或中舉或不中舉，皆因此而產生不少著名的〈對賢良方正直言極諫策〉，實即是諫諍文字。

　　其中最有名者當屬憲宗朝的皇甫湜等三人與文宗朝的劉蕡，此四人對策皆轟動當時。皇甫湜事發生在元和四年（808）夏四月：

> 上策試賢良方正直言極諫，舉人伊闕尉牛僧孺、陸渾尉皇甫湜、前進士李宗閔皆指陳時政之失，無所避；戶部侍郎楊於陵、吏部員外郎韋貫之為考策官，貫之署為上第。上亦嘉之。……李吉甫惡其言直，泣訴於上，……上不得已，罷堪、涯學士，堪為戶部侍郎，涯為都官員外郎，貫之為果州刺史。後數日，貫之再貶巴州刺史，涯貶虢州司馬。乙亥，以楊於陵為嶺南節度使，亦坐考策無異同也。僧孺等久之不調，各從辟於藩府。[112]

劉蕡事發生在大和二年（828）春三月：

> 自元和之末，宦官益橫，建置天子在其掌握，威權出人主之右，人莫敢言。辛巳，上（文宗）親策制舉人，賢良方正，昌平劉蕡對策極言其禍。……考官左散騎常侍馮宿等見劉蕡策，皆歎服，而畏宦官，不敢取。詔下，物論囂然稱屈。諫官、御史欲論奏，執政抑之。李郃曰：「劉蕡下第，我輩登科，能無厚顏！」乃上疏，以為：「蕡所對策，漢魏以來無與為比。今有司以蕡指切左右，不敢以聞，恐忠良道窮，綱紀遂絕。況臣所對不及蕡遠甚，乞回臣所授以旌蕡直。」不報。蕡由是不得仕於朝，終於使府御史。[113]

　　可見二者的對策皆放言直論，指陳激切，無所避忌，因此觸

之。六名之中，連得五相，可謂盛矣！」
112　《資治通鑑》卷237〈唐紀〉53。
113　《資治通鑑》卷243〈唐紀〉59。

犯執政者的痛處而遭到貶抑，引起輿論譁然。如劉蕡的對策直指「天下將傾，海內將亂」云：

> 今四海困窮，處處流散。饑者不得食，寒者不得衣，鰥寡孤獨者不得存，老幼疾病者不得養。加以國權兵柄，專在左右，貪臣聚斂以固寵，奸吏夤緣而弄法。冤痛之聲，上達於九天，下入於九泉，鬼神為之怨怒，陰陽為之愆錯。君門九重，而不得告訴，士人無所歸化，百姓無所歸命。官亂人貧，盜賊幷起，土崩之勢，憂在旦夕。即不幸因之以師旅，繼之以凶荒，臣以謂陳勝、吳廣，不獨生於秦；赤眉、黃巾，不獨生於漢。臣所以為陛下發憤扼腕，痛心泣血也！如此則百姓有塗炭之苦，陛下何由而知之乎！有子惠之心，百姓安得而信之乎！致使陛下行有所未孚，心有所未達者，固其然也。[114]

這種針砭時弊大膽敢言的作風，充分顯現道德正義的勇氣，其實在唐代官場實不乏其人，不意竟也在朝廷的制舉考試的士子中出現，更證明唐代諫諍傳統的深刻影響。

其實，制舉本在對策，而對策所問不外乎「明於國家之大體，通於人事之終始」[115]，此並不只在「賢良方正直言極諫科」為然。所以當元和元年（806）白居易應「才識兼茂明於體用科」之舉前，便與元稹閉門苦讀，「揣摩當代之事，構成策目七十五門」[116]，後即編次成《策林》四卷。觀此《策林》之作，雖然是為制舉考試所模擬的題目和答案，但其文章內容實等於上疏諫言，可視作白居易精心為之的諫諍之作。其中如〈決壅蔽〉、〈採詩〉、〈納諫〉、

114 唐‧劉蕡：〈對賢良方正直言極諫策〉，《全唐文》卷 746。
115 《漢書》卷 49〈晁錯傳〉，文帝策賢良文學詔。
116 唐‧白居易：〈策林序〉，《白居易集》卷 62。

〈去諂佞從諫直〉等篇皆論及納諫之道與諫官之職責，又如〈人之困窮由君之奢欲〉、〈議鹽法之弊〉、〈革吏部之弊〉、〈御戎狄〉、〈論刑法之弊〉、〈議釋教〉、〈議文章〉等篇則直指時弊而爲決計之策。如其〈論刑法之弊〉，大舉貞觀刑法之美意，今已蕩然：

> 臣伏以今之刑法，太宗之刑法也，今之天下，太宗之天下也，何乃用於昔而俗以寧壹，行於今而人未休和？臣以爲非刑法不便於時，是官吏不循其法也。此由朝廷輕法科，賤法吏，故應其科與補其吏者，率非君子也，甚多小人也。蓋刑者，君子行之，則誠信而簡易，簡易則人安；小人習之，則詐僞而滋彰，滋彰則俗弊。此所以刑一而用二，法同而理殊者也。矧又律令塵蠹於棧閣，制勅堆盈於案几，官不遍覩，法無定科。今則條理輕重之文，盡詢於法直，是使國家生殺之柄，假在於小人。小人之心，孰不可忍，至有黷貨賄者矣，有怙親愛者矣，有陷仇怨者矣，有畏權豪者矣，有欺賤弱者矣。是以重輕加減，隨其喜怒，出入比附，由乎愛憎，官不察其所由，人不知其所避。若然，則雖有貞觀之法，苟無貞觀之吏，欲其刑善，無乃難乎？[117]

此文內容與「賢良方正直言極諫科」所策試者幾乎無異。雖其爲文用意不免有射利祿取功名之嫌，但由其鑽研之深與練習之勤，可以概見不管對策的科目爲何，諫諍議政的能力才是朝廷取士的重點。所以諫諍技巧完善與否、內容充實與否，皆關係前途升遷利鈍，必然使士人投注心血努力爲之。諫諍文字已然成爲唐代士人入仕遷官的必備技能，由此造成諫諍文字的發達與文體的改變，自是不言而喻。

---

117 唐・白居易：〈論刑法之弊〉，《白居易集》卷65。

　　諫諍文字既可以成爲升官取祿之資，所以除了諫官奏疏上諫，舉子制舉對策之外，士人之間也流行上書諫諍，也時有一鳴驚人的效果。如陳子昂，恐怕便是唐代布衣上書諫諍的第一人，他曾於武后朝上〈諫靈駕入京書〉[118]轟動遐邇，從此嶄露頭角，也開啓士人上書諫諍之風。據《舊唐書》本傳載：

> （子昂）舉進士，會高宗崩，靈駕將還長安，子昂詣闕上書，盛陳東都形勝，可以安置山陵，關中旱儉，靈駕西行不便。……則天召見，奇其對，拜麟臺正字。[119]

而在文宗朝同樣有舒元輿，以〈上論貢士書〉[120]奏皇帝，因此得到拔擢高第。據《新唐書》本傳載元輿：

> 元和中，舉進士，見有司鉤校苛切，既試尚書，雖水炭脂炬飱具，皆人自將，吏一倡名乃得入，列棘圍，席坐廡下，因上書言：「古貢士未有輕於此者……。臣恐賢者遠辱自引去，而不肖者爲陛下用也。」（下略）俄擢高第，調鄠尉，有能名。[121]

　　陳子昂與舒元輿，一在初唐，一已近於晚唐，而其行爲與結果何其相似，類此上書之例並不在少，雖未必皆得優遇，卻已成唐代士人的風尙。不可否認，這類上書也有本其諫諍精神，竭誠獻言，忘身爲國者，但朝廷既曾以此寵遇士人，所謂「馬周徒步獻書，上猶前席」[122]，已是士人仰羨的美談，不難使這類諫政的

---

118 見《全唐文》卷 212。
119 《舊唐書》卷 190〈文苑傳・陳子昂傳〉。
120 見《全唐文》卷 727。
121 《新唐書》卷 179〈舒元輿傳〉。
122 見唐僖宗：〈求言詔〉，《全唐文》卷 88。案，馬周實際未曾徒步獻書，而是因爲代中郎將常何陳便宜二十事上太宗，爲太宗所知而召見任用，事見《舊唐書》卷 24〈馬周傳〉。故唐代布衣上書者，應仍屬陳子昂爲第一人。

上書別有所圖，如羅聯添師所指出：「所論爲公，實則爲私，蓋以逞見識求知音爲目的」，「書中雖未必表明求用之意，而求用常爲上書動機之一」，此在中晚唐尤其爲然。[123]如貞元時李觀〈上宰相安邊書〉，因有鑒於吐蕃之禍而向宰相進安邊之策，文末即自稱：「求試屬國之官而後觀焉」，[124]有自薦求官之意。又如元和時劉軻〈再上崔相公書〉，以「某知相公未得高枕於廟堂之上者有四矣」，歷數宰相所未能盡善者四事亦即其四過爲諫，文末亦稱：「某所以首多士之伍進，希相公必首而納之」，[125]亦有以諫求用之意。

　　從上舉李觀、劉軻兩書之例也可以看出，其時士人上書諫諍之對象已不限於君主，舉凡地位尊貴者而言行可議者，皆可上書勸諫，大發議論，此正是諫諍傳統深入士人文化之後必有的現象，也是言論自由開放的反映。如韓愈即有〈上張僕射第二書〉[126]，論擊毬傷馬甚重，何況於人，以此上諫其幕主張建封停止擊毬；而宣宗時，孫樵作〈與李諫議行方書〉[127]，則是因李行方身爲諫議大夫，見國家大興土木重建佛寺卻無一言諫止，有虧職守，因此上書數責之。其事與韓愈爲陽城作〈爭臣論〉[128]類同，但言語更急切，夾譏諷與激勵並出：

> 今者下無林甫遏諫之權，上有開元虛己之勞。如此則敘立朝廷者，皆得道上是非，不顧時忌。矧執事官曰諫議哉！
> 執事卒不能言，避其官而逃其祿可也，他官秩優而位崇者

---

123 見羅師聯添：〈論唐人上書與行卷〉一文，收入所著《唐代文學論集》（臺北：學生書局，1989），頁 46-49。
124 見《全唐文》卷 532。
125 見《全唐文》卷 742。
126 見《韓昌黎先生文集校注》卷 3。
127 見《全唐文》卷 794。
128 同註，卷 1。

豈少耶？今年三月，上嘗欲營治國門，執事尚諫罷之。今
詔營廢寺以復羣髡，三年之間，斧斤之聲不絕。度其經費，
豈特國門之廣乎？稽其所務，豈特國門之急乎？何執事在
國門則知諫，在復廢寺則緘默，勇其細而怯其大，豈諫議
大夫職耶？

孫樵甚至獻〈復佛寺奏〉[129]一文，請李諫議轉呈天子，此亦諫諍
之文，更可見其諫諍的用心之深謀慮之遠，非臨時起義者。而孫
樵所言：「敘立朝廷者，皆得道上是非，不顧時忌。」朝官既如此，
何況一般士人？這剛好道出整個唐代士人羣體「敢言」的作風，
朝官對朝廷之議政是如此，士人對朝官之批評亦復如此。

第四節　諫諍文字與文體的變動

白居易《策林四》第七十〈納諫，上封章廣視聽〉曾云：

臣聞天子之耳，不能自聰，合天下之耳聽之而後聰也；天
子之目，不能自明，合天下之目視之而後明也；天子之心，
不能自聖，合天下之心思之而後聖也。……聖王知其然，
故立諫諍諷議之官，開獻替啟沃之道，俾乎補察遺闕，補
助聰明，猶懼其未也，於是設敢諫之鼓，建進善之旌，立
誹謗之木，工商得以流議，士庶得以傳言，然後過日聞而
德日新矣。[130]

此處所言的聖王納諫之法，實際皆為唐朝施行且大盛。唐朝君主
樂於納諫的傳統，確使工商士庶無人不敢議政。而諫諍離不開文

---

129 同前註。
130 唐・白居易：〈納諫〉，《白居易集》卷65〈策林四〉。

學之用，諫諍風氣大盛，諫諍文字大行，使得文體也隨之變動，這從唐代諸作者的諫諍之文中便可以明白窺見。首先便是陳子昂。

唐人以「拾遺」聞名者，無如「陳拾遺」陳子昂。子昂一生可謂與諫臣「拾遺補闕」的性格相始終，早在任拾遺之前，即以〈諫靈駕入京書〉詣闕上諫，此後子昂更以滿腔用世熱情屢屢上諫疏，或諫用刑、或申冤獄、或陳利害、或議邊防、或指斥時弊、或反對征戰，皆抗直敢言，無所懼避，充分顯現諫臣的風骨。他所作諫疏多達二十篇許，可說是貞觀諫諍傳統的直接繼承者，魏徵之後的第一人。如〈諫靈駕入京書〉開篇即言諫臣不畏死，云：

> 臣聞明主不惡切直之言以納忠，烈士不憚死亡之誅以極諫。故有非常之策者，必待非常之時；有非常之時者，必待非常之主。然後危言正色，抗議直辭，赴湯鑊而不回，至誅夷而無悔，豈徒欲詭世誇俗、厭生樂死者哉？[131]

〈申宗人冤獄書〉開篇同樣說道：

> 臣聞古人言：「為國忠臣者半死，而為國諫臣者必死。」然而至忠之臣，不避死以諫主；至聖之主，不惡直以廢忠。[132]

魏徵曾對太宗說：「願陛下使臣為良臣，勿使臣為忠臣。」因為：「良臣使身獲美名，君受顯號，子孫傳世，福祿無疆。忠臣身受誅夷，君陷大惡，家國並喪，獨有其名。以此而言，相去遠矣。」[133]魏徵深知「治世出良臣，亂世出忠臣」，故以「願為良臣」警諷太宗勵精圖治。此處陳子昂則直以「半死」之忠臣自許，而不避為「必死」之諫臣，可知其處勢之嚴峻，其用心之激切，已與貞觀「君臣相契」之時有所不同，故其文也較貞觀諫臣更來得博辯

---

131 唐・陳子昂：〈諫靈駕入京書〉，《全唐文》卷 212。
132 唐・陳子昂：〈申宗人冤獄書〉，《全唐文》卷 213。
133 《貞觀政要》卷 2〈直諫〉。

敢言，縱橫馳騁，動輒數千上萬言而不覺其懈。這種文字的力量
依靠的是條分屢析的述事、透徹精闢的說理、嚴謹周密的構思，
以及敢於揭露時局弊政的勇氣。如其〈諫雅州討生羌書〉，為諫止
討伐羌人而結西蜀之禍，乃一一列舉七事，辨析其不可為，或引
歷史故事為誡，或徵眼前事實為喻，動之以情，曉之以義，極言
竭論，務求其盡，其勢滔滔不絕，令人無從迴避。文末總結云：

> 當今山東饑、關隴弊，歷歲枯旱，人有流亡，誠是聖人寧
> 靜、思和天人之時，不可動甲兵興大役，以自生亂。臣又
> 流聞西軍失守，北軍不利，邊人忙動，情有不安，今者復
> 驅此兵，投之不測。臣聞自古國亡家敗，未嘗不由黷兵，
> 今小人議夷狄之利，非帝王之至德也，又況弊中夏哉！臣
> 聞古人善為天下者，計大而不計小，務德而不務刑，圖其
> 安則思其危，謀其利則慮其害，然後能享福祿，伏願陛下
> 熟計之。[134]

這樣的文字已無駢四儷六揮灑的餘地，全是任氣直行，而且也無
法以隸事用典點綴成篇，而必須確有實學真見，切用於當前，不
然理據不周，論事闊遠，即空疏如無物，難以說服人。子昂的諫
諍文字由此確立一種新的文章風格：用子昂自道的說法是「切
直」，用唐人如盧藏用、梁肅的說法即是「風雅」。[135]

　　「風雅」之說固然是從〈毛詩大序〉而來，「風」指風刺，「雅」
指雅正，其下還包含所謂「經夫婦，成孝敬，厚人倫，美教化，
移風俗」以及「政之所由興廢」的儒家道德教化之義，此確足以
說明子昂之文的內容；然而，〈毛詩大序〉的「風雅」乃就詩歌上

---

134 唐‧陳子昂：〈諫雅州討生羌書〉，《全唐文》卷 212。
135 盧說見其〈右拾遺陳子昂文集序〉，《全唐文》卷 238。梁說見其〈補闕李
　　君前集序〉，《全唐文》卷 518。

說，故有「主文譎諫」[136]的風格要求，而子昂之文的「切直」顯然與此不同，毋寧說還是來自貞觀諫臣即已擅長的「正詞直諫」或「直詞正諫」，也就是「直論得失，無假文言」[137]。而子昂之特殊，不僅在於其以直切無雕飾之文風刺時政而能歸於雅正，不是枵腹空疏之徒可比，更在於其懷抱詩人的「感遇」之情，如其〈座右銘〉所謂：「事父盡孝敬，事君端忠貞；兄弟敦和睦，朋友篤信誠；從官重恭慎，立身貴廉明；待士慕謙讓，蒞民尚寬平」[138]，從而將之貫注於文章之中，因此特別顯得公忠體國，愛民恤人，並非只作為一介諫臣而已。如其〈諫靈駕入京書〉其中一段寫道：

> 去歲薄稔，前秋稍登，使羸餓之餘，得保沈命，天下幸甚，可謂厚矣。然而流人未返，田野尚蕪，白骨縱橫，阡陌無主，至於蓄積，猶可哀傷。陛下不料其難，貴從先意（案，指先帝高宗還京歸葬之意），遂欲長驅大駕，按節秦京，千乘萬騎，何方取給？況山陵初制，穿復未央，土木工匠，必資徒役。今欲率疲弊之眾，興數萬之軍，徵發近畿，鞭朴羸老，鑿山采石，驅以就功，但恐春作無時，秋成絕望，凋瘵遺噍，再罹饑苦，倘不堪弊，必有逋逃，子來之頌其將何詞以述？此亦宗廟之大機，不可不深圖也。況國無兼歲之儲，家鮮匝時之蓄，一旬不雨，猶可深憂，忽加水旱，人何以濟？陛下不深察始終，獨違羣議，臣恐三輔之弊，不止如前日矣。[139]

此為高宗靈柩還京對百姓可能造成的騷擾，以極其憂心沈痛之筆

---

136 《十三經注疏‧毛詩正義》引鄭玄注云：「主文，主與樂之宮商相應也。譎諫，詠歌依違，不直諫。」
137 唐肅宗：〈求言詔〉，《全唐文》卷 42。
138 見《全唐文》卷 214。
139 同註 141。

敍之，指事造懷，拳拳懇懇，有詩人諷諭之意，並非只是言辭直致激切而已。子昂此類諫諍文字因此成為新一代文章的代表，誠如清人紀昀所說：「唐初文章，不脫陳、隋舊習。子昂始奮發自為，追古作者。……今觀其集，惟諸表序猶沿排儷之習，若論事書疏之類，實疏樸近古。」[140]這也是盧藏用說他「質文一變」[141]的原因。

　　陳子昂之後，這種「疏樸近古」的文字幾乎已成為諫諍之文的定式，其主要特徵就是：（一）用詞淺白，甚少用典與文飾；（二）放言直論，不計其篇幅之冗長；（三）指切時事，無所忌避；（四）時或帶有憤激不平的情緒。這些特色當然都使得散文的運用更加成熟、自由而流利，迥異其他仍陷於駢儷窠臼的文體，如賦頌、制誥、碑誌、記序等，而成為在韓柳「古文運動」之前最先改良成功的體式。試略舉幾篇名作段落比較之，即可知此話不虛。睿宗朝，辛替否〈諫造金仙玉真兩觀疏〉：

> 伏惟陛下愛兩女，為造兩觀，燒瓦運木，載土填坑，道路流言，皆云計用錢百餘萬貫。惟陛下聖人也，無所不知；陛下明君也，無所不見。既知且見，知倉有幾年之儲？庫有幾年之帛？知百姓之閒，可存活乎？三邊之上，可轉輸乎？當今發一卒以御邊陲，追一兵以衛社稷，多無衣食，皆帶饑寒，賞賜之閒，迴無所出，軍旅驟敗，莫不由斯。而迺以百萬貫錢，造無用之觀，以賈六合之怨乎？以違萬人之心乎？[142]

---

140 見清・紀昀《四庫全書總目題要》卷149〈集部二〉，「陳拾遺集」條。
141 參見郭預衡：《中國散文史》（上海：上海古籍出版社，1993），下冊，頁81。盧說見其〈右拾遺陳子昂文集序〉，《全唐文》卷238；蕭說見李華：〈揚州功曹蕭穎士文集序〉，《全唐文》卷315。
142 唐・辛替否：〈諫造金仙玉真兩觀疏〉，《全唐文》卷272。案，原題「兩觀」誤作「雨觀」，此處逕改。

玄宗朝，李邕〈諫鄭普思以方技得幸疏〉：

> 陛下今若以普思有奇術，可致長生久視之道，則爽鳩氏久
> 應得之，永有天下，非陛下今日可得而求。若以普思可致
> 仙方，則秦皇、漢武久應得之，永有天下，亦非陛下今日
> 可得而求。若以普思可致佛法，則漢明、梁武久應得之，
> 永有天下，亦非陛下今日可得而求。若以普思可致鬼道，
> 則墨翟、干寶各獻於至尊矣，而二主得之，永有天下，亦
> 非陛下今日可得而求。此皆事涉虛妄，歷代無效，臣愚不
> 願陛下復行之於明時。惟堯舜二帝，自古稱聖，臣觀所得，
> 故在人事，敦睦九族，平章百姓，不聞以鬼神之道理天下。
> 143

代宗朝，顏真卿〈論百官論事疏〉：

> 臣又聞君子難進易退，由此言之，朝廷開不諱之路，猶恐
> 不言；況懷厭怠，令宰相宣進止，使御史臺作條目，不令
> 直進。從此人人不敢奏事，則陛下聞見，只在三數人耳。
> 天下之士，方鉗口結舌。陛下後見無人奏事，必謂朝廷無
> 事可論，豈知懼不敢進，即林甫、國忠復起矣！凡百臣庶，
> 以為危殆之期，又翹足而至也。如今日之事，曠古未有，
> 雖李林甫楊國忠，猶不敢公然如此。今陛下不早覺悟，漸
> 成孤立，後縱悔之，無及矣！144

這些諫諍文字朝代不同，作者不同，然其使用散文的自由流利可
謂相差無幾，這樣的散文作風，也逐漸形成唐人說理論事之文的
特色。即使以駢文寫作制誥疏奏著稱的大家 —— 德宗朝的陸贄，
其諫諍之作同樣流露這種條達直暢的散文風格，使人讀之而忘其

---

143 唐・李邕：〈諫鄭普思以方技得幸疏〉，《全唐文》卷 261。
144 唐・顏真卿：〈論百官論事疏〉，《全唐文》卷 336。

為駢文，如〈奉天論奏當今所切務狀〉，不用難字，不使事典，寫得深切明白，其文云：

> 頃者竊聞輿議，頗究羣情，四方則患於中外意乖，百辟又患於君臣道隔。郡國之志，不達於朝廷；朝廷之誠，不升於軒陛。上澤闕於下布，下情壅於上聞，實事不必知，知事不必實。上下否隔於其際，真偽雜糅於其間，聚怨囂囂，騰謗籍籍，欲無疑阻，其可得乎？物論則然，人心可見。蓋謂含宏聽納，是聖主之所難；鬱抑猜嫌，是眾情之所病。伏惟陛下神無滯用，鑒必窮微，愈其病而易其難，如淬鋒潰疣，決防注水耳。可以崇德美，可以濟艱難，陛下何慮不行，而直為此懍懍也。[145]

也因為諫諍文字所包含的「疏樸近古」的風格與其必然與國家政教相關的內容，在中唐蕭李等「古文前驅者」的眼中，無疑最合乎其「振中古之風，以宏文德」的復古文學理論之所需；於是，陳子昂乃成為「文詞最正」的代表，是唐文「第一變」的始動者，直接繼承「近於理體」的西漢賈誼，而上接六經的「風雅」之道。[146]這便是韓愈之前，「古文前驅者」所推動的文學改革最主要的內容。

正是在蕭李等人復古文學理論有意的提倡與推動之下，諫諍文字的風格與內容，毫不意外，由此擴及到其他文體，如獨孤及總結李華的全集所言：「公之作本乎王道，大抵以五經為泉源，抒情性以託諷，然後有歌詠。美教化，獻箴諫，然後有賦頌。懸權衡以辯天下公是非，然後有論議。至若記序、編錄、銘鼎、刻石之作，必采其行事以正褒貶，非夫子之旨不書。故風雅之指歸，

145 唐・陸贄：〈奉天論奏當今所切務狀〉，《全唐文》卷 468。
146 唐・李華：〈揚州功曹蕭穎士文集序〉，《全唐文》卷 315。

刑政之本根，忠孝之大倫，皆見於詞；然後中古之風復形於今。」
[147]如果說，此皆有得於諫諍文字成功改良而且大盛之後所導致的
結果，應非過論。

　　例如李華的〈中書政事堂記〉即是一篇發揮諫諍大義的文字：

> 記曰：政事堂者，君不可以枉道於天，反道於地，覆道於
> 社稷，無道於黎元，此堂得以議之。臣不可悖道於君，逆
> 道於仁，黷道於貨，亂道於刑；克一方之命，變王者之制，
> 此堂得以易之。兵不可以擅興，權不可以擅與，貨不可以
> 擅蓄，王澤不可以擅奪，君恩不可以擅間，私讎不可以擅
> 報，公爵不可以擅私，此堂得以誅之。事不可以輕入重，
> 罪不可以生入死，法不可以剝害於人，財不可以擅加於賦，
> 情不可以委之於幸，亂不可以啟之於萌；法紊不賞，爵紊
> 不封，聞荒不救，見饉不矜；逆諫自賢，違道變古，此堂
> 得以殺之。

　　中書省政事堂乃唐代三省宰相議事之所，是總全國行政的首
腦，故此文特為宰相所肩負的重責大任，提出嚴正告誡：君主有
過則「得以議之」，百官失職則「得以易之」，貪污舞弊則「得以
誅之」，虐民害政則「得以殺之」，句句雷厲風發，大聲鏜鏜，令
聞之者懼，其基於諫諍本色發揮無疑。李華此類的議論之作尚多，
如〈國之興亡〉以齊隋之亡國為鑒，正彷彿貞觀諫臣之議論，其
文云：

> 為國者同於理身，身或不和，則藥室之，針灸之。若夫扶
> 病而不攻，疾病則斃，扶之者尸也。齊隋之亡也，以貞於
> 終始為惑，苟而無恥為明，慢於事職為高賢，見義不為為

---

147 唐・獨孤及：〈檢校尚書吏部員外郎趙郡李公中集序〉，《全唐文》卷388。
此用《文苑英華》版本，多「然後中古之風復形於今」十字，見該書卷702。

長者。繩違用法,則附強而潰弱也;議於得失,則異寡而同眾也。……嗟乎!心腹支體一也,為病者萬焉,雖有岐緩而不請,岐緩視之而不救。噫!齊隋不亡,得哉?返是而理,則王道易易也。

在其他古文前驅中,也紛紛將這種諫諍大義發揮於其他文章,作為其「載道」主張的實踐。如乾元二年(759),元結以〈時議〉三篇上肅宗,假「輿皁之說」為諫,指責國家尚未安定而天子已然忘危,無視人民疾苦,辭甚直切。[148]此後,元結又有〈時規〉,亦發揮諫諍之義,然而卻以譏諷的反語出之,云:「何不曰願得如九州之地者億萬,分封君臣父子兄弟之爭國者,使人民免賊虐殘酷者乎?何不曰願得布帛錢貨珍寶之物,溢於王者府藏,滿將相權勢之家,使人民免饑寒勞苦者乎?」[149]令聞者為之羞愧。再如獨孤及,嘗拜左拾遺,「凡所諫諍,直而不訐,婉而不撓」[150],所以在代宗登位之初,即有剴切敢言的〈直諫表〉,直陳民生凋弊云:「自師興不息十年矣,萬姓之生產空於杼軸。擁兵者第館亘街陌,奴婢厭酒肉,而貧人羸餓就役,剝膚及髓。」[151]又有〈吳季子札論〉,議論吳季札讓之國事乃不孝、不公、不仁、不智,有儆惕君主之意。梁肅,嘗任右補闕,其文章以「敘釋氏最為精博」,但「若以敘人倫,正褒貶,則人皆知之。」[152]著有〈兵箴〉,警誡當局者當謹慎治兵,不可窮兵黷武,亦不可疏於國防,云:「故長民者,無曰我強,莫予敢亢。尋邑百萬,覆乎昆陽。無曰我大,莫矛敢制。陳吳攘袂,嬴氏大潰。武不可玩,玩則必窮。兵不可

148 見《全唐文》卷 381。
149 見《全唐文》卷 383。
150 見唐‧崔祐甫:〈故常州刺史獨孤公神道碑銘〉,《全唐文》409 卷。
151 見《全唐文》卷 384。
152 見唐‧崔恭:〈唐右補闕梁肅文集序〉,《全唐文》卷 480。

廢，廢則終凶。故曰天下雖平，忘戰則危。不教民戰，是謂棄之。」[153]寫得精警悍厲，亦從諫諍直言的風格來，不同於梁氏他作。

這種文字發展下去，自然造成好議論時事的風氣，促成唐人各種小型論政文章的發達，其形式已非上予朝廷的諫疏或上書，甚或無呈獻之對象，然而其所議論者，無非是當政者不當的法度措施，或是國家社會長久以來的積弊，並對此提出針砭。此類論政之作之所以出色，不僅在於議論深切得體，強直敢言，更在於對當時現實狀況或隱或顯的揭露，此尤其以古文家爲然，而且經常出入各種文體，表現樣貌豐富繁多。如李觀的〈涇州王將軍文〉寫王將軍奮勇殺敵沒死沙場，指責朝廷不知用人選將，如今死而加封，於事何補？[154]韓愈的〈原道〉以儒道與佛老兩家對比，闡發儒道的易明易行，由此建請禁絕佛教；〈爭臣論〉以陽城爲諫議大夫，三年不獻一言，質問其故，並大論諫諍之道；〈本政〉與〈守戒〉則對爲政之本與防守之要，深入分析批判。[155]柳宗元的〈貞符〉寫祥瑞之事乃好怪之人所妄造，「受命不于天，于其人；休符不于祥，于其人」，矛頭指向迷信的君主；〈杜兼對〉爲世人有疑於杜兼者辯護；〈吏商〉說明貪官之好貨不如廉官之好貨，揭穿官場的實際。[156]李翱的〈平賦書序〉就國家賦稅之苛，論「人皆知重斂之可以得財，而不知輕斂之得財愈多也」之理，提倡古代的什一之法；〈陸歙州述〉以陸傪雖賢而久不得其位，既得其位又早卒而無功，諷諫天子耳目塞閉，朝廷不知用人。[157]……類此之例尚多，不勝枚舉，在晚唐諸作者仍承之不絕，如孫樵的〈書褒城

---

153 見《全唐文》卷 520。
154 見《全唐文》卷 534。
155 以上韓文，分見《韓昌黎先生文集校注》卷 1 及卷 2。
156 以上柳文，分見《柳宗元集》卷 1、卷 14、卷 20。
157 見《全唐文》卷 638。

驛壁〉、〈讀開元雜報〉，[158]皮日休的〈白門表〉以及陸龜蒙的〈野廟碑〉[159]等等，亦皆屬之，此不再贅述。這些文章皆顯示一種結合時事的議論風格，現實感強烈，這無疑是受諫諍傳統影響演化而來，且觀其所使用的文字，有祭文、有問對、有書序、有碑記、有雜文，不論何種形式，無不可以藉之申言進諫。

　　至於朝廷的諫諍文字到晚唐國事蜩螗時，則出現一種以死相逼、激切憤厲的直諫，已不復坐而論道的溫和。這種「死諫」之語，在前此的諫諍文字中偶或會有，如傅奕、柳伉、韓愈、劉蕡等，然而皆不過綴於篇末，作爲一種表達至誠的修辭方式，並不若晚唐說得如此決絕斬利，彷彿若非以必死之心衝撞之辭激怒人主，不足以動其視聽，引起注意。如僖宗時劉允章的〈直諫書〉開頭即不避憤恚直說道：

> 臣聞太直者必孤，太清者必死。昔晁錯勸削諸侯之地，以蒙不幸之誅。商鞅除不軌之臣，而受無辜之戮。今幷臣三人矣。守忠懷信，口不宣心，則刎頸刳腸，向闕廷而死者，幷臣是也。救國策從千里而來，欲以肝腦上污天庭，欲以死尸下救黎庶。臣死之後，不見聖代清平，故留賤臣以諫明主。今短書一封，不入長策，伏蒙不收，所以仰天捶胸，放聲大哭。殺身則易，諫主則難。以易死之臣，勸難諫之主。……今國家狼戾如此，天下知之，陛下獨不知之。天下不敢言，臣獨言之。萬死一生，臣死一介之命，救萬人之命，臣今雖死，猶勝於生。[160]

僅一段之中即連用八個「死」字，且「仰天捶胸，放聲大哭」，真

---

158 見《全唐文》卷 795。
159 見《全唐文》卷 801。
160 唐‧劉允章：〈直諫書〉，《全唐文》卷 804。

是不忍卒睹、不忍卒聞，若非皇帝已昏瞆至極何需如此？劉允章
在此書中極言「官有八入、國有九破、人有五去」，條陳急切，若
刻不容緩，言雖聳動，亦非無的放矢，然而終不能感悟僖宗，等
如不諫。爲此，杜牧曾有〈與人論諫書〉，分析「君臣治亂之間，
興亡諫諍之道」，反對直諫。其理由是：

> 夫迂險之言，近於誕妄；指射醜惡，足以激怒。夫以誕妄
> 之說，激怒之辭，以卑凌尊，以下干上，是以諫殺人者，
> 殺人愈多；諫畋獵者，畋獵愈甚；諫治宮室者，宮室愈崇；
> 諫任小人者，小人愈寵。觀其旨意，且欲與諫者一鬭是非，
> 一決怒氣耳，不論其他，是以每於本事之上，尤增飾之。
> 今有兩人，道未相信，甲謂乙曰：「汝好食某物，慎勿食，
> 果食之，必死。」乙必曰：「我食之久矣，汝謂我死，必倍
> 食之。」甲若謂乙曰：「汝好食某物，第一少食，苟多食，
> 必生病。」乙必因而謝之，減食。何者？迂險之言，則欲
> 反之，循常之說，則必信之，此乃常人之情，世多然也。
> 是以因諫而生亂者，累累皆是也。[161]

諫諍過激，指射醜惡，不留情面，適足以造成的反效果，欲
諫而反勸，因諫而生亂，此確是不假。所以杜牧反對直諫，而提
倡迂迴曲說之法：

> 今人平居無事，朋友骨肉切磋規誨之間，尚宜旁引曲釋，
> 疊疊繹繹，使人樂去其不善而樂行其善，況於君臣尊卑之
> 間，欲因激切之言而望道行事治者乎？故《禮》稱五諫，
> 而直諫爲下。

杜牧所倡者，正是所謂的「諷諫」，魏徵即嘗言：「臣諫其君，

---

161 唐‧杜牧：〈與人論諫書〉，《全唐文》卷 752。下引文同。

甚須折衷，從容諷諫。」[162]此亦是漢賦所採用的方式，杜牧的〈阿房宮賦〉，據其自言即是諷諫之作：「寶曆大起宮室，廣聲色，故作〈阿房宮賦〉。」[163]然而這種方式，也可能同漢賦一樣落得「不免於勸」的下場，與激烈的直諫同。

　　杜牧如此著意反對直諫，恰顯現其時直諫文字是如何的流行，凡向朝廷進諫者大率皆危言急論，聳動視聽，唯恐君主不聞。但在晚唐，國勢已如江河日下，君主更加荒淫無道，不僅拒諫，甚至有殺諫之行為，[164]不管是直諫或諷諫都已無用武之地。於是，傳統諫諍的形式在晚唐如劉蛻、皮日休、羅隱等人的手上，又變化為另一種時而隱約其詞，時而激憤不平的諷刺文字。此種文字已無明顯的諫諍對象，不知特指何人何事而言，亦不再用於朝廷之上；然而就其設喻、用辭和內容觀之，無非是由當時朝廷和政局不公不義的現象的所激發，而成為一種富於政治批判意義，又有個人義憤感慨的文學性文字。可以說，這種新形式的諷刺文字雖由諫諍傳統而來，但已脫離實際現象的指涉，而成為一種抽象而共相的「諫諍理型」：抽象者，因其已無具體的人事和時事可指；共相者，則因其所警誡的道理普遍適於任何朝代任何君主，足以跨越時空而仍然令人感覺其用心之苦、指斥之切。

　　茲舉劉蛻的〈山書〉二則為例：

　　　車服妾勝，所以奉貴也。然而奉天下來事貴者賤夫。有車服必有雜佩，有妾勝必有娛樂。聖人既為之貴賤，是欲鞭農父子以奉不暇。雖有杵臼，吾安得粟而春之？嗚呼！教民以杵臼，不若均民以貴賤。

162　《貞觀政要》卷 10〈畋獵〉。
163　唐・杜牧：〈上知己文章啓〉，同註 171。
164　參見傅紹良的舉例，同註 43，頁 145-147。

古之弓矢，所以防惡也。懷惡者在內，所以能避（一作持）
弓矢也。故射惡未及死，而奪械可以殺人於天下。天下從
而禁畜私械者。嗚呼！古之弓矢，所以防惡也。今則不然，
反防人之持弓矢也。[165]

前一則，指貴賤不均即貧富不均，抨擊貴族階級制度是使農民貧
困的罪魁禍首；後一則，指暴力不足以制暴，反而因此愈生暴力
愈須處處防暴，直斥國家武力鎮壓的失敗。又如皮日休〈原謗〉
云：

天之利下民，其仁至矣。未有美於味而民不知者，便於用
而民不由者，厚於生而民不求者。然而暑雨亦怨之，祁寒
亦怨之，己不善而禍及亦怨之，己不儉而貧及亦怨之。是
民事天，其不仁至矣。天尚如此，況於君乎？況於鬼神乎？
是其怨訾恨讟，蓰倍於天矣。有帝天下君一國者，可不慎
歟？故堯有不慈之毀，舜有不孝之謗。殊不知堯慈被天下
而不在於子，舜孝及萬世乃不在於父。嗚乎！堯舜大聖也，
民且謗之，後之王天下，有不為堯舜之行者，則民扼其吭，
捽其首，辱而逐之，折而族之，不為甚矣。[166]

此言上天待人民以至仁，人民尚且有怨，何況君乎？故不待人民
以至仁之君，人民起而推翻族滅，乃天經地義之事。這比孟子的
「誅一夫」之說，還來得更悍然可畏，較法國大革命更早一千年
而先預言矣。再又如羅隱〈英雄之言〉云：

物之所以有韜晦者，防乎盜也。故人亦然。夫盜亦人也，
冠履焉，衣服焉。其所以異者，退讓之心，貞廉之節，不
恒其性耳。視玉帛而取者，則曰牽於寒饑；視國家而取者，

---

165 唐・劉蛻：〈山書一十八篇〉，《全唐文》卷789。
166 唐・皮日休：〈十原系述・原謗〉，《全唐文》卷798。

> 則曰救彼塗炭。牽於寒饑者，無得而言矣；救彼塗炭者，
> 則宜以百姓心為心。而西劉則曰：「居宜如是。」楚籍則曰：
> 「可取而代。」噫！彼必無退讓之心，貞廉之節，蓋以視
> 其靡曼驕崇，然後生其謀耳。為英雄者猶若是，況常人乎？
> 是以峻宇逸游，不為人之所窺者鮮矣。[167]

此言國君以富貴盛勢驕人，適足以生人覬覦之心；而以救民塗炭
為號召起義英雄，不過是窺人主之富貴而動念起心罷了，竟是直
指開國之君為大盜，揭破其欺世盜名的假面。

這些出語辛辣利如匕首的文字，率皆短小精悍，意盡輒止，
迥不似於一般傳統上長篇大論、有首有尾的諫諍文字。其形製雖
小，但要義不減，反而更因其短小而更有鮮明緊健的銳利之快，
過目令人難忘。這必是從諫諍文字過於鋪敘冗長而「欲諫反勸」
之後反向提煉拔淬的結果，其文學技巧濃縮之極，有時則逕以警
句出之，如皮日休的〈鹿門隱書〉以下三則即各以一句成文：

> 古之殺人也怒，今之殺人也笑。

> 古之用賢也為國，今之用賢也為家。

> 古之置吏也將以逐盜，今之置吏也將以為盜。[168]

這種形式的文字，前所未見。然觀其句法卻與前引魏徵的〈論
治道疏〉中所云：「古人之震怒，將以懲懇；當今以罰威，所以長
姦。」極其酷似，只是一為精警的短句，一為長篇的論述、對象
不同、效果不一，而兩者一脈相承的為文立意則是無庸置疑的。
唐人「直言極諫，放言無忌」的諫諍文字，發展至皮日休等人，
也可謂窮其形貌之變，也盡其大觀矣。

---

167 唐・羅隱：〈英雄之言〉，《全唐文》卷 896。
168 唐・皮日休：〈鹿門隱書六十篇〉，同註 166。

結　論

　　本文由唐代的諫諍傳統的形成與影響，看唐代散文演變之一端，已如畫卷之舒展，可得完整清晰的印象。

　　太宗貞觀時代君臣間盛行的諫諍風氣，雖出於政治上「以隋為鑒」的考量，卻意外啓動唐代散文的變革。羣臣的諫諍之文乃開國的新聲，為唐代散文的源頭。這類文章重視經世致用而抑制浮薄，發揮歷史教訓而約束個人情性，其所導向的文章風格則是崇實尙理，端正深刻，一反六朝時期的駢儷淫靡和虛浮柔弱之風；更重要者，因為太宗的「樂聞直諫」，使得貴遊文學的尋虛徵逐毫無用武之地，士人能言敢言的切直作風與儒學經術的修養，則被大加鼓勵，其文章遂與戰國策士與西漢儒臣同聲一氣，不謀而合，自然形成「復古」與「載道」的特徵，這是唐代散文最先形成的時代特色，遠在於韓柳「古文運動」發生前。

　　貞觀朝的諫諍風氣由於大宗的提倡鼓勵與制度化的保障，因而形成傳統，有所謂的「貴文」現象，深深影響唐代朝臣為文意向，這即是唐朝「以文治國」的由來。中唐諸子如獨孤及和梁肅等人所贊揚的「王風下扇」，應即指此而言。可見帝王的權勢力量與朝臣的響應，確能左右一代文學的發展。然而，朝臣之文學或可以啓導於一時，真正造成文體演變大局者，仍有待士人的投注與完成。

　　唐代的諫諍傳統因為諫官制度的保障與制舉試「賢良方正能言直諫科」的設置，使廣大士人亦能言而敢言，而士人的上書進諫的風氣更加速這樣的發展；其首推之功，當屬陳子昂。子昂率

先以布衣士人的身分上奏朝廷,並引起重視。他直言敢諫,充滿士人的政治熱情,使他成為此後唐代士人的標榜。後人評子昂,謂是「以風雅革浮侈」,從文化史的眼光看,正是他以上書諫諍的形式,將士人一己之命運聯繫於國家羣體的興衰,革除小我情思流連的陷溺,發而為文,遂能充滿道義之氣。

此下的諫諍傳統大體不出於此,但能言敢言的性格卻愈發強烈,成為此後古文家的強言直論的特色,並出入各種文體,形成唐代散文的重要一脈,在早期古文家中,尤被視作正宗的「載道」之文。而從韓愈的〈論佛骨表〉、皇甫湜、劉蕡的對策,以至於劉允章的〈直諫書〉,上予朝廷的諫諍愈來愈激切悍厲,然而也愈來愈遭朝廷漠視。所以有杜牧的反對直諫而提倡諷諫。至於晚唐的皮日休、陸龜蒙、羅隱等人,則時局已不堪聞問,遂變而為隱晦其詞的譏刺,以短篇文字說理,並充滿個人激憤之情,其本質雖仍是關乎國是的諫諍,然而其體式則饒富文學趣味,其寫作對象,恐由已無可再予寄望的朝廷,轉向一般識讀者,具有啓迪民智的意味,則其文章的價值正不可因其篇幅小而小視之。由此亦可見唐代散文演變的豐富樣貌。

場 次 表

日 期	時 間	場 次	內 容
2004.11.23（二）	18:30 ∣ 20:20	第一場	發表人：胡楚生教授 論文題目：日知錄索隱舉隅 主持人：陳維德教授 引言人：廉永英教授
2004.12.29（三）	18:30 ∣ 20:20	第二場	發表人：羅文玲助理教授 論文題目：談佛經翻譯對文學語言的影 　　　　　響 —— 以王維詩爲例 主持人：蕭水順教授 引言人：許淑華教授
2005.01.19（三）	15:10 ∣ 17:00	第三場	發表人：廉永英教授 論文題目：文心雕龍風格學商榷 主持人：陳維德教授 引言人：胡楚生教授
2004.12.29（三）	17:30 ∣ 19:30	第四場	發表人：齊婉先助理教授 論文題目：王陽明七情論與致良知說關 　　　　　係之探析 主持人：廉永英教授 引言人：施忠賢教授
2005.05.31（二）	17:00 ∣ 19:00	第五場	發表人：李增教授 論文題目：哲學的說文解字 ——〈度〉、 　　　　　〈刑名〉、〈動靜〉 主持人：廉永英教授 引言人：胡楚生教授
2005.06.21（二）	17:00 ∣ 19:00	第六場	發表人：陳廣芬助理教授 論文題目：康有爲《新學僞經考》及其 　　　　　相關問題之解讀 主持人：李　增教授 引言人：胡楚生教授

2005.11.15（二）	18:30 ｜ 20:30	第七場	發表人：詹杭倫教授 論文題目：劉若愚及其比較詩學體系 主持人：胡楚生教授 引言人：廉永英教授
2006.04.11（二）	18:30 ｜ 20:30	第八場	發表人：蕭水順助理教授 論文題目：孤獨美學：現代主義裡的古 　　　　　典文學情愫 —— 以鄭愁予 　　　　　為範式 主持人：廉永英教授 引言人：陳憲仁教授
2006.05.08（二）	18:30 ｜ 20:30	第九場	發表人：許淑華助理教授 論文題目：《史記‧呂后本紀》與《漢 　　　　　書‧高后紀》較析 主持人：胡楚生教授 引言人：兵界勇教授
2006.05.23（二）	18:30 ｜ 20:30	第十場	發表人：李郁周教授 論文題目：研究所階段的書法課程與教 　　　　　學述論 主持人：李　增教授 引言人：陳維德教授
2006.06.13（二）	18:30 ｜ 20:30	第十一場	發表人：陳維德教授 論文題目：簡化字與書法 主持人：許淑華教授 引言人：李郁周教授
2006.06.20（二）	18:30 ｜ 20:30	第十二場	發表人：兵界勇助理教授 論文題目：唐代諫諍傳統與唐代散文演變 主持人：陳廣芬教授 引言人：胡楚生教授